D0987657

ZOO CITY

DU MÊME AUTEUR
CHEZ LE MÊME ÉDITEUR

Les Lumineuses

Lauren Beukes

ZOO CITY

Roman

Traduit de l'anglais (Afrique du Sud)
par Laurent Philibert-Caillat

Titre original : *Zoo City*

ISBN 978-2-258-10263-7

Presses de la Cité | un département **place des éditeurs**

place des éditeurs

Avant-propos

Mes idées de roman se développent comme un polaroïd quelque part dans mon rhombencéphale. A l'origine de Zoo City, l'image d'une femme dans un appartement délabré, un paresseux accroché aux épaules comme un sac à dos. J'ai su aussitôt que l'animal était à la fois un fardeau et une chance de rédemption – l'accablant poids de l'espoir.

Je savais aussi qu'elle allait devoir accepter un travail dont elle ne voulait pas et que ce job la conduirait dans des endroits abominables. Que d'autres personnes seraient affublées d'animaux magiques, bénédiction et malédiction à la fois. Que le tout baignerait dans une ambiance de film noir, mais un film noir avec de l'arnaque à la nigériane, des réfugiés et des ados à problèmes à la place des poulettes à problèmes et autres archétypes habituels. A l'exception d'un meurtre, évidemment. Le meurtre était inévitable.

Et puis, je savais que l'action se déroulerait à Johannesburg.

J'ai grandi dans cette ville et, même si je n'y vis plus, elle me colle à la peau. Comme n'importe quelle cité, c'est un lieu de contrastes, mais son fouillis de problèmes sociaux y paraît plus tangible, d'une évidence aveuglante, plus que dans les autres métropoles que j'ai pu visiter.

Tout est dû à son incroyable carambolage de cultures et d'économies, des taudis sans électricité aux paradis pour consommateurs rivalisant avec ceux de Dubai. Ici, les immigrés s'abritent des violences xénophobes dans des refuges ignobles, qui sont néanmoins toujours préférables à la vie dans la rue, pendant que la nouvelle élite noire partage un déjeuner d'affaires avec la vieille élite blanche dans les restaurants branchés des banlieues verdoyantes. Corruption et népotisme glissent leurs doigts poisseux à tous les niveaux du pouvoir, comme à la sale époque de l'apartheid ; c'est même encore pire, parce que nous ne nous sommes pas battus pour en arriver à ça.

Johannesburg est hanté par son passé, par le spectre du crime et de la violence, par la manière dont technologie et magie coexistent là où on ne s'y attendrait pas. Malgré ses fantômes, c'est aussi un endroit incroyablement vivant, vibrant d'opportunités, d'espoirs. Les gens y sont, pour l'essentiel, ouverts et amicaux. C'est une ville d'immigrants : les premières vagues de Juifs, de Chinois, de Grecs et de Libanais ont été rejointes par un flux d'Ivoiriens, de Camerounais, de Nigérians et de Zimbabwéens. Ce brassage se reflète dans la cuisine, dans les rues et particulièrement dans le langage, la manière dont l'argot, et notamment le *tsotsitaal* – le jargon des gangsters –, s'empare des meilleurs mots de chaque langue pour les remixer sans vergogne.

Dans *Room 207,* le roman qu'il a consacré à Hillbrow, Kgebetli Moele qualifie Joburg de « cité des rêves ». Et c'est vrai ; on y vient pour les réaliser, qu'il s'agisse d'ambitions colossales ou du simple besoin de vivoter un jour de plus. La flamme de l'espérance y brûle avec ferveur, et parfois aussi avec noirceur.

Enfin, je savais que la seule façon de me réapproprier Joburg était d'y retourner, de passer du temps là où tous ses mondes se croisent. Pendant une semaine, j'ai arpenté Hillbrow, parlé avec ses habitants, j'ai traîné à Soweto, rôdé dans les boîtes de Brixton et de Rosebank. Je me suis fait refouler du Rand Club, je suis allée consulter un *sangoma* à Mai Mai, j'ai visité l'église méthodiste centrale. J'ai exploré l'histoire de la ville, depuis les tunnels étroits qui serpentent juste sous le centre-ville, legs des premiers prospecteurs, en passant par l'Ancienne Vie de Hillbrow – centre du monde nocturne et cosmopolite des années 70, puis quartier bohème miteux des années 80 et 90 – jusqu'à sa dégradation actuelle et à ses prémices de restauration.

Johannesburg n'est pas tant la toile de fond de l'intrigue que l'un de ses personnages et c'est en partie, je crois, ce qui parle aux lecteurs – la ville elle-même, mélange de tiers-monde et de monde dit « développé », de haute technologie et de superstitions, à la fois familière et profondément étrangère.

Ce n'est pas tout à fait le vrai Johannesburg, mais c'est aussi approchant que possible. La visite va commencer, mais ne vous fiez pas trop à votre guide. J'espère que c'est exactement ce à quoi vous vous attendiez.

Lauren Beukes
Le Cap, 21 mai 2011
www.laurenbeukes.com

PREMIÈRE PARTIE

1

A Zoo City, il est impoli de poser des questions.

La lumière du matin, soufrée comme les déchets des mines, se faufile sur la ligne d'horizon de Johannesburg et transperce ma fenêtre. Mon Bat-signal personnel. Ou un simple rappel que je n'ai toujours pas acheté de rideaux.

Je me couvre les yeux. Le matin a éclaté ; inutile de chercher à ramasser les morceaux. Je repousse les draps et m'extirpe du lit. Benoît ne tressaille même pas. Seuls ses pieds calleux dépassent de la couette, comme deux souches de bois flotté. Des pieds pareils, ça dit toute une histoire. On raconte qu'il a marché depuis Kinshasa, avec sa Mangouste attachée contre la poitrine.

La Mangouste en question est lovée comme une virgule velue sur mon ordinateur portable, dont les diodes clignotent juste sous son museau. Comme si elle ne savait pas que l'objet lui était interdit. Disons que je veille jalousement sur mon travail. Disons qu'il n'est pas tout à fait légal.

J'empoigne le portable par les bords et l'incline doucement au-dessus de mon bureau. Lorsqu'il atteint un angle de trente degrés, la Mangouste commence à glisser. Elle s'éveille en sursaut, ses petites griffes tentent de trouver une prise. Elle se contorsionne et réussit à atterrir sur ses pattes, puis rentre la tête dans ses épaules zébrées et me souffle dessus, toutes dents dehors. Je lui rends la pareille. Alors, elle se rappelle subitement qu'elle a des morsures de puce à gratter.

Je la laisse à son épouillage, me glisse sous l'une des boucles de corde qui pendent du plafond et constituent ce que je peux faire de mieux en matière de lianes amazoniennes, puis arpente le linoléum moisi jusqu'au buffet. Qualifier cette chose de buffet est assez optimiste, de même que qualifier d'appartement cette pièce humide au sol pentu, bosselé, et à la plomberie approximative. Le buffet est une boîte, fermée par un pan de tissu tenu par des punaises afin d'empêcher la poussière de se déposer sur mes vêtements ; et sur Paresseux, bien sûr. Lorsque je tire le drap imprimé de tournesols, il cligne des yeux, endormi sur son perchoir, comme un manteau de fourrure mal taillé entre deux cintres métalliques. Il n'est pas du matin.

Sa fourrure et ses griffes exhalent une odeur moussue, désagréable, qui paraît pourtant sèche et propre comparée aux relents de détritus et de moisissure qui remontent de la cage d'escalier. Elysium Heights a été condamné voilà des années.

Je l'évite pour m'emparer d'une tunique de marin vintage à col blanc, que j'assortis à un jean et des tongs, et termine par une écharpe vert citron que je passe par-dessus les petites dreadlocks qui cachent de manière très pratique le moignon mutilé de mon oreille gauche : Grace Kelly croisée avec Sailor Moon. Mais la comparaison ne relève pas tant de mon style vestimentaire que de mon budget. J'étais le genre de fille qui fréquentait les petites boutiques underground aux prix délirants. Mais c'était dans mon AV. Mon Ancienne Vie.

– Viens, mon pote, dis-je à Paresseux. Faut pas faire attendre les clients.

Paresseux lâche un éternuement aigu pour marquer sa désapprobation et tend ses longs bras duveteux. Il grimpe sur mon dos, remue et s'agite, puis trouve finalement sa position. Avant, je m'impatientais, mais à la longue, c'est devenu notre tradition.

Je n'ai pas encore eu ma dose de caféine, si bien qu'il me faut un peu de temps pour comprendre ce que signifient les grattements répétitifs que j'entends ; la Mangouste griffe la porte d'entrée avec une ferveur opiniâtre.

Je lui obéis, en repoussant le double verrou à bouton et en ouvrant le cadenas enchanté, lequel est censé interdire l'accès à ceux qui ont le don de se faufiler à travers les portes fermées. A peine la porte entrebâillée, la Mangouste file entre mes chevilles et descend le couloir en trottant, en direction de la litière commune. Elle est facile à repérer : c'est le coin le plus malodorant de tout l'immeuble.

– Tu devrais investir dans une chatière.

Benoît est enfin réveillé et, appuyé sur un coude, me lorgne depuis l'ombre de ses doigts : la lumière réfléchie par Ponte Tower a atteint son côté du lit.

– Pourquoi ? je lui demande, en tenant la porte ouverte du bout du pied pour faciliter le retour de la Mangouste. Tu emménages ?

– C'est une invitation ?

– Ne prends pas tes aises, c'est tout ce que j'ai à dire.

– Ah, c'est vraiment tout ce que tu as à dire ?

– Et ne joue pas au plus malin.

– Te fais pas de bile, *cherie na ngayi*[1]. Ton lit est trop mal foutu pour que je prenne mes aises.

Benoît s'étire paresseusement, ce qui révèle la carte routière de cicatrices sur ses épaules, la peau brûlée, comme plastifiée, qui va de sa gorge à sa poitrine. Il ne me donne du « mon amour » qu'en lingala, ce qui m'aide à l'ignorer.

– Tu fais le petit déjeuner ?

– J'ai des livraisons, dis-je en haussant les épaules.

– Quelque chose d'intéressant, aujourd'hui ?

---

1. Un lexique figure à la fin de cet ouvrage. *(Toutes les notes sont du traducteur.)*

Il aime entendre parler des choses que les gens perdent.
– Un jeu de clés. La bague de la veuve.
– Ah, oui. La folle.
– Mme Luditsky.
– C'est ça. La folle.
– Bouge-toi, mon pote, je dois partir.
Benoît fait la grimace.
– Il est encore tôt.
– Je ne plaisante pas.
– D'accord, d'accord.
Il s'extrait de son cocon de draps, ramasse son jean par terre et passe un vieux tee-shirt frappé d'un slogan contestataire qu'il a obtenu auprès des fripiers de l'église méthodiste centrale.
Je repêche l'anneau de Mme Luditsky dans le verre en plastique de détergent Jik qui l'a accueilli toute la nuit afin de le débarrasser de son parfum d'*eau de drain*[1], et le rince sous un robinet crachotant. Platine, avec une constellation de saphirs et une étroite bande grise qui court en son centre, à peine égratignée. Même avec l'aide de Paresseux, il m'a fallu trois heures pour trouver cette foutue bague.
Dès que je la touche, je sens le tiraillement : la connexion qui part de moi comme un fil et se fait plus solide lorsque je me concentre sur elle. Paresseux resserre son étreinte sur mes épaules, enfonce ses griffes dans ma clavicule.
– Du calme, tigrounet.
Je cille. Ç'aurait peut-être été plus facile d'avoir un tigre. Comme si on avait le choix.
Benoît est déjà habillé, et la Mangouste décrit des huit impatients entre ses chevilles.
– On se voit plus tard, alors ? demande-t-il tandis que je le pousse vers la porte.
– Peut-être.

1. En français dans le texte. Désormais, un astérisque remplacera les notes de bas de page pour signaler l'usage du français dans le texte original.

Je souris malgré moi, mais lorsqu'il fait mine de m'embrasser, Paresseux le repousse d'un bras jaloux.

– Je ne sais pas lequel de vous deux est le pire, se plaint-il en se baissant pour éviter les griffes. Toi, ou ce singe.

– Moi, assurément, dis-je en fermant la porte derrière lui.

Les murs noircis de la cage d'escalier d'Elysium Heights sont encore imprégnés des relents du Contre-courant : ça sent le polyester brûlé dans un four micro-ondes. L'escalier est momifié dans des bandelettes de ruban de police, afin de le prémunir contre la dégradation de preuves éventuelles. Comme si les flics allaient revenir mener l'enquête. La mort d'un zoo à Zoo City n'est pas prioritaire, même les bons jours. La plupart des habitants utilisent l'escalier de secours pour éviter cet étage. Mais il y a des façons plus rapides de gagner le rez-de-chaussée. J'ai un talent pour trouver les choses perdues, mais aussi les raccourcis.

Je m'engouffre dans le 615, abandonné depuis que le feu est passé par là, et emprunte un trou dans le plancher qui donne sur le 526, lequel a été massacré par des ferrailleurs qui y ont arraché le parquet, les tuyaux, la déco : tout ce qui pouvait être vendu pour un fix.

D'ailleurs, je trouve un junkie évanoui sur le pas de la porte, la respiration creuse et rapide, une chose velue et sale contre la poitrine. Mes tongs écrasent les vestiges scintillants d'une ampoule électrique tandis que je l'enjambe. De mon temps, on fumait du crack, ou du mandrax si on était vraiment à la rue. J'emprunte la passerelle qui relie le bâtiment à Aurum Place et à sa cage d'escalier fonctionnelle. Pas si fonctionnelle que ça, en fait : au moment où j'ouvre la double porte donnant sur l'escalier et le noir complet, je devine où le junkie a trouvé son ampoule.

– Alors, n'est-ce pas romantique ?

Pour toute réponse, Paresseux grogne.

– Tu dis ça maintenant, mais souviens-toi que si je tombe, tu tombes avec moi, dis-je en faisant un pas dans les ténèbres.

Paresseux me pilote comme une moto, ses griffes se resserrant à gauche, à droite, en bas, en bas, en bas sur deux étages jusqu'à ce que les ampoules refassent leur apparition. Il ne leur faudra pas longtemps pour être transformées en pipes à *tik*. Ça se passe comme ça dans les taudis. Même ce qui est solidement fixé finit un jour par être recyclé.

Après la claustrophobie de la cage d'escalier, gagner la rue est un soulagement. Il est encore très tôt et tout est relativement calme. Un camion de nettoyage municipal tourne au ralenti un peu plus loin, et purge le tarmac au jet d'eau pour en chasser les transgressions de la nuit passée. L'une des transgressions en question bondit en arrière pour éviter d'être arrosée, et manque de piétiner le Moineau ébouriffé qui danse entre ses escarpins.

En me voyant, elle referme sur sa poitrine nue sa veste en jean, trop rapidement pour que je voie si la poitrine en question est dopée aux hormones ou à la magie. Lorsque nous nous croisons, je sens le tiraillement d'une dizaine de fils d'objets perdus émanant du trans ; c'est comme effleurer une anémone. J'essaie de ne pas regarder. Mais je relève quand même des impressions vagues, comme des photographies floues. Je reçois un instantané d'un étui à cigarettes en or, ou peut-être d'un étui à cartes de visite ; une *bankie* en plastique presque vide contenant de la poudre brune, et une paire de talons aiguilles rouges à paillettes, de vraies chaussures de strip-teaseuse, comme si Dorothy était revenue d'Oz toute formée et s'était métamorphosée en danseuse de cabaret. Paresseux se crispe. Je lui tapote le bras.

– C'est pas nos oignons, mon pote.

Il est trop sensible. Le problème avec mon talent particulier, ma malédiction (appelez ça comme vous voulez), c'est que tout le monde a perdu *quelque chose*. Me promener en public revient à marcher dans un jeu de ficelle géant, comme si quelqu'un avait balancé des pelotes dans un asile de fous en disant aux pensionnaires d'attacher tout à tout. Sur certains, les fils perdus sont des toiles d'araignée, des filaments sans substance qui peuvent se dissiper dans le vent à tout moment. Sur d'autres, ils pèsent comme des câbles métalliques. Trouver quelque chose revient souvent à choisir quel fil tirer.

Certaines choses perdues ne peuvent pas être retrouvées. Comme la jeunesse, par exemple. Ou l'innocence. Ou (navrée pour vous, madame Luditsky) la valeur de l'immobilier une fois que les taudis ont commencé à déborder. Les bagues, en revanche, c'est facile. Comme les clés, les lettres d'amour, les jouets préférés, les photographies égarées et les testaments manquants. J'ai même retrouvé une chambre perdue, une fois. Mais j'aime m'en tenir aux choses simples, aux petits objets. Après tout, le dernier truc conséquent que j'aie trouvé était une vilaine accoutumance à la came. Et voyez ce que ça a donné.

Je m'arrête pour acheter un déjeuner nourrissant, c'est-à-dire une *skyf*, auprès d'un vendeur zimbabwéen qui installe son stand dans la rue. Tandis qu'il pose sa caisse de sucettes, de biscuits et de cigarettes à la pièce, sa femme extirpe une pile de fripes et d'appareils électroniques jetables d'un *ama-Shangaan*, ces sacs à carreaux bleus et rouges qu'on trouve partout ici. On dirait qu'ils les donnent en même temps que le statut de réfugié. Voilà votre carte d'identité provisoire, vos papiers pour le foyer et n'oubliez pas votre sac en plastique tissé tout pourri.

Paresseux cliquette à mon oreille lorsque j'allume la Remington Gold, qui fait la moitié du prix d'une Stuyvesant. La ville est pleine de contrefaçons bon marché.

– Oh, allez, juste une. Une clope. C'est pas comme si j'allais vivre assez longtemps pour choper un emphysème.

Ou si cet emphysème n'était pas préférable au Contre-courant.

Paresseux ne répond pas, mais je perçois son irritation à la façon dont il déplace son poids et martèle mon dos. En riposte, je recrache la fumée par le côté de la bouche, en plein sur son museau velu et renfrogné. Il éternue violemment.

La circulation commence à s'intensifier. Les premiers taxis filent selon les instructions des résidents des cités-dortoirs. Je profite de l'occasion pour me faire un peu de pub en glissant des prospectus sous les essuie-glaces des voitures déjà garées devant les bureaux du *Daily Truth*. Il faut se lever tôt le matin pour inventer les infos.

J'ai posé des publicités à quelques endroits. La bibliothèque locale. Le supermarché, entre les annonces de soubrettes munies d'excellentes références et les tondeuses à gazon d'occasion. A Hillbrow, parmi les journaux et les flyers vantant des remèdes miraculeux contre le sida, des avortements à prix réduit et des prophéties.

VOUS AVEZ PERDU UN PETIT OBJET
AYANT UNE VALEUR SENTIMENTALE ?
JE PEUX VOUS AIDER À LE RETROUVER
POUR UN PRIX RAISONNABLE.
DROGUES, ARMES ET PERSONNES DISPARUES EXCLUES.

J'ai résisté à l'appel du marché de masse et je n'ai rien mis en ligne. Ainsi, c'est le karma qui décide, comme si l'annonce trouvait d'elle-même les gens qui sont censés la trouver. Comme Mme Luditsky, qui m'a fait venir dans son appartement de Killarney samedi matin.

Au crédit de la vieille dame, elle n'a pas même sourcillé lorsqu'elle a vu Paresseux drapé sur mes épaules.

– Vous ne pouvez être que la fille de l'annonce. Entrez. Prenez une tasse de thé.

Elle a glissé une tasse d'earl grey huileux dans mes mains sans attendre ma réponse et est partie dans son couloir crasseux pour gagner un salon tout aussi crasseux.

L'appartement avait dû être Art déco en son temps, mais il avait été soumis à un réaménagement de trop. Remarquez, Mme Luditsky aussi. Sa peau avait la luminosité transparente du savon de glycérine, et ses yeux étaient légèrement exorbités, probablement en raison de l'effort que demande l'expression d'un sentiment lorsqu'on a les muscles faciaux pleins de botuline, ou qu'ils ont été soumis au laser. Ses rares cheveux étaient sculptés au gel pour former une sorte de pompadour couleur croûte de crème brûlée*.

Le thé avait un goût de pisse de cheval rance filtrée dans la chaussette d'un clochard, mais je l'ai bu quand même, entre autres parce que Paresseux s'est mis à siffler lorsque j'ai voulu le vider discrètement dans le pot d'une orchidée en plastique postée près du canapé.

Mme Luditsky est alors entrée dans le vif du sujet :

– C'est ma bague. Il y a eu une attaque à main armée au centre commercial, hier, et...

– Si votre bague a été volée, ai-je coupé, ça sort de ma juridiction. C'est une tout autre sorte de magie.

– Auriez-vous l'amabilité de me laisser terminer ? J'étais dans le parking lorsque j'ai entendu les vigiles crier, à propos d'un gang de zoos. Alors, je me suis cachée derrière une Golf bleue, et j'ai enlevé tous mes bijoux, parce que je sais comment vous êtes, *vous autres* : des criminels.

Elle s'est empressée d'ajouter :

– Sans vouloir offenser les animalés.

– Bien sûr, j'ai répondu.

En vérité, nous sommes tous des criminels. Des meurtriers, des violeurs, des junkies. La lie de la terre. En Chine, les zoos sont exécutés par principe. Parce qu'il n'y a pas pire signe de culpabilité que de se balader avec une bestiole-esprit.

– Et qu'est-ce qui s'est passé après que vous les avez enlevés ?

– Eh bien, c'est le problème. Je n'ai pas pu enlever la bague. Je la porte depuis huit ans. Depuis la mort du Fumier.

– Votre mari ?

– L'anneau est fait de ses cendres, vous comprenez ? Ils les compriment et les mêlent au platine dans une bande minuscule. C'est absolument irremplaçable. Bref, je sais ce qu'il se passe quand ils n'arrivent pas à vous enlever une bague. Lorsque la cousine de mon voisin a été attaquée, ils lui ont coupé le doigt avec une énorme *panga*.

J'ai deviné la suite.

– J'ai utilisé de la crème pour les mains, afin de la faire glisser, mais elle est tombée sous la voiture et a roulé vers une vieille grille rouillée, puis dans le réseau de drainage.

– Dans le réseau de drainage, j'ai répété.

– C'est ce que je viens de dire.

– Puis-je ? j'ai demandé en prenant la main de Mme Luditsky.

C'était une jolie main, peut-être un peu potelée ; ses rides et sa texture poudreuse soulignaient par contraste le travail qui avait été fait sur son visage. Le Botox ne marche pas sur les mains, visiblement. Ou peut-être que ça coûte plus cher.

– Ce doigt ?

– Oui, ma chère. L'annulaire. C'est là qu'on porte une bague, normalement.

J'ai fermé les yeux et serré la pulpe du doigt de la dame, peut-être un peu trop fort. Et j'ai reçu un flash du bijou, une auréole floue, argentée, dans un endroit sombre, humide, industriel. Je n'ai pas cherché à savoir où il était vraiment. Ce genre de concentration a tendance à me donner la migraine, comme quand la circulation est dense. J'ai attrapé le fil qui se déroulait depuis la femme et je me suis enfoncée dans la ville, sous la ville.

J'ai ouvert les paupières sur Mme Luditsky, qui me fixait intensément, comme si elle essayait de voir les rouages à l'œuvre à travers mon crâne. Derrière son imposante chevelure, des figurines en porcelaine me toisaient depuis leur vitrine ; de mignonnes bergères, des anges, des chatons et toute une revue de danseurs de flamenco.

– Elle est dans le réseau de drainage, j'ai dit platement.

– Je crois que nous l'avons déjà établi.

– Je déteste les drains.

Appelez ça le mépris né de l'habitude. Vous seriez surpris de savoir combien d'objets perdus finissent là.

– Eh bien, veuillez m'excuser, Miss Hygiène Irréprochable, a-t-elle coupé avec brutalité (même si l'impact en a été amoindri par l'immobilité de ses muscles faciaux). Vous voulez ce travail, ou non ?

Bien sûr que je le voulais. Et c'est comme ça que j'ai pu avoir un avant-goût de la bourse de Mme Luditsky, avec 500 rands d'avance et 500 de mieux à la livraison. Et c'est comme ça que je me suis retrouvée enfoncée dans la merde, jusqu'aux mollets, dans les drains près du centre commercial de Killarney. Enfin, pas de la vraie merde, parce que les égouts, à proprement parler, passent par un autre système, mais des années d'eau de pluie sale, de déchets, de moisissures, de rats morts et de capotes usagées exhalent tout de même un certain bouquet.

Je jure que je le sens encore malgré l'eau de Javel. Est-ce que ça valait 1 000 rands ? Sûrement pas. Mais le problème, quand on a un *mashavi*, c'est que ce n'est pas tant un travail qu'une vocation. On ne choisit pas les fantômes qui s'attachent à nous. Ni les choses qu'ils apportent.

Je dépose un jeu de clés au magasin de téléphonie Talk-Talk, ou plutôt dans le petit appartement situé au-dessus. Le propriétaire est un Camerounais tellement reconnaissant de pouvoir enfin rouvrir son échoppe qu'il me promet une remise sur ses forfaits. Un gamin en costume d'ours en fourrure rose me fixe entre les jambes de l'homme et tend des doigts boudinés et impatients vers les clés. Le même gamin qui a dû les mâchonner avant de les jeter au milieu des embouteillages. Ça vaut bien cinquante. Et c'est plus conforme à mon commerce habituel. D'après mon expérience, les Mme Luditsky restent rares.

Je traverse Empire en passant par Parktown et l'ancien Johannesburg College of Education, et m'attire quelques sifflets agressifs des voitures qui me dépassent. Je leur réponds d'un doigt. Ce n'est pas ma faute s'ils vivent cloîtrés dans leurs banlieues et ne voient jamais les zoos. Au moins, Killarney n'est pas encore devenue une résidence clôturée. Pas encore.

Je suis encore à une paire de kilomètres de l'immeuble de Mme Luditsky ; je viens de quitter Oxford et le plus gros de la circulation, laquelle me donne le genre de mal de tête qui fouaille derrière vos tempes comme des termites carnivores, lorsque ma connexion, tout à coup, devient horriblement lâche.

Paresseux couine de détresse et agrippe mon bras si fort que ses longues griffes m'écorchent.

– Je sais, mon pote, je sais, dis-je avant de partir au pas de course.

Je serre le poing sur le cercle de métal froid dans ma poche, comme si je pouvais rebooter la connexion. Il en subsiste un vague pouls, mais le fil se défait.

Jusque-là, nous n'avons jamais paumé un fil, même lorsqu'un objet perdu est inaccessible pour toujours. Comme quand le manuscrit de cet apprenti écrivain s'est envolé au barrage Emmarentia ; je sentais encore la connexion entre lui et les pages qui se désintégraient. Là, ça ressemble plus à un cordon ombilical mort qui tombe en poussière.

Devant l'immeuble de Mme Luditsky, une ambulance et une camionnette de police éclaboussent de rouge et de bleu la façade beige poussiéreuse. Paresseux gémit.

– Tout va bien, dis-je, à bout de souffle.

Je suis toutefois consciente du contraire et me range parmi le cortège de badauds qui se tordent le cou pour voir quelque chose. Je crois que je tremble, parce que quelqu'un me prend le coude.

– Tout va bien, chérie ?

Evidemment, tout ne va pas bien puisque je n'ai même pas repéré ces deux-là parmi la foule : un ange dégingandé aux énormes ailes sombres et un type pimpant accompagné d'un Bichon Maltais teint dans un orange ridicule, assorti à l'écharpe de son humain. C'est celui-là qui m'a touchée. Il porte des lunettes haut de gamme et un costume taillé avec autant de soin que sa tonsure à la *chiskop* surmontée d'une longue brosse. Le Chien me lance un regard morne depuis le bout de sa laisse et remue la queue sans y mettre le cœur. On dira ce qu'on veut des Paresseux, au moins je ne me suis pas retrouvée avec un balai à chiottes sur pattes. Ou un vautour, si j'en crois l'horrible tête déplumée qui apparaît derrière l'épaule de la femme-ange avant de disparaître sous une aile.

La femme tombe dans la catégorie « sans âge et vaguement androgyne », quelque part entre trente-deux et cinquante-huit ans, avec une coupe chimio, quelques mèches sombres encore collées au crâne, et de fins sourcils épilés. Peut-être qu'elle se donne juste du mal pour s'enlaidir. Elle porte des bottes d'équitation sur un pantalon gris collant et une chemise aux manches retroussées, dont la blancheur est encore soulignée par les lanières de cuir du harnais qui l'aident à porter le poids de l'énorme Oiseau sur son dos. Je demande à l'homme au Chien :

– Vous savez ce qui se passe ?

– Il y a eu un *meurtre*, dit-il avec emphase en s'abritant la bouche de la main. Une vieille dame au second. Une affaire terrible. Mais j'entends dire qu'elle est *terriblement* bien conservée.

– Ils ont annoncé quelque chose ?

– Pas encore, dit la femme, dont la voix, étonnamment, a la tessiture capiteuse d'une chanteuse de jazz alto.

Elle a un accent d'Europe de l'Est, peut-être russe, ou serbe. L'entendant, l'Oiseau arrête de se lisser les plumes et un long cou aux barbillons semblables à des testicules vides apparaît au-dessus de l'épaule de la femme. L'animal drape sa tête sur la poitrine de mon interlocutrice, le long pic de son bec pointé vers sa hanche. Ce n'est donc pas un vautour. Elle pose tendrement la main sur la tête mouchetée du Marabout, comme elle le ferait avec un enfant ou un amant.

– Alors, comment savez-vous que c'est un meurtre ?

Maltais ricane.

– Vous savez que le *mashavi* de la plupart des gens ne correspond pas à leur animal ? dit-il. Mais ce n'est pas le cas d'Amira. Elle est comme attirée par les charognes. Essentiellement les lieux de crime, mais elle sait aussi apprécier un bon accident de la route. N'est-ce pas, ma douce ?

La femme-marabout sourit affirmativement, si l'on peut appeler sourire le vague mouvement qu'esquisse le coin de ses lèvres.

Les toubibs sortent du bâtiment avec une civière chargée d'une housse à corps fermée en plastique gris. Ils la glissent dans l'ambulance.

– Excusez-moi, fais-je en me glissant parmi les badauds.

Les brancardiers ferment les doubles portes du véhicule et signalent au conducteur de couper le gyrophare d'un geste de la main. Les morts ne sont pas pressés. Mais je dois quand même demander.

– C'est Mme Luditsky, là-dedans ?

– Vous êtes une parente, vous, la zoo ? demande l'homme avec l'air renfrogné. Parce que si ce n'est pas le cas, ça ne vous regarde pas.

– Je suis son employée.

– Pas de bol, alors. Vous devriez rester dans le coin. Les flics vont sûrement vous poser des questions.

– Vous pouvez me dire ce qui s'est passé ?

– Disons qu'elle est pas morte dans son sommeil, trésor.

L'ambulance émet un ululement étranglé et s'engage sur la route, emportant Mme Luditsky. Je serre la bague dans ma poche, assez fort pour que les saphirs laissent leur empreinte dans ma chair. Paresseux enfouit son museau dans mon cou et se cache le visage. J'aimerais pouvoir le rassurer.

– Une sale affaire, siffle Maltais avec compassion. Mais ce n'est pas la vôtre.

Soudain, je suis furieuse.

– Vous êtes avec les flics ?

— Grand Dieu, non ! s'esclaffe-t-il. Hélas pour elle, ajoute-t-il en désignant Marabout du menton, courir après les ambulances n'est pas lucratif.

— Navrée pour votre amie, dit Marabout.

— Inutile, je ne l'ai vue qu'une fois, dis-je.

— Que faisiez-vous pour cette vieille dame, si je puis demander ? Du secrétariat ? Des courses ? Des soins à domicile ?

— Je cherchais quelque chose pour elle.

— Vous l'avez trouvé ?

— Comme toujours.

— Mais, ma douce, quelle merveilleuse coïncidence ! Et par « merveilleux », loin de moi l'idée de dire que le décès de votre employeur est merveilleux : c'est affreux, ne vous méprenez pas. Mais, voyez-vous...

— Nous cherchons nous aussi quelque chose, résume Marabout.

— Précisément. Merci, fait Maltais. Et si c'est bel et bien votre – vous savez – *talent* ? Je crois que c'est votre talent ? Alors peut-être pourriez-vous nous aider ?

— Quel genre de « quelque chose » ?

— Eh bien, j'ai dit « quelque chose », mais j'aurais dû dire « quelqu'un ».

— Désolée. Je ne suis pas intéressée.

— Mais nous ne vous avons même pas donné les détails...

— Inutile. Je ne recherche pas les personnes disparues.

— Votre aide nous serait très précieuse...

L'Oiseau sur le dos de Marabout plie les ailes, exposant les fléchettes blanches qui ponctuent ses plumes sombres. Je note que ces ailes ont été rognées et que les pattes du volatile ne sont que des baguettes difformes, mutilées. Pas étonnant qu'elle doive le porter.

— ... et nous vous paierons bien mieux que n'importe quel autre employeur.

— Allons, chérie, votre cliente vient de caner. Pardonnez ma franchise. Qu'est-ce que vous allez faire d'autre ?

– Je ne vous connais pas...

– Une simple négligence de ma part. J'en suis navrée. Tenez.

Marabout extirpe une carte de visite amidonnée de sa poche de poitrine et me la tend entre deux doigts. Ses ongles sont impeccablement manucurés. La carte est embossée, blanc sur blanc, dans une police de caractère nette, linéale :

MARABOUT & MALTAIS ACQUISITIONS

– Et que signifie « acquisitions », au juste ?

– Ce que vous voudrez, mademoiselle December, répond Marabout.

Paresseux pousse un grognement venu du fond de sa gorge, comme si j'avais besoin qu'on me signale à quel point l'affaire devient louche. Je m'ouvre à ce qu'ils ont perdu, espérant en apprendre plus sur eux, parce qu'ils savent déjà quelque chose sur moi.

Maltais est vide. Certaines personnes, très rares, le sont. Elles sont pathologiquement méticuleuses ou se moquent de tout. Mais ça me flanque les jetons. La dernière fois que j'ai rencontré quelqu'un qui n'avait jamais rien perdu, c'était cette femme de ménage d'Elysium. Elle s'est jetée dans une cage d'ascenseur.

L'impression que me laissent les choses perdues par Marabout est étrangement vive. L'adrénaline doit affûter ma concentration ; toute cette soupe hormonale qui bouillonne dans nos crânes fausse drôlement mon *mashavi*. Je n'ai jamais réussi à voir les choses aussi clairement. C'est bizarre. C'est comme si quelqu'un avait remplacé l'objectif graisseux de mon appareil photo jetable par un zoom haute définition de paparazzi.

Je distingue les choses qui lui sont reliées avec des détails parfaitement nets : une paire de gants de conduite en cuir clair, doux et assouplis par l'usage. L'un d'eux a perdu le bouton qui serre le poignet. Un livre défraîchi, aux pages manquantes, la couverture à moitié arrachée, gonflé d'humidité. Je distingue des branches sépia, un bout de titre (*L'Arbre qui...*) et une arme. Sombre, compacte, des courbes rétro, comme un mauvais accessoire dans une série Z de SF des années 70. L'image est si précise que j'arrive à lire des lettres sur le côté : *Vektor.*

Inconscient du fait que je passe discrètement en revue leurs objets perdus, Maltais me presse en souriant. Son Chien teint sourit aussi, sa langue rose pend joyeusement entre ses petites dents pointues.

– Nous avons vraiment besoin de votre aide. Je dirais même que vous nous êtes indispensable. Et la paye est très, très bonne.

– Comment dire... je n'aime pas que les gens sachent ce que je fais.

– Vous faites pourtant de la publicité, dit Marabout, amusée.

– Et je n'aime pas votre attitude.

– Oh, ne faites pas attention à Amira, elle a l'air teigneuse, mais c'est de la timidité, tout simplement, dit Maltais.

– Et je n'aime pas les petits chiens. Alors, merci, mais en ce qui me concerne, vous pouvez aller baiser un bouc mort.

Le visage de Maltais se froisse.

– Oh, c'est dégoûtant. Il faudra que je la retienne, celle-là.

– Gardez-la, dit Marabout en montrant sa carte. Vous pourrez toujours changer d'avis.

– Ça n'arrivera pas.

Mais c'est ce qui va arriver.

2

De : Mission de Livingstone [mailto :
eloria@livingstone.drc]
Envoyé : 21 mars 2011, 08 h 11
A : Destinataires Cachés
Objet : Bouteille à la mer

Madame,

Je m'appelle Eloria Bangana. Je vis en RDC, la République démocratique du Congo. J'ai treize ans. Lorsqu'ils ont tué ma famille, j'ai dû faire un choix : me prostituer ou me faire passer pour un garçon et travailler dans les mines de coltan.

Par chance, je suis petite pour mon âge. La plupart des gens croient que j'ai neuf ou dix ans. Alors, j'ai choisi les mines parce que je peux me faufiler dans les souterrains avec ma pelle et mon petit seau pour tamiser, même si j'utilise surtout mes mains. Parfois, mes doigts saignent d'avoir gratté la terre.

On dit que les mines de coltan servent à fabriquer des téléphones portables. Je ne sais pas comment on peut faire un téléphone avec de la boue. Des ordinateurs et des jeux vidéo, aussi. Toute votre technologie est faite de boue. C'est amusant, non ?

Mon cousin Felipe dit qu'il a joué à un jeu vidéo à Kinshasa, il dit qu'on appuie sur des boutons pour se battre, pour marcher, pour taper du poing et du pied. Il a aussi dit que c'était ennuyeux.

Felipe préfère jouer au football. Je jouais au foot avec lui, mais ce n'était pas vraiment du foot. C'est un jeu qui s'appelle Trois boîtes parce qu'on n'a pas de ballon, juste des boîtes de conserve. Les règles sont les mêmes. Peut-être qu'un jour je vous apprendrai. On ne joue plus aux Trois boîtes, parce que les rebelles disent qu'on n'a plus le temps. On doit travailler, pas jouer. Quand Felipe a voulu s'enfuir, ils lui ont tiré dans le dos. Il est mort. C'était très triste. Nous avions tous très peur.

Je gagne 7 cents américains par kilo de coltan. Les rebelles le pèsent sur leur balance mais elle est truquée. La dame de la mission, sœur Mercia, dit que le coltan vaut cent fois ce qu'ils payent. Elle dit qu'ils nous traitent comme des esclaves.

Parfois, je ne comprends pas ce qu'elle dit parce qu'elle vient d'Amérique. Elle m'aide à traduire ce message parce que je parle français mais pas très bien anglais. Elle est très gentille et m'aide beaucoup. Elle me montre comment utiliser l'ordinateur. Elle recoud mes vêtements et des fois, elle me donne une orange.

Vous vous demandez peut-être pourquoi je vous écris. Sœur Mercia dit que nous devons révéler au monde ce qui se passe ici. Elle me dit de vous dire : ne vous inquiétez pas, nous ne demandons pas de l'argent, nous demandons seulement de l'aide.

A l'orphelinat où travaille sœur Mercia et où je vis, maintenant que l'Eglise de Notre-Dame-des-Vanités m'a sauvée, nous avons un problème. Les rebelles ont coupé nos téléphones et toutes nos communications. Nous avons réussi à leur cacher un téléphone mobile, avec le

WAP, comme ça, on peut envoyer des e-mails, si l'on va au sommet de la colline quand les rebelles ne regardent pas.

C'est comme un message dans une bouteille. Nous le jetons à la mer et espérons que quelqu'un le trouvera.

Mais ce n'est pas notre vrai problème. L'homme qui dirige l'orphelinat, le père Quichotte, a été kidnappé par les rebelles et ils veulent que nous leur payions 200 000 dollars pour le récupérer sain et sauf.

Le père Quichotte est très courageux, mais il est aussi très astucieux. Il a mis tout l'argent de l'orphelinat sur son compte en banque en Amérique. Les rebelles ne peuvent pas le prendre, mais nous ne pouvons pas y accéder avec un mobile WAP.

Nous avons le mot de passe et l'autorisation (sœur Mercia dit que vous comprendrez de quoi il s'agit), ce qui signifie qu'un Bon Samaritain peut nous aider.

Nous avons besoin d'argent pour nourrir les enfants ici (il y a beaucoup de bébés, et des petits enfants, dont des blessés et des malades) et pour payer la rançon du père Quichotte.

S'il vous plaît, pouvez-vous nous aider ? Si vous accédez au compte bancaire du père Quichotte, vous pouvez nous transférer de l'argent. Sœur Mercia dit que votre travail doit être récompensé. Elle dit que nous vous paierons 80 000 dollars pour vous remercier d'avoir pris le risque de nous aider. Elle vous demande de lui écrire directement à dogood@livingstone.drc.

Sœur Mercia dit que nous devons présentement prier pour que ce message atteigne quelqu'un de bon, de gentil et de fort. Je prie pour que ce soit vous.

Sincèrement,

Eloria Bangana

3

Outre l'inspectrice Tshabalala et moi, il y a deux choses dans la salle d'interrogatoire. La première est la bague de Mme Luditsky. La deuxième est douze minutes et demie de silence. J'ai compté les secondes. Un alligator. Deux alligators. 751 alligators.

Elle oublie que j'ai fait de la prison. 766 alligators. Que, quand on est malin, la prison n'est qu'une question de patience. Je sais attendre quand il le faut. Je sais attendre comme une vraie pro. 774 alligators. C'est Paresseux qui s'agite. Il souffle dans mon oreille et remue les fesses. 800 alligators.

Ce petit numéro est censé me rendre nerveuse. Parce que la nervosité a horreur du vide. 826 alligators. La nervosité vous pousse à bafouiller quelque chose, n'importe quoi, pour tuer le silence. 839 alligators. A moins que la nervosité ne soit occupée à faire quelque chose de plus utile. Comme compter. 842 alligators.

Le visage de l'inspectrice est parfaitement étudié, d'une neutralité absolue, comme un visage en 3 D qui attendrait que son animateur en tire les ficelles. 860 alligators. En la regardant me regarder, j'en profite pour l'étudier. Elle a le visage rond, des joues comme des pommes et des poches épaisses sous les yeux qui donnent l'impression de s'être installées là pour longtemps. Ses cheveux tressés sont retenus par une barrette. Il reste une petite cicatrice sur son nez, trace d'un ancien piercing. 884 alligators. Peut-être qu'elle porte encore un clou diamanté* hors de ses heures de service. Peut-être qu'elle a une vie secrète, une carrière parallèle de rockeuse punk ou des cours du soir pour un doctorat de philosophie. 902 alligators.

Son costume marine a une tache de nourriture sur le revers. De la sauce tomate, je crois. 911 alligators. Peut-être du sang. Peut-être qu'elle a tabassé un suspect, dans une autre pièce grise, juste avant de venir ici. 922 alligators. Je l'ausculterais bien pour savoir ce qu'elle a perdu, mais les flics et les postes de police sont équipés de bloqueurs magiques. Infrasons de série. Des ondes sonores basse fréquence, inaudibles pour l'oreille humaine, mais qui résonnent dans votre corps, comme celles que les scientifiques utilisent pour prouver que les maisons hantées et le divin reposent sur des choses aussi bêtes que la présence d'un ventilateur ou les notes graves d'un orgue d'église. 932 alligators. C'était avant que le monde ne change. Il est dans une posture fragile, le monde que nous connaissons aujourd'hui. Il a suffi qu'un seigneur de guerre afghan se pointe avec un Pingouin en gilet pare-balles, et tout ce que la science et la religion *pensaient* savoir est devenu bon pour la poubelle. 948 alligators.

L'inspectrice Tshabalala se penche par-dessus la table pour s'emparer de la bague, et la fait rouler distraitement entre ses doigts. 953 alligators. Elle prend une inspiration. 961 alligators. Elle craque.

– Ça n'en vaut pas la peine, dit-elle.

Paresseux sursaute dans un hoquet, comme s'il était en train de s'endormir, ce qui n'est pas impossible. Il pionce près de seize heures par jour.

– Vous croyez ? je dis, agacée d'avoir dû m'éclaircir la gorge pour parler.

— Tu pourrais sûrement en tirer un bon prix. 5 000 rands si tu as le certificat. Mais partons du principe que tu ne l'as pas ; ça te laisse, quoi ? 800 rands maximum à un mont-de-piété ? Tu manques de fric à ce point, Zinzi ?

Elle fait rouler l'anneau sur le dessus de ses phalanges, le genre de petit tour d'adresse capable d'impressionner une lycéenne.

— Je ne sais pas ce qu'en penserait *monsieur* Luditsky.

— Ce qu'il penserait de quoi ?

— De finir dans un mont-de-piété. Ça lui ferait du mauvais karma. Il reviendrait me hanter…

Je tends le menton vers Paresseux.

— … et je suis assez hantée comme ça.

— De quoi tu parles ?

— La bague. Elle est faite avec les restes du bonhomme. Vous devriez réviser vos dossiers, inspectrice.

Elle cligne des yeux, une seule fois.

— Bon, qu'est-ce que tu comptais faire de cette bague ?

— La rendre. C'était mon travail. Comme je l'ai dit à vos hommes, devant l'immeuble. Plusieurs fois.

— Tes empreintes étaient partout dans l'appartement.

— Je suis allée la voir il y a deux jours. Elle m'a fait du thé. Il était imbuvable. Vous allez me dire comment elle est morte, oui ?

— A toi de me le dire, Zinzi.

Paresseux m'égratigne l'épaule du bout des dents, ce qui est sa façon à lui de me flanquer un coup de pied sous la table. Je suis en quelque sorte spécialisée dans les bourdes diplomatiques.

— D'accord… commencé-je.

Paresseux me mord, *fort*, et je le repousse d'un haussement d'épaules.

— Voyons. Elle est morte sur place. Dans son appartement. Abattue ?

J'imagine un pistolet rétro gravé de l'inscription « Vektor » sur le côté, ce qui est ridicule.

– Poignardée ? Un objet contondant ? Etouffée par une croquignole avariée ?

L'inspectrice Tshabalala fait aller et venir la bague sur sa main puis la serre dans sa paume. Ensuite, elle pêche dans son sac une chemise en carton brun et la pose sur le bureau. Au bout d'un moment, elle l'ouvre pour révéler des photos et les dispose en éventail devant moi, dans l'espoir d'obtenir une réaction.

– A toi de me le dire, répète-t-elle.

Il y a une pantoufle en laine de mouton dans le couloir, devant la porte d'entrée. Il y a une bande de sang qui passe sur le bout de la pantoufle et décrit un arc sur le mur, lequel est décoré d'un tableau représentant des nénuphars.

Il y a une tache sanglante sur le mur, comme si quelqu'un s'était affalé contre la cloison et s'y était appuyé en continuant d'avancer.

Il y a un imperméable noir dans la baignoire, un tas de plastique et de sang sous la douche qui coule à flots. Il y a des traînées rosâtres dans le lavabo de la salle de bains.

La vitrine est retournée. Encore du sang par terre, les traces de quelqu'un qui a essayé de ramper.

Il y a des éclats de porcelaine partout. Et je veux bien dire : partout. Les fesses roses d'un chérubin dans le salon. La petite bergère, décapitée, qui sourit péniblement sur les carreaux de la cuisine, parmi les vestiges brisés de son agneau.

Mme Luditsky est assise par terre, avachie contre le canapé, les jambes en A. Sa tête repose en arrière selon un angle inconfortable. Sans ses rides et ses blessures, elle pourrait être une adolescente ivre dans une fête, après un shot de trop. Elle porte une ample tunique de soie trempée de sang. Le tissu a été tailladé et révèle un soutien-gorge beige et des plaies sanguinolentes. Elle a encore sa deuxième pantoufle. Les ongles de son pied nu sont couverts d'un vernis prune foncé. Ses yeux sont ouverts, aussi froids et brillants que ceux de la petite bergère. Sa coiffure crème brûlée* est cabossée par l'accoudoir du canapé.

— Je pense qu'il ne s'agit pas d'une croquignole, je dis.

Ce n'est pas non plus un coup de feu. Tshabalala souffle entre ses dents et regarde la porte.

— Ceci, dit-elle en tapotant les photos, n'est pas un cambriolage du dimanche. Soixante-seize coups de couteau ? C'est une affaire personnelle.

— Quelque chose a disparu ?

— On vérifie avec sa gouvernante. Elle est encore sous le choc. Pourquoi ? Il y a quelque chose d'autre que tu souhaites rendre ?

— La télé ? Le lecteur DVD ? D'autres bijoux ?

— C'est toi qui avais sa bague dans la poche, ricane l'inspectrice.

— Ce n'est pas moi qui ai fait le coup.

Elle laisse le silence s'étirer. 97 alligators. 99, 128.

— On sait de quoi tu es capable, Zinzi, dit-elle enfin.

Je me laisse aller dans ma chaise merdique en plastique gris. Je connais la chanson, et c'est de la variétoche de merde. Elle essaie une autre approche, ce qui signifie qu'elle n'a absolument rien contre moi.

— C'est illégal, inspectrice.

— Garde ça pour les défenseurs des animaux.

— La SPA.

— Quoi ?

— Les défenseurs des animaux. Chiens, chevaux de trait, rats de laboratoire, programmes de stérilisation. Je *sais* que vous ne vouliez pas dire quelque chose qui puisse être pris pour du racisme, inspectrice. Quelque chose qui pourrait laisser une trace dans votre dossier.

— Je dis simplement que tu as déjà tué.

— La justice m'a seulement déclarée complice.

— Ce n'est pas ce que dit la chose sur ton dos.

— C'est un Paresseux.

— C'est ta *culpabilité*. Tu sais sur combien de gens j'ai tiré en onze ans de service ?

— J'ai un bon point si je tombe juste ?

– Trois. Aucun n'est mort.

– Vous devriez passer plus de temps au stand de tir.

– Un bon flic n'est jamais obligé de tirer pour tuer.

– C'est ce que vous êtes ? Un bon flic ?

Elle étend les mains.

– Tu vois un copain à fourrure près de moi ?

– Peut-être que votre conscience est en panne. Il y a eu des études : les sociopathes, les psychopathes…

– Tu connais la différence entre toi et moi ? coupe-t-elle en faisant réapparaître soudainement la bague entre deux de ses doigts, comme un diable hors de sa boîte. Le Contre-courant ne va pas venir *me* chercher.

Elle fait sauter la bague dans le creux de sa main et la repose délicatement au centre de la table. Je la laisse savourer son moment de triomphe. Un alligator. Avoir le dernier mot est une simple question de minutage. Deux alligators.

– Ne vous inquiétez pas, inspectrice, je dis. Vous avez encore tout le temps de merder.

Lorsque je sors enfin du poste de police de Rosebank, le vernis brillant et lustré de ma journée a commencé à s'écailler.

Les flics ont gardé la bague, ont confisqué les 500 rands de mon porte-monnaie en tant que « preuves » et m'ont fait signer une centaine de milliards de formulaires.

Les caméras de sécurité de l'immeuble de Mme Luditsky ont dûment enregistré mes allées et venues. Arrivée samedi à 11 h 03, repartie à 11 h 41. Retour ce matin à 07 h 36. Repartie à l'arrière d'une camionnette de police, avec menottes en plastique, après une violente dispute dans la rue : 08 h 09.

Mais, au final, c'est grâce à mon casier judiciaire qu'ils ont dû me laisser repartir. Parce qu'ils ont déjà tout ce qu'il faut dans leurs dossiers.

Réf. : Zinzi Lelethu December #26841AJHB
ID 7812290112070

```
Animalée le 14 octobre 2006
(voir affaire SPAS900/14 octobre 2006 Rosebank cf. :
Meurtre de Thando December)
Capacité à retrouver les objets perdus.
```

Ce qui signifie que mon histoire se tient. Même si la charmante inspectrice Tshabalala exige que Benoît vienne signer un témoignage détaillant ce que je faisais à 06 h 32. C'est à ce moment que les caméras de surveillance se sont mystérieusement arrêtées et que les voisins de Mme Luditsky ont raconté avoir entendu des hurlements, juste avant de se rendormir en se disant qu'il ne s'agissait probablement que d'un film violent et d'une télé au volume trop élevé, parce que la vieille était enfin devenue sourde. Tshabalala m'a raconté tout ça avant de me renvoyer à la rue.

Les gens sont des trous du cul.

4

The Daily Truth, 22 mars 2011
FAITS DIVERS
L'Œil sur le Crime avec Mandlakazi Mabuso

Les zonards du centre commercial

Yoh, mense ! Une autre journée de cauchemar dans la cité des rêves. Le centre commercial Killarney a été attaqué par des braqueurs vendredi, et le même gang s'en est pris à Eastgate hier ! Personne n'a été tué mais, croyez-moi, les clients ont été pas mal chamboulés de voir des mecs armés de Kalash' faire irruption dans les lieux. Les tsotsis s'en sont pris à une bijouterie et ont vidé les présentoirs avant de s'échapper tandis que les vigiles se tournaient les pouces. D'accord, on ne peut pas leur en vouloir quand on sait que les malfaiteurs étaient accompagnés d'un lion. Finalement, je me demande si, après tout, il ne faudrait pas instaurer un système de laissez-passer pour les zoos !

On file à Linden pour un happy end (pour une fois). Une jeune mère de famille a été enlevée en revenant de la crèche*, hier, mais les bandits ont pris pitié d'elle et ont déposé le bébé, encore dans son siège, à un feu rouge une paire de kilomètres plus loin. Ag voeitog. Même les gangsters ont un cœur, parfois.

Mais pas toujours un nez. A Cyrildene, les flics ont trouvé pour plusieurs millions de rands de perlemoen qui pourrissaient dans un garage. Le type qui possédait le garage a été arrêté lorsque les voisins se sont plaints de l'odeur de ces fruits de mer vrot qui sont censés être un puissant aphrodisiaque... et une espèce protégée ! Va dire ça aux Triades qui les envoient par conteneurs entiers vers la Chine, china.

Et pendant ce temps à larney-ville, du côté de Sandton, il semblerait que le Bafana boy Kabelo Nongoloza soit aussi bon frappeur sur le terrain qu'à la ville. Sa petite amie de longue date, la débutante Queenie Mugudamani, a déposé plainte pour violences contre la jeune star du football mardi, avec un vilain visage bleui et bouffi en guise de preuve accablante. Encore un nouveau nez pour Queenie. Dommage qu'il n'existe pas d'opération pour guérir des mauvaises fréquentations !

5

Les gens veulent croire en quelque chose : il suffit de leur fourguer une invention plausible. Le plan de la « pauvre-veuve-d'un-ministre-du-gouvernement-déchu-qui-veut-faire-sortir-25-millions-de-son-pays-corrompu » est tellement usé que même ma mère ne se laisserait pas avoir. Et je sais, par expérience, que ma mère a tendance à se laisser avoir. J'époussette mon ordinateur portable pour en chasser les poils de Mangouste et les œufs de puce, et l'ouvre pour voir si des gogos ont mordu à l'hameçon.

Je suis passée maître dans l'arnaque à la compassion basée sur l'actualité. Une digue rompue et une vieille dame dans un manoir inondé, désespérée de revendre ses précieuses antiquités à un prix ridicule. Une réfugiée tchétchène fuyant les derniers pogroms russes avec les diamants familiaux. Un pirate somalien qui a rencontré Dieu et veut troquer son lance-roquettes et les millions de ses rançons contre une dose d'absolution.

Tout est dans l'air du temps. Tout est ancré dans les dures réalités du monde. Ironiquement, je ne m'intéressais pas à l'actualité dans mon Ancienne Vie. Cela dit, les chroniqueurs de tendances en sont dispensés. Et la plupart des gens n'ont pas à rembourser leurs dettes auprès de leur dealer en rédigeant des messages d'arnaque pour les syndicats. Ou à cacher leurs activités annexes à leur conjoint, qui les verraient sûrement d'un mauvais œil.

2 581 réponses m'attendent. Un bon ratio comparé aux 49 812 envois que j'ai effectués lundi, surtout si l'on tient compte des dizaines de milliers qui se sont heurtés à des filtres antispam. Il y a 1 906 réponses « absent », ce qui indique au moins que les adresses mails sont actives, 14 missives irritées allant du « va te faire foutre, escroc » à « bien tenté ». Ajoutez à cela 292 réponses en kanji, 137 en français, 102 en allemand, 64 en arabe, 48 en espagnol et 12 en urdu, que je passerai dans un programme de traduction plus tard. Cela me laisse 6 clients potentiels : deux ont répondu avec un intérêt prudent, les autres avec une maladresse abominable. Je transfère toutes les réponses à Vuyo, qui est là pour attraper les gogos. Si les gens lisaient correctement leurs foutus e-mails, ils lui répondraient directement.

Puis, je tombe sur une anomalie qui bouche mon filtre automatique. Deux phrases dures, qui peuvent être du charabia ou de la poésie, ou un mélange des deux.

Lorsque tu manges, tu manges les choses d'un avion.
Les fourchettes en plastique, elles laissent une trace sur toi.

Pas de lien. Pas d'expéditeur. Un message inutile. Ça me rend nerveuse.

J'ai aussi un e-mail du dentiste, un rappel amical qu'il est temps de passer ma visite bisannuelle, veuillez contacter Mme Pillay pour prendre rendez-vous. Je n'ai pas vu un seul dentiste depuis mon passage en prison, trois ans et demi plus tôt. C'est le code qui signifie : « contacte-moi sur-le-champ », ce qui m'inquiète puisque je ne suis pas censée le faire avant la semaine prochaine. Je me branche au tchat de Skype, sur lequel Vuyo est déjà en ligne. Il parle probablement avec des « clients » dans d'autres fenêtres.

>>Vuyo : Oui ?

Il répond tout de suite, succinctement comme à son habitude. Vuyo n'est pas son vrai nom, bien évidemment. C'est probablement l'un des nombreux pseudonymes qu'il utilise pour ses affaires.

J'aime l'imaginer dans un vaste et populeux cybercafé qui s'ouvre sur une rue marchande bruyante d'Accra ou de Lagos, véritable usine de l'arnaque à la nigériane. Mais, en vérité, il est sans doute tapi dans un appartement pourri comme le mien, peut-être même dans mon immeuble. Il opère seul, parce que tout est prudemment décentralisé.

>>Kahlo999 : Hey, salut, ça va ? J'ai un msg très étrange.

Pas d'adresse de retour. Ça parle de fourchettes. Je te le transfère.

>>Vuyo : Non ! Tu c pa ce que c. C'est pê un virus. Pê de la mauvaise *muti*.

>>Kahlo999 : Ou une pub pour de la vaisselle.

>>Vuyo : Tu ne c pas. Pê un syndicat rival. La police. Clique ici.

>>Kahlo999 : Qu'est-ce que je télécharge ? Tu sais que j'ai des goûts particuliers en matière de porno.

>>Vuyo : Un logiciel propriétaire de pare-feu pour les virus les spywares et les malwares *muti*. Et efface ce truc.

>>Kahlo999 : Bon, et c'est quoi ce rdv dentaire, chef ? J'ai oublié de me brosser les dents ?

>>Vuyo : G besoin de toi pour 1 entrevue. 2 h, Rand Club. Format Frances. Des clients veulent la rencontré.

J'ai un coup de froid. Frances est une réfugiée d'un camp en Côte d'Ivoire. Vingt-trois ans. Elle aime flirter quand le *moegoe* en face d'elle est un homme, mais elle redevient une prude jeune fille chrétienne si elle a affaire à une femme. Plus ou moins. La plupart des formats sont conçus pour être flexibles, en fonction de leur opérateur, et Frances est plutôt creuse. Après l'attaque des rebelles, elle s'est enfuie, s'est retrouvée dans un camp de réfugiés, et elle n'a plus accès à la fortune de son père. Le modèle de base. C'est-à-dire, pas l'un des miens.

>>Kahlo999 : Désolée, c'est pas dans mon contrat.
>>Vuyo : Pas de non.
>>Kahlo999 : Parlons pognon.
>>Vuyo : Je l'enlèverai du total. Tkt, je tien les comptes.
>>Kahlo999 : J'aimerais bien les tenir aussi. Non que je ne te fasse pas confiance.
>>Vuyo : Tu oubli à ki tu parle, fillette.
>>Kahlo999 : Mon vautour personnel. Le gars qui a racheté le cheval boiteux de ma dette de came pour pas cher et le transforme en colle.
>>Vuyo : Cheval boiteu ? Ton cheval coûte cher.
>>Kahlo999 : Tu sais combien coûte un cheval de course ?

150 000 rands, au minimum. Alors, voilà : où on en est, toi et moi ? Combien vaut ma peau de cheval boiteux ?
>>Vuyo : 55 764,18 rands.
>>Kahlo999 : En comptant les intérêts ?
>>Vuyo : Ah. Non. Tu nous doi 94 235,82 rands.
>>Kahlo999 : Impossible. Combien de *moegoes* j'ai ferré pour toi ?
>>Vuyo : Si c possible. Tu oubli les intérêts. Normalement, c'est 45 %, mais tu a la remise entreprise.

Seulement 34 %. Et ce ki compte, c pas le poisson ferré, c le poisson dans le seau.
>>Kahlo999 : Va te faire mettre, Vuyo.
>>Vuyo : Ce deal va nous rapporté 50 *Titos*. Si tu gères bien, tu auras 10 %.
>>Kahlo999 : Et si je gère pas bien ?

>>Vuyo : Sûr que tu gérera bien. Tu es presque 1 pro. Ton dealer nous a parlé de ttes les histoires que tu inventai, ta mama avec le cancer + ta grand-mère canée + attaquée alors que tu venai payé ta coke. Ça sera facile pour toi.

>>Kahlo999 : Je veux dire, si je refuse ?

>>Vuyo : Il faudra que j'ajoute une pénalité au total. 20 % + les intérêts habituels. Ça fera... attends...

>>Kahlo999 : J'ai pigé, merci.

>>Vuyo : 2 h au Rand Club. Habille-toi chic, mais pas trop.

>>Kahlo999 : Comme une réfugiée classe.

>>Vuyo : Brave fille. BTW, ton nouveau format, le coltan, marche bien. La direction m.

>>Kahlo999 : Que dire ? J'aime faire bien mon boulot.

>>Vuyo : T'inquièt, fillette. L'avidité c mal. Les gogos le méritent.

Une partie de moi pense que je le mérite aussi.

Je me déconnecte et efface le message des fourchettes, après l'avoir copié-collé dans un document Word. Et je laisse l'icône d'installation du pare-feu patienter dans son dossier, sans y avoir touché. Je sais comment fonctionne le syndicat. Qui sait de quoi est capable leur pare-feu ?

Le Rand Club est une relique de l'époque western de Johannesburg, lorsqu'il était fréquenté par Cecil John Rhodes et les autres barons coloniaux, qui s'y retrouvaient pour se partager les champs de diamants et influer sur la politique des empires de l'époque. Un lieu de rassemblement pour les puissants, et non pour les escrocs à la petite semaine du genre de Vuyo, qui m'attend au coin du bar, lequel serpente au milieu de la pièce. Je pars du principe qu'il s'agit de Vuyo parce que c'est le client le mieux habillé, avec un costume et des chaussures pointues évoquant deux requins de cuir.

Les consommateurs qui repoussent les limites de leur pause déjeuner liquide ont la même aura de nostalgie coloniale que le lieu, avec ses chandeliers et ses rambardes dorées, ses caricatures de membres célèbres, ses massacres d'antilope sur les murs et ses peintures à l'huile passées représentant des scènes de chasse à courre. Vuyo, en comparaison, a tout l'air du renard qui vient de s'échapper d'une toile et revient sur ses pas pour mettre la cuisine en coupe réglée. Je l'ai toujours imaginé comme une fouine, voûté à force de passer son temps devant un écran d'ordinateur, mais il est plutôt bien bâti, avec des épaules de nageur, des pommettes larges, une barbichette bien taillée et un sourire engageant. Une beauté générique, rehaussée par un rubis dans l'oreille qui trahit avec beaucoup de goût un soupçon de menace. Et tout cela pour mieux vous escroquer de votre dernière liquette.

Je lui tends la main, qu'il prend dans les siennes, comme si nous étions de vieux amis et non des connaissances virtuelles.

– Monsieur Bacci, je présume ? dis-je.

– Frances. C'est si bon de te voir, répond-il.

Le fait qu'il parle mieux que ce qu'il n'écrit ne devrait pas me surprendre. Pas plus que le fait qu'il soit sud-africain. Pourquoi les Africains de l'Ouest et les Russes se réserveraient-ils la joie de plumer les étrangers ?

– M. et Mme Barber nous attendent à l'étage. Ils sont impatients de te rencontrer enfin, dit-il suavement, comme si les banquiers rondouillards à l'autre bout du bar risquaient de l'entendre.

Tandis qu'il m'escorte vers le grand escalier, il me souffle :

– Soigne ton attitude, fillette : tu es une réfugiée, pas une prostituée.

– Monsieur Bacci ! Vous n'aimez pas ma jupe ?

Cette jupe blanche est le vêtement le plus banal de ma garde-robe, mais je l'ai rehaussée de grosses perles et d'un fichu *shweshwe*, avec l'ultime touche « réfugié » : un sac en rotin à damier rouge, bleu et blanc, enflé par la masse d'un Paresseux particulièrement bougon.

– Je veux dire : sois douce, m'avertit Vuyo, alias M. Ezekiel Bacci, directeur financier de la banque d'Accra.

– Pourrais-tu préciser ? Douce comme une princesse africaine, fière mais humble, désespérée de récupérer son trône ? Ou douce comme la survivante prostrée d'un viol collectif janjawid ?

– Je veux dire : pas de plaisanteries. Garde ta langue dans ta poche.

– Tu es conscient de m'avoir embauchée pour mes talents écrits et non pour mon aptitude à la comédie ?

– Fais ce que je te dis de faire. N'ouvre pas la bouche à moins que je ne te demande quelque chose. Tu as lu les e-mails ?

– Oui.

Les pauvres cons.

Nous entrons dans la grande bibliothèque, avec ses rayonnages pleins de livres qui semblent n'avoir jamais été ouverts. Un couple s'approchant de l'âge mûr attend avec anxiété. Mme Barber est assise, un magazine sur les genoux, mais je devine qu'elle n'en a pas lu une seule ligne. Il est ouvert sur une double page annonçant une conférence vieille de trois ans portant sur l'aspect économique de la réforme environnementale. M. Barber nous tourne le dos et s'affaire autour d'un échiquier sur guéridon.

– Tu sais, chérie, je crois que c'est de l'ivoire, dit-il en tendant un fou blanc à son épouse.

Ses consonnes roulent sous son épais accent du Midwest.

– En Afrique, on peut dénicher des trésors cachés à tout moment, dis-je en m'efforçant de sonner comme la reine de Saba.

– Oh, fait Mme Barber en levant les yeux sur moi. Oh !

Puis, elle se lève, me serre dans ses bras à m'étouffer et éclate en sanglots. Je reste plantée là, gênée mais gracieuse, comme il sied à une fille qui a perdu son trône, sa famille et, temporairement, une immense fortune que M. et Mme Barber vont avoir la chance de l'aider à récupérer.

– Mes amis, je chuchote. Mes amis.

M. Barber s'assied lourdement, toujours armé du fou, l'air abasourdi. Je me dégage doucement de la fervente étreinte de Mme Barber, mais elle m'attrape aussitôt la main. Je réussis à nous faire gagner le canapé.

– La voilà, enfin, dit Vuyo. Saine et sauve, comme je vous l'avais promis.

– Nous n'étions pas sûrs. Nous ne savions pas. Après tout ça…

La phrase de Mme Barber se désintègre en une nouvelle crise de larmes.

– Vous paraissiez différente sur les photos, dit M. Barber, dont l'œil s'anime d'une tenace étincelle de suspicion.

Dans la mesure où ils ont déjà donné à Vuyo plus de 87 000 rands pour divers certificats et autorisations, frais administratifs pour la création d'un passeport, pots-de-vin pour des officiels corrompus et frais de change, et qu'il leur demande encore 141 000 rands, je dirais que ça se comprend.

– Oui, dis-je dignement. J'ai traversé bien des épreuves.

Mme Barber me tapote la main ; je ferme les yeux et je pose la joue sur son épaule, comme si ce que j'avais vécu était impossible à raconter. Un aboiement méprisant jaillit de mon sac. Je l'ignore.

– Vous avez apporté l'argent ? demande Vuyo.

– Eh bien oui, mais… hésite M. Barber.

– Pourquoi : « mais » ? Les « mais », c'est pour les chèvres. Vous êtes une chèvre ? Dans trois jours, vous aurez deux millions et demi de dollars sur votre compte.

– C'est que… c'est ma retraite.

– Nos économies.

– Regardez cette fille, Jerry. Regardez-la ! C'est grâce à vous. C'est vous qui l'avez tirée de l'enfer. Cheryl et vous avez fait le bien. Ça change une vie.

Vuyo prend le visage de Jerry entre ses mains et le secoue légèrement pour appuyer ses propos, avec un geste qui est à la fois celui d'un évangéliste et d'un consultant en team-building.

– Et voilà. Vos certificats de la Reserve Bank, comme vous l'avez demandé. Tout est en ordre. C'est presque terminé, Jerry.

– C'est presque terminé, Jerry, appuie Cheryl.

Elle me regarde et son menton recommence à trembler. Je visualise les agrafes qui maintiennent mon sourire et baisse la tête, comme si je succombais à mon tour à l'émotion. L'affaire est grotesque, mais une part perverse de moi-même s'amuse de la situation. Tout comme je comptais les points lorsque mes parents croyaient vraiment aux bobards que je leur sortais concernant mes pannes de voiture, ou l'argent dont j'avais besoin pour payer une maîtrise de journalisme à laquelle je ne m'étais même pas inscrite.

Jerry consulte les certificats falsifiés à la perfection, jusqu'au sceau holographique de la Reserve Bank.

– Bien entendu, je ferai vérifier tout cela par mon avocat.

Il est évident qu'il bluffe. L'odeur de l'argent est trop forte, à présent. Elle souffle comme une vuvuzela et noie les chuchotements du doute.

– Bien entendu, dit Vuyo tout en laissant une pointe d'inquiétude venir froisser sa beauté générique.

– Qu'y a-t-il, monsieur Bacci ?

– Je vous en prie, appelez-moi Ezekiel. Nous sommes entre amis.

– Qu'y a-t-il, Ezekiel ?

– Eh bien, ça risque d'entraîner un retard.

Cheryl gémit.

– Quel genre de retard ?

– Pas plus de deux semaines. Deux mois tout au plus.

– Attendez un moment. Nous en avons fait *assez*. C'est tout ce que nous avons au monde. Notre retraite, nos économies. J'ai même emprunté de l'argent à mon fils ! Vous vous rendez compte de ce que ça nous a coûté de venir ici en avion ? C'est la troisième fois !

– Vous vous êtes montré très compréhensif, monsieur Barber. C'est simplement que nous sommes dans une période figée. C'est la fin de l'année fiscale au Ghana, et le gouvernement bloque toutes les transactions bancaires durant la période de rapprochement.

– C'est la connerie la plus débile que j'ai jamais entendue !

– Jerrrry... fait Cheryl.

– C'est comme ça, au Ghana, fait Vuyo en haussant les épaules.

– Qu'est-ce qu'on peut faire, alors ?

Vuyo y réfléchit quelques instants puis son visage s'illumine lentement.

– J'ai trouvé. La banque a des bons au porteur. Je vous donnerai des bons au porteur de la valeur de votre dépôt en espèces. Il faudra un mois pour les débloquer, mais ils ne sont pas sujets aux restrictions gouvernementales de la période de rapprochement. Vous êtes donc en sécurité, et nous pouvons passer à la phase finale de la transaction.

– Je ne sais pas. Ça a l'air affreusement compliqué. Peut-être que nous ferions mieux d'attendre.

– C'était l'attente, le pire, dis-je distraitement.

– Quoi donc, ma chère ? demande Cheryl en me serrant la main.

– Ne pas savoir quand ils allaient nous tuer. Ils jouaient avec nous. Parfois, ils prenaient une fille au hasard. A d'autres moments, ils nous obligeaient à choisir, à décider de laquelle d'entre nous ce serait le tour. Puis, finalement, ils en prenaient une autre. Mais il fallait vivre avec, vivre avec la trahison dont on venait de se rendre coupable.

– Oh, ma chérie, ma chérie...

Cheryl s'étouffe dans ses pleurs, une main plaquée sur la bouche.

– Et si ç'avait été notre petite Mandy ? Tu te rends compte ? Oh...

— Je voulais seulement vous remercier, dis-je en fixant mes mains croisées dans mon giron.

— Oh, dit Cheryl. Oh, ma chérie.

— D'accord, dit Jerry, vaincu. Des bons au porteur, hein ?

— Seulement pour soixante-douze heures. Puis, les 2,5 millions seront débloqués, dit Vuyo.

Pendant que les hommes échangent un sac de sport plein de billets contre des bons au porteur bidon émis par une banque qui l'est tout autant, je commande du thé pour tout le monde.

— Puis-je vous demander ce que vous allez faire de cet argent ? je demande à Cheryl.

— Nous allons acheter une maison. Pour nous et nos enfants. Amanda et Simon, et leur famille. Enfin, avec deux millions et demi, on pourrait s'acheter une maison à Malibu. Mais nous allons rester à Aurora et faire revenir Amanda de Chicago, comme ça, on pourra passer plus de temps avec nos petits-enfants. Attendez, j'ai une photo.

Cheryl sort son téléphone pour me montrer un cliché d'un bébé à l'air malheureux, couvert de bave, et une petite fille souriante, avec des couettes et une marque de naissance rouge sur la joue.

— Ça, c'est Archie, et ça, c'est Becky. Les enfants de Mandy. Et Simon... eh bien, Simon et son compagnon ont l'intention d'adopter.

— Ils sont mignons.

Je lui rends son téléphone.

— Et vous, ma chérie ?

— Je vais essayer de me construire une nouvelle vie. Ce sera mieux, ici, dans ce pays.

— Et l'orphelinat ?

— Ah, oui, l'orphelinat. Hmm. Nous avons visité des bâtiments. Il y a un ancien foyer pour retraités que nous pourrions convertir. C'est très joli. Un grand jardin, avec un mûrier et une piscine. Près des jardins botaniques. Ça sera parfait.

Je m'imagine une autre version de la maison dans laquelle j'ai grandi.

– C'est bon de savoir qu'on a enfin des perspectives, n'est-ce pas ?

– Oui.

Pendant quelques secondes, plus personne ne parle.

– Vous avez eu beaucoup de mal à sortir du camp ?

– S'il vous plaît, Cheryl, c'est trop douloureux.

Je m'enfouis le visage dans les mains pour appuyer l'argument. A travers mes doigts, je vois que mon sac commence à remuer. Je tâte Paresseux du bout de la chaussure pour lui signaler d'arrêter.

– Oh. Bien sûr.

Elle passe le bras autour de mes épaules et m'étreint maladroitement en me caressant le dos.

– Là, là, dit-elle. Là, là…

– C'est réglé.

Jerry arbore un large sourire, comme si on venait de le débarrasser d'un fardeau. Le doute pèse lourd.

– Je peux vous donner un coup de main, Frances ?

Il soulève le sac en rotin avant que je ne puisse l'en empêcher.

– Ouf ! Qu'est-ce que vous avez là-dedans ? Votre maison ?

– Jerry ! s'écrie Cheryl, scandalisée.

– Oh, pardon, je ne voulais pas…

Soudain, Paresseux sort la tête et chevrote avec un air grognon.

Jerry lâche le sac. Heureusement, il n'est qu'à une dizaine de centimètres du sol, mais Paresseux glapit comme s'il venait de dégringoler des chutes Victoria.

– Marie mère de Dieu ! Qu'est-ce que c'est que cette chose ?

– Jerry Barber, tu sais parfaitement ce que c'est ! Oh, Frances, ma chérie, vous auriez dû nous le dire.

Par-dessus l'épaule de Mme Barber, Vuyo me lance un regard qui signifie : « tu as intérêt à arranger le coup ».

— J'avais… honte, dis-je.

— Ecoutez, chérie, vous n'avez pas à avoir honte. Ça ne veut pas dire que vous êtes quelqu'un de mauvais. Ça veut seulement dire que vous avez dû faire des choses néfastes à un moment donné.

Elle lance un regard meurtrier à Jerry.

— Vous êtes une chic fille, ma chérie, une chic fille.

Ses yeux recommencent à scintiller de larmes.

Nous regardons Cheryl et Jerry sortir du parking rempli de X5 et de A4 dans leur Polo de location, et nous leur adressons de grands signes joyeux jusqu'à ce qu'ils aient tourné au coin de la rue.

— Tu es *vraiment* une chic fille, fait Vuyo en imitant Cheryl.

— Ta gueule, Vuyo.

— Il faudra refaire ça.

— Je veux 20 %.

— La prochaine fois, peut-être.

— C'est la première et la dernière. Représentation unique.

— J'ai 94 235,82 rands qui m'assurent du contraire.

— J'écrirai d'autres formats.

— Je doublerai ton taux d'intérêt.

— Je m'en fiche.

— Comment s'appelait ton frère, déjà ? Celui qui est mort ? demande-t-il avec un air sournois.

— Va te faire mettre.

— Et ton copain ? Ce beau *mkwerekwere* ? Benoît, c'est ça ? Gaffe, Zinzi. Tu sais ce qu'il s'est passé la dernière fois que tu as merdé avec des gangsters.

Vuyo monte dans l'une des X5. Je mémorise sa plaque d'immatriculation. Elle est sans doute bidon, mais j'ai tendance à accumuler les informations. Je gratte à sa vitre. Il la baisse.

— Quoi ?

— Tu peux me déposer ?

— Achète-toi une caisse.

Il démarre en laissant de la gomme sur l'asphalte.

6

Makhaza's Place est déjà très animé à 3 heures de l'après-midi, ce qui trahit le manque d'occupations saines dans le secteur. La popularité de Mak's dans ce quartier d'églises et de bars peut être attribuée à deux facteurs : le poulet façon Lagos, et la vue. Mak's est situé au deuxième étage de ce qui était un centre commercial à l'époque où cette partie de la ville était un foyer cosmopolite, avec ses hôtels tape-à-l'œil, ses restaurants, ses terrasses de café et ses arcades bourrées jusqu'au ciel de produits de luxe. Zoo City aussi a eu une Ancienne Vie.

Il y a quelques années, on a beaucoup parlé de rénovation et de reprise en main, ce qui a entraîné des mois d'expulsions : l'œuvre des Fourmis Rouges, avec leurs casques cramoisis, leurs masses et leurs mégaphones, mais aussi de ces proprios aux yeux avides, surfant sur le boom de l'immobilier, qui ont fait murer les rez-de-chaussée des bâtiments. Néanmoins, les squatters trouvent toujours moyen de se faufiler. Nous sommes des gens entreprenants. Et avoir sa petite réputation aide.

Mak's est situé dans ce qui était une immense vitrine surplombant la rue. Elle fut conçue pour imiter celle de Macy's, avec des présentoirs tournants chargés d'articles dernier cri et de produits à la mode, et elle était assez grande pour qu'on ait pu y faire entrer une Chevrolet lors de l'exposition de Noël, Santa Claus au volant, avec lunettes de soleil et chemise hawaïenne.

Le propriétaire, Mak, a gardé quelques mannequins pour l'ambiance : un double amputé portant des pantalons de velours côtelé impeccables, une veste de sport vert citron et un chapeau mou, ainsi qu'une femme au visage de mélamine grêlé assorti à sa minijupe blanche mitée et à ses go-go boots. Tous deux sont figés dans une pose maussade, rétrocool. Les clients ne sont pas aussi bien sapés.

Je me débarrasse de Paresseux dans l'enclos près de la porte. Il s'accroche en vacillant à la branche d'un arbre mort décorée de guirlandes clignotantes, déjà surpeuplée. Un Ecureuil potelé s'empresse de glisser le reste de sa barre chocolatée dans sa bouche et caquette un reproche à Paresseux, puis bondit vers la cime de l'arbre, dépassant en chemin un Mainate Indien occupé à se lisser les plumes et un Boomslang lové dans une fourche du tronc, aussi immobile que les mannequins.

– Ne t'approche pas trop, mon pote, j'avertis Paresseux.

Il existe un code de conduite officieux, mais les animaux restent des animaux. Et les animaux aussi peuvent se comporter comme des trous du cul. La Mangouste est recroquevillée dans la sciure qui jonche un coin de l'enclos. Elle ouvre les yeux, puis fait semblant de se rendormir.

Benoît et deux de ses copains, son colocataire Emmanuel et ce *sgebenga* de D'Nice, occupent leur place habituelle, à côté du baby-foot. Je prends une eau + tonic au bar (ces jours-ci, c'est ma façon à moi de me rapprocher au plus près de l'addition « gin + ») et m'assieds à côté d'eux dans la cabine d'angle. La clim est en panne, comme toujours, et leurs bières transpirent. Le Singe Vervet de D'Nice est assis sur la table, cerné par les vestiges d'au moins deux tournées de chopines, et joue avec un dessous de verre volé au Carlton Hotel vers 1987.

La télé balance un horrible rap crunk sur des images de corps sautillants, luisants de sueur, et de cité en flammes. Des boules de feu géantes illuminent le ciel de Las Vegas. Le chanteur, veste imprimée léopard et chaînes en or, se faufile entre ses danseuses, suivi par une Hyène. L'animal grogne en gros plan, révélant des crocs jaunâtres. C'est tellement impressionnant que les filles s'embrasent à leur tour. Par chance, ça n'a pas l'air de trop les incommoder. Les flammes lèchent leur ventre musclé, frémissant, des arcs brûlants soulignent la courbe de leurs fesses, qui dépassent de leur micro-short peint.

– C'est du pipeau, dis-je en désignant la télé en guise de salut.

– Tu rigoles ?

Emmanuel semble sincèrement choqué. C'est un gentil gamin rwandais, à peine vingt ans, qui enchaîne les petits boulots. Il n'a pas d'animal, mais personne n'a dit que c'était obligatoire. A Zoo City, on est pour la tolérance. Ou pour le désespoir mutuel assuré.

– Lâche-moi, Emmanuel. J'ai trente-deux ans. Cette merde ne me parle pas.

– *Cha !* Zinzi ! Comment tu peux ne *pas* connaître Slinger ?

– C'est quoi ce nom ? Slinger ? Ça sonne métal.

– Tu me blesses. Tes paroles. Elles me blessent physiquement.

– Tu ne sais pas encore ce que ça fait, quand j'essaie de blesser quelqu'un, Emmanuel.

– Celui-là, c'est un vrai ! dit-il, sur la défensive. Ce négro s'est pris une balle en pleine face et a survécu. Elle a rebondi sur le côté de son crâne et lui a cassé la mâchoire. Ils ont dû refaire les connexions, tout reconstruire.

D'Nice met son grain de sel. Il agite son verre et renverse un peu de bière.

– Tu sais que les mâchoires d'une hyène sont plus puissantes que celles d'un lion ? Elles doivent traverser les crânes, pour aller jusqu'à la moelle.

La Guenon semble se réveiller à la vue de ce gaspillage. Elle lâche son dessous de verre et se penche lentement.

– Y a pas de moelle dans un crâne, dit Benoît.

Je me rends compte qu'ils sont tous légèrement éméchés.

– Tu vois ce que je veux dire, marmonne D'Nice.

La Guenon trempe la patte dans la flaque de bière, la porte à son museau et l'examine un instant avant d'en lécher la paume. L'arrière-goût la fait frissonner. Elle repasse la langue sur sa patte, entre ses doigts. « Légèrement » éméchés ?

– Ecoute ! reprend Emmanuel. Donc, Slinger en reste pas là, OK ? Il sort de l'hosto, genre à moitié robotisé, rapport aux bouts de métal qu'ils lui ont greffés dans la tête, et il va chercher les négros qui lui ont fait ça. Il les trouve dans une boîte de strip de South Central. Il entre par la porte de devant. Et *blam ! Blam ! Blam !*

Emmanuel mime l'exécution des fumiers avec un flingue imaginaire si gros qu'il est obligé de le tenir à deux mains.

– Il les plombe, genre huit d'un coup. La moitié a même pas l'occasion de réagir, les autres ont juste le temps d'envoyer la main vers leur gun, ou peut-être de se relever avant de se faire descendre. Les strip-teaseuses sortent de la boîte en courant, à poil, pleines de sang !

– Tu sais, je crois que j'ai déjà vu ça dans un film.

Le sourire d'Emmanuel quitte son visage comme s'il était un chiot qui vient de recevoir un coup de pied, puis rebondit sur le trottoir et atterrit dans le caniveau avec un petit jappement pitoyable. Sur la téloche, Slinger et sa Hyène ont laissé la place à un duo *kwaito* édulcoré, un garçon et une fille, tout en gentille provocation adolescente.

– Zinzi, arrête de faire ta vieille cynique, dit Benoît dans un souffle qui sent trois ou quatre tournées de *lengolongolas*. Désolé, Emmanuel, elle n'est pas sortable.

– Ah ! Comme si tu me sortais. Désolé, Emmanuel, je ne voulais pas manquer de respect à ton pote.

Je lui flanque un petit coup de poing dans le bras pour lui montrer que je ne pensais pas à mal. Il a l'air un peu moins abattu. En fait, on dirait même qu'il a tout pardonné, et juste pour me prouver à quel point il m'a pardonné, il s'apprête à me servir d'autres anecdotes fascinantes tirées de la biographie 100 % authentique de Slinger. Je le coupe au moment où il prend l'inspiration qui alimentera le prochain paragraphe de Wikislinger et passe un bras de propriétaire autour de Benoît.

– Les gars, vous parlez business ou je peux vous l'enlever ?

– Tu es pressée, Zee-Zee ?

D'Nice fait partie de ces gens qui vous collent un surnom alors que vous n'avez rien demandé. C'est aussi un de ces gars qui sont toujours trempés jusqu'au cou dans plusieurs combines louches. Il porte une calotte de laine et sa bouche est en permanence entrouverte, ce qui lui confère un air stupide. Mais c'est le sous-estimer qui serait stupide.

– Reste et bois un coup avec nous, dit-il.

Je lève mon verre d'eau + tonic.

– Voilà, c'est fait, merci, m'sieur, à plus. Et arrête ça, j'ajoute alors que je sens comme des pattes d'insecte me courir sur les tempes.

Sa Guenon se penche en avant, tendue, soudainement concentrée malgré les brumes d'alcool. Un animal à l'œuvre.

– Arrêter quoi ? demande-t-il innocemment, comme s'il n'était pas en train de tendre ses petites ventouses magiques vers moi.

Mais la sensation finit par disparaître et la Guenon se rassied, déçue. Elle lance un regard torve à D'Nice et retourne à sa flaque de bière.

– Tu as bien picolé, Zee-Zee.

D'Nice tente de changer de conversation parce qu'Emmanuel ne pige pas son petit tour.

D'Nice est tout sauf gentil. Son *shavi* absorbe de petits moments de bonheur, au hasard, comme une éponge. Il ne s'en vante pas, bien entendu. Beaucoup de zoos ont une couverture lorsque leurs talents sortent de la norme. Si vous le lui demandez, D'Nice expliquera qu'il a le don de récupérer des informations et, certes, c'est ce qu'il fait, souvent. Il les prend dans la rue et les revend à qui voudra payer, mais son cafardage n'a rien de magique.

Si vous étiez une sorte de vampire à sérotonine, vous intérioriseriez sans doute un peu du bonheur que vous pompez. Mais pas D'Nice. Autant que je sache, Benoît est son seul ami, ou du moins la seule personne capable de le supporter plus de vingt minutes en étant à jeun.

– Tu me connais, D'Nice. Je suis une fêtarde. D'ailleurs, je crois que ton animal aussi.

La Guenon renverse une bouteille.

– Merde ! fait D'Nice.

Il tend la main, mais pas avant que la Guenon n'ait réussi à coucher la bouteille, ainsi que les trois autres verres et le reste de mon tonic, comme des dominos. Emmanuel se lève dans un glapissement et renverse sa chaise en essayant d'éviter le liquide. Du verre se brise. D'Nice crie, tantôt sur le Singe pour l'insulter, tantôt à Mak pour qu'on lui apporte un chiffon – et une autre tournée, tant qu'il y est, aux frais du patron, parce que ça ne serait jamais arrivé si la table était pas bancale comme tous les meubles pourris du boui-boui. Mak rejette l'argument, bruyamment, ce qui attire Carlos, le colossal videur portugais. Emmanuel profite sagement de cette occasion pour aller pisser, ou se prendre un autre verre, et disparaît.

Le chaos nous laisse, à Benoît et moi, le temps de discuter entre adultes.

– Tout va bien ? demande-t-il.

C'est le genre de mec assez malin et sensé pour lire entre les lignes. Pas assez malin et sensé pour mieux choisir ses amis et ses colocataires, mais bon.

– Dans le genre journée de merde, celle-là déborde des égouts.

– Qu'est-ce qui s'est passé, avec Mme Luditsky ?

– Elle est morte. Assassinée, pour entrer dans les détails techniques. J'étais pratiquement arrivée chez elle et la connexion s'est juste… éteinte.

Rien qu'à le raconter, je ressens de nouveau comme un coup de pied dans le ventre. Comme une crise cardiaque qui se serait égarée dans mes intestins.

– C'est là que tu...

– Les flics. Trois heures. De la merde. Oh, et ils voudraient que tu ailles au poste d'ici deux jours leur raconter ce que j'ai fait ce matin.

Benoît ne dit rien. Sa main va distraitement frotter la peau brûlée de son cou, lisse comme du plastique de Barbie, qui luit au-dessus du col de son tee-shirt.

– Désolée, Benoît, je sais que ça fait mal au cul.

Son pouce trace de petites spirales le long de sa gorge, jusque sur l'arête de sa mâchoire, et je perds patience.

– C'est à cause de tes papiers ? Je croyais qu'on t'avait prolongé jusqu'à la semaine prochaine. Si c'est trop pour toi, je demanderai à un autre de mes amants de me couvrir.

Benoît sourit faiblement. Dans mon AV, l'hypothèse d'avoir plusieurs amants aurait été crédible. Mais depuis Paresseux, je suis tellement monogame qu'à côté de moi la banane que les éducateurs d'AIDS utilisent pour démontrer l'usage de la capote a l'air d'une traînée.

– J'ai reçu un coup de fil, dit-il.

– De qui ?

Mais je sais. Je sais exactement de qui.

– Allons, Zinzi. Ma femme. Ma famille.

Et je ressens encore la sensation. Deux fois dans la même journée. Une crise cardiaque dans les tripes. Quelqu'un serre et tord. Depuis l'autre côté de la pièce, Paresseux me jette un regard curieux en glapissant. Je lui adresse un minuscule hochement de tête.

– C'est génial, Benoît. Tu dois être...

Une tonne de mots différents pourrait venir finir la phrase. Aucun d'eux n'est capable de couvrir le cocktail d'émotions qui me fore un trou dans l'estomac en ce moment : un mélange de rhum Stroh et d'acide sulfurique. Et qui pouvait savoir ? Qui pouvait savoir qu'elle serait encore en vie après tout ce temps ? Pas moi. Parce que je ne m'occupe pas des personnes disparues.

– *Ai.* Qui est mort ? demande D'Nice en pilotant Emmanuel pour qu'il pose la nouvelle tournée de bières rapportée du bar.

Il en pousse une dans ma direction.

– Tu devrais pas ramasser les mégots. Tu vas finir par te brûler les doigts, je réplique.

– Benoît t'a dit que sa femme l'avait appelé ? fait-il sournoisement – au temps pour la discrétion. Bonne nouvelle, hein ?

– Incroyable.

La crise cardiaque a atteint sa juste position, comme une fleur vénéneuse dans ma poitrine.

– Stupéfiant. J'ai des trucs à faire. Je te vois plus tard, Benoît.

Je me penche pour l'embrasser. Sa bouche a un goût de levure sucrée. Je me demande si je vais devoir renoncer à ça aussi.

7

Sur le chemin du retour, le crépitement sourd de tirs automatiques, semblable à celui du pop-corn au micro-ondes, me convainc de m'engouffrer avec d'autres passants dans l'arcade commerciale Palisades pour me mettre à couvert.

Les flics n'utilisent pas d'armes automatiques, en général : c'est donc une fusillade entre gangs ou un braquage de fourgon blindé. Normalement, les camionnettes de cash sont attaquées sur les autoroutes, où il est aisé pour les malfaiteurs de décamper vite fait, mais dans le centre-ville, les gangs se montrent de plus en plus téméraires. Les coups de feu ont toujours fait partie de la bande-son nocturne de Zoo City, comme les cigales à la campagne. Mais ce n'est que récemment qu'on les entend aussi régulièrement en plein jour.

Nous attendons, inquiets, entre Monsieur Tourte, Chaussures à Bas Prix Milady et Go-Go-Go Voyages, qui a pris son nom au pied de la lettre puisque la boutique est fermée. La vitrine est couverte de pancartes À CÉDER, d'affiches défraîchies vantant des destinations exotiques et des *Séjours à Prix Imbattables !*

L'ascenseur venant de l'atrium s'ouvre pour dégorger une vieille dame qui porte un sac de pharmacie, et qu'on doit retenir avant qu'elle ne s'aventure au milieu de la fusillade.

Il faut un peu de persuasion, mais elle finit par battre en retraite, marmonnant et bougonnant, pour retourner dans l'ascenseur, comme si elle s'attendait à ce que les portes se rouvrent sur un autre endroit.

Benoît et moi nous sommes rencontrés dans l'ascenseur d'Elysium, à l'époque où il fonctionnait encore. A l'époque où j'essayais encore de cacher Paresseux sous un sweat bouffant à capuche. A l'époque où je sortais à peine de Sun City ; la prison, pas le casino. Il n'y a pas de jeux d'eau ni de danseuses à Sun City, qu'on appelle aussi Diepkloof, où j'ai passé trois ans aux frais du gouvernement. C'est une lacune du système carcéral. Notre réinsertion serait plus efficace si l'on nous enseignait des compétences utiles, comme lever la jambe et remuer les miches en rythme.

De nos jours, on appelle les taulards « clients ». Simple question de sémantique. Les « clients » se voient encore servir de la bouillie et du *pap*, dorment encore à cinquante-sept dans des chambres prévues pour vingt, doivent encore faire du sport dans une cour bétonnée maussade, avec le monde extérieur qui leur fait signe, derrière un fin grillage et des miradors. Les clients sont encore jetés à la rue lorsque leurs vacances tous frais payés sont terminées. Sans le moindre soutien, hormis des services de probation surchargés, incapables de garder une trace de qui vous êtes, et encore moins de ce que vous êtes censés faire.

Je n'ai pas téléphoné à mes parents. Nous n'avions pas eu de conversation significative depuis cette nuit de printemps, en 2006, lorsqu'ils m'avaient retrouvée sur le parking des ambulances de Charlotte Maxeke, tandis que les ombres se repliaient, Paresseux lové dans mon giron comme ma Lettre Ecarlate personnelle.

Il était inévitable que je finisse à Zoo City. Cela dit, je ne l'ai compris qu'à la cinquième fois où un agent immobilier a lancé un regard dédaigneux à Paresseux par-dessus ses affiches pour me dire qu'il n'avait rien à louer en banlieue. Avais-je essayé Hillbrow ?

Elysium Heights n'était pas le lieu le plus évident pour un Nouveau Départ. J'avais d'autres immeubles, plus jolis, en vue. Mais lorsque le vigile d'Elysium Heights a accepté de me montrer un appartement libre au sixième, à ma demande, j'ai trouvé quelque chose de réconfortant dans les barbelés et les vitres brisées, dans la manière dont les bâtiments étaient reliés par des plates-formes en dur ou improvisées pour former une sorte de vaste ghetto. Cela me rappelait la prison, et c'était rassurant. Si ce n'est qu'ici, les portes s'ouvraient quand vous le vouliez.

J'ai emménagé l'après-midi même, avec seulement du vieux cash dans mes poches et Paresseux sur mon dos. J'ai passé l'essentiel de cette première journée cachée dans mon appartement, à me demander ce que j'allais faire par la suite. En prison, on vit au rythme des coups de sirène, on fait ce qu'on nous dit de faire, comme une bille dans un flipper qui tournerait au ralenti. Les sirènes m'ont manqué, au début.

L'après-midi touchait à sa fin lorsque j'ai eu le cran de sortir, et encore ce n'était que parce que Paresseux miaulait de faim. La cantine de Sun City servait des feuilles cuites, des insectes morts, du foin ou des déchets, en fonction du régime de votre animal. Ça a ça de bon, la prison. Mais dehors, tu es toute seule, petite. A toi de trouver des restes et des feuilles cuites.

Armée de la carte usée et égratignée qui permettait d'ouvrir la porte-tourniquet grippée d'Elysium (qui m'évoquait la prison de manière rassurante, là encore), j'ai verrouillé l'appartement et mis ma capuche sur la tête de Paresseux. Il a éternué de dépit.

— Pas de bol, mon pote, j'ai dit.

Je n'avais pas encore l'habitude de me promener en public avec lui. Je me souciais de ce que pensaient les gens, même lorsqu'ils avaient eux aussi un animal.

L'ascenseur a pris son temps pour descendre. On voyait qu'il avait été récemment retapé. Le métal brillant ressortait de la peinture deux tons du mur. Je m'apprêtais à me rabattre sur les escaliers lorsqu'il s'est ouvert sur un groupe d'hommes, tous animalés.

A Sun City, j'assistais parfois aux services des Néo-Adventistes. Si l'on supportait toute la cérémonie, y compris la session de conseils personnels entre quatre yeux qui suivait, on avait droit à un vrai repas, avec cinq fruits et légumes et tout le tintouin. Ils disaient que les animaux étaient la manifestation physique de nos péchés. C'est à peine moins horrible que la théorie selon laquelle ces bestioles sont des *zvidhoma*, ou familiers de sorcières, ce qui peut nous valoir la torture et le bûcher dans certaines zones rurales. Les sermons des Adventistes étaient une forme de torture en soi ; ils martelaient le fait que nos animaux étaient une punition que nous allions devoir porter, comme le mec du *Voyage du Pèlerin* et son sac de culpabilité. Apparemment, nous attirions la vermine parce que nous étions de la vermine, la lie de la terre. Ils disaient cependant que tout le monde pouvait être sauvé, mais je n'ai encore jamais rencontré un zoo dont l'animal s'est évaporé par magie, comme le sac de péchés du Pèlerin. Pas sans que le Contre-courant vienne le chercher.

Mais les hommes de l'ascenseur ne portaient pas leur animal comme un fardeau, et certainement pas le géant en tête du groupe, avec la peau brûlée qui dépassait du col de son tee-shirt et sa Mangouste lovée dans un porte-bébé bricolé. Ils portaient leurs animaux comme d'autres portent leurs armes.

La Mangouste m'a grogné dessus, et j'ai hésité un instant avant de monter dans l'ascenseur. Ça s'est vu. Je me suis mise face aux portes lorsqu'elles se sont refermées, tournant le dos aux hommes et à leur ménagerie. Je pouvais néanmoins voir leur reflet déformé dans l'aluminium des portes, comme la version Jérôme Bosch d'une galerie de miroirs.

– Ça ne vous fait pas peur, a demandé le géant d'une voix limoneuse, d'être là-dedans avec des animaux de notre espèce ?

– *Vous* devriez avoir peur d'être là-dedans avec *moi,* j'ai riposté sans me retourner.

Dans l'aluminium, j'ai vu le visage du géant se fendre d'un sourire, sourire qui s'est élargi jusqu'à dévorer toute sa tête, puis il a éclaté de rire. Les autres ont souri à leur tour. Pas de grands sourires, mais assez grands pour qu'ils me fichent la paix par la suite, surtout après que j'ai cessé de cacher Paresseux.

Je l'ai revu quelques semaines après. L'ascenseur flambant neuf était déjà hors service, et je grimpais l'escalier de secours, chargée d'un générateur portable. Cette grosse saloperie jaune butait contre les marches, une par une, et Paresseux frémissait à chaque choc.

– C'est pour quoi faire ? a demandé amicalement le géant, qui montait derrière moi.

Il portait un uniforme kaki foncé de vigile, légèrement trop petit pour lui, frappé d'un écusson décoré d'un casque spartiate et des mots *Sentinel Security* et *Elias.* Il ne m'a pas offert son aide, ce que j'ai apprécié. De manière théorique.

– Du travail.

– Tu es trop bien pour voler de l'électricité ?

– Je suis trop bien pour risquer de m'électrocuter.

La plupart des locataires étaient illégalement raccordés aux compteurs : des lignes couraient entre les appartements, parfois entre les bâtiments, comme les cordes pas très raides d'un cirque décrépit.

– Je peux mettre en place une dérivation pour que tu recharges ton portable. Plein de gens préfèrent ne pas avoir à descendre aux boutiques de téléphonie.

– Et je préfère ne pas avoir à traiter avec plein de gens. Merci quand même.

– D'accord, a-t-il dit avant de se serrer contre la rambarde pour me dépasser tout en faisant tourner sa matraque.

Il m'a fallu vingt minutes pour monter le générateur sur mon palier.

La troisième fois, il a eu le culot de venir frapper à ma porte. Lorsque j'ai ouvert, il était planté là, avec une plaque chauffante sous le bras, la Mangouste contre la poitrine, et un air maussade sur la figure.

– Je sais que tu n'aimes pas voir beaucoup de gens, dit-il. Et quand il n'y a qu'une personne ?

– Ça dépend, dis-je. Qu'est-ce qu'elle veut ?

– J'ai cette plaque chauffante.

– Ça, je le vois.

– Et de quoi faire à manger, a-t-il ajouté en montrant le sac de courses à ses pieds. Mais je n'ai nulle part où me brancher.

Il a souri.

– Tu es trop bien pour voler de l'électricité ?

– Je suis un très mauvais voleur, mais un super cuisinier.

En fait, il n'était pas doué en cuisine. Mais moi non plus.

Etonnamment, je me sentais bien avec lui. Mon *shavi* est une salope. La plupart des *mashavi* le sont. Mais j'avais tendance à me montrer cynique avec les gens *avant* de pouvoir sentir les fils des objets perdus qui émanaient d'eux, comme les fissures irradiant d'un impact sur une vitre. Lui, il n'avait pas de fil. Des choses perdues, oui, incroyablement faibles et floues, autour de lui, mais pas de connexions. Evidemment, il y avait quelque chose d'horrible dans son passé, d'où la Mangouste, mais il la portait bien, comme une vieille chemise fétiche qui est passée des tas de fois au lavage. Il s'est avéré que ce n'était pas une coïncidence.

Il s'est aussi avéré qu'il ne s'appelait pas Elias. Elias était simplement le mec qu'il remplaçait lorsque ce dernier était malade. Le reste du temps, Benoît vivait de petits boulots. Des jobs aléatoires : cantonnier, videur, manœuvre, réparateur, entrepreneur, n'importe quoi du moment que c'était légal, ou presque. « Séducteur » ne figurait pas sur son CV, du moins pas avant qu'il ne me rencontre, prétendait-il.

En fait, c'est moi qui l'ai embrassé.

– Je ne pensais pas que tu prendrais les devants, a-t-il dit, surpris.

– Mieux vaut ça que filer par-derrière, j'ai répondu.

Sous ma paume, sa peau brûlée avait la texture de la cellophane.

– Ça doit être bien d'avoir ses cicatrices à l'extérieur.

– Je suis pas le seul dans ce cas, a-t-il rétorqué en touchant mon oreille gauche, mutilée par la balle.

Il ne m'a parlé de sa femme et de ses enfants qu'en janvier, quatre mois et demi après que nous avons commencé à coucher ensemble.

Nous examinions un stand de nourriture au rez-de-chaussée lorsqu'il a lâché une bombe en m'apprenant que la mère de sa femme tenait un étal de fruits à Walakase.

– Ta femme… au présent ?

– Peut-être. Je ne sais pas.

– Tu as oublié de me dire que tu étais marié.

Je pensais parler à un volume normal, mais j'ai réussi à attirer l'attention de tous les chalands des environs. Même le jeune dealer dynamique à l'angle de la rue, avec son Galago aux yeux énormes, a tendu le cou pour voir ce qui se passait. Paresseux a rentré la tête dans les épaules. Il déteste quand je fais une scène.

– Tu aurais pu me parler de *ta femme*, Benoît.

– Tu ne m'as pas posé de questions, a-t-il dit calmement en prenant une mangue sur l'étal.

Il l'a fait tourner dans ses mains et l'a pressée doucement. Vérification de fraîcheur au rayon fruits et légumes.

– Je croyais que c'était la règle. Ancienne Vie = zone interdite. Pas de questions.

– Pourquoi ?

– Parce que ça ne me regarde pas. Je ne voulais pas savoir.

– Et maintenant tu sais. Et c'est ma faute ?

Il a lâché la mangue pour en prendre une autre, tandis que le maraîcher faisait de son mieux pour ne pas nous regarder, les yeux écarquillés.

– Que penses-tu de celle-là ?

– Je la trouve un peu molle de la tête.

– Si tu avais su, est-ce que ç'aurait compté pour toi, *cherie na ngayi* ?

Je connaissais la réponse théorique. Le manuel de la morale indique que, dans ce genre de cas, on doit répondre : « bien sûr » ou « comment oses-tu me poser cette question ? » Mais je n'avais jamais été une menteuse fiable, ni même quelqu'un de moral.

– C'est bien ce que je pensais. Ça ne change rien, Zinzi.

Il a fait mine de m'embrasser, mais lorsque j'ai levé la tête, il a pressé la mangue contre mes lèvres.

– Crétin, j'ai dit en m'essuyant la bouche pour cacher mon sourire.

– Adultère, a-t-il riposté.

– Complice à mon corps défendant !

– Tu ne t'es guère défendue, la nuit dernière. Et puis, la polygamie est légale au Congo.

– Je t'ai déjà dit que tu étais un crétin ?

– Seulement autant de fois que je le mérite.

Cette fois, il m'a embrassée.

J'ai donné plus de 12 rands pour la mangue et me suis glissée sous le bras de Benoît. Paresseux a dû se tasser à contrecœur.

– Nous sommes un affreux cliché, non ?

– Comme tout le monde, a-t-il répondu.

L'histoire complète ne m'a été racontée que plus tard, et par petits bouts, comme des flashs. La dernière fois qu'il avait vu les siens, ils s'enfuyaient dans la forêt, comme des fantômes entre les arbres. Puis, les hommes du FDLR l'avaient battu à coups de crosse, lui avaient versé de la paraffine dessus et mis le feu.

C'était il y a plus de cinq ans. Il avait envoyé des messages à sa famille lointaine, à ses amis, à des organismes d'aide, à des camps de réfugiés, il avait écumé les sites Web, les groupes de réfugiés cryptés sur Facebook (qui utilisent des surnoms, des ordres de naissance et des professions bidon pour laisser des indices – jamais des photos de visage – afin d'aider les familles à se retrouver sans alerter leurs persécuteurs). Aucun résultat. Sa femme et ses trois enfants avaient disparu. Présumés morts. Perdus pour toujours.

Pourquoi ne l'avais-je pas senti ? Pourquoi l'avais-je cru sûr, sain d'esprit et bien dans sa tête ? Parce que son *shavi* atténue celui des autres. Il est le bruit blanc du vacarme ambiant, la neige qui efface toutes les autres fréquences, mais seulement dans la mesure où elles l'affectent. Une résistance naturelle à la magie. N'en parlez pas autour de vous. S'il existait une manière de synthétiser son *mashavi*, les gangsters comme le gouvernement seraient à ses trousses. Il a menti aux officiers du ministère des Affaires intérieures lorsqu'il a rempli ses papiers de réfugié, indiquant que son talent était simplement le « charme », et il s'est montré assez charmant pour s'en tirer comme ça.

Je pensais que ça n'avait pas d'importance. Mais à présent que sa femme n'est plus un souvenir théorique d'un passé tragique, ça prend soudainement de l'importance. C'est ça, le problème avec les fantômes de l'Ancienne Vie : ils reviennent vous hanter.

Sous l'arcade, le crachotement des armes s'est tu, remplacé par les gémissements d'une foule de sirènes. Les gens s'aventurent doucement à l'extérieur, certains munis de pâtés fumants et odorants achetés chez Monsieur Tourte. Qui a dit que le crime était mauvais pour les affaires ? Je suis tentée de m'en offrir un, mais je suis accaparée par la vitrine de Go-Go-Go Voyages, ou plus spécifiquement par la liste des spécialités.

Elle égrène les vieilles destinations exotiques habituelles : Zanzibar. Paris. Bali. Des prix incroyables ! Taxes d'aéroport non comprises.

Certaines villes n'y figurent pas. Harare. Yamoussoukro. Kinshasa. Ces destinations demandent des arrangements alternatifs.

Pots-de-vin aux douanes non compris.

Je suis réveillée par un grattement à la porte. Je ne sais pas quelle heure il est, et je me souviens vaguement de m'être endormie en lisant un numéro de *You* vieux de trois mois, avec des titres délicieusement scandalisés jetant l'opprobre sur des célébrités sud-africaines de deuxième division et la perte des valeurs morales en général. Ce numéro circule dans l'étage en raison d'un article particulièrement torride : « *Amour Interdit ! Ma Romance avec un Zoo* », qui parle d'une banquière et de son gangster repenti d'amant, lequel est doté d'un Chacal à Dos Gris. Morceau choisi au hasard : « *L'épreuve la plus difficile, après mes parents, est mon allergie* ». Du journalisme de caniveau au mieux de sa forme.

Les lumières sont encore allumées, ce qui n'est pas une bonne chose pour mon générateur. Sur ma liste de courses mentale, j'ajoute du pétrole (ainsi que de la nourriture, sous n'importe quelle forme) et me lève péniblement, en jurant, pour aller ouvrir.

La Mangouste est au garde-à-vous à l'endroit où se trouve normalement mon paillasson. Autre chose à ajouter à la liste de courses. Ça va faire le troisième en six mois. Peut-être que, cette fois, je vais en prendre un muni d'un sort antivol. Le tailleur de l'appartement d'en face est doué pour ce genre de choses, contrairement aux vendeurs de placebos de Park Station.

La Mangouste se met à quatre pattes et descend le couloir en direction de la sortie de secours. Elle s'arrête et me jette un regard impatient par-dessus son épaule.

– Vraiment ? je demande.

Je porte seulement un tee-shirt, un slip et une paire de chaussettes, et il fait drôlement froid là dehors.

La Mangouste se rassied et attend.

– OK, j'arrive. Et merde.

Je referme la porte et passe rapidement mon manteau de cuir jaune à doublure déchirée. Paresseux grommelle, à moitié endormi.

— Tout va bien, mon pote. Je pense que je peux réussir l'opération « Retrouver mon crétin de copain bourré » toute seule.

Paresseux remue la mâchoire pour marquer son approbation et se rendort.

Je ferme mon manteau et décide de me passer de jean. Le manteau ne descend que jusqu'à mi-cuisses, mais il cache ce qu'il y a à cacher. Je vais pourtant le regretter. De même que l'absence de chaussures. Parce que Benoît n'est pas au bout du couloir, mais au pied des escaliers, affalé contre les premières marches comme un cow-boy saoul, sa casquette gavroche rabattue crânement sur les yeux, et il tète une *zamalek*. Les vaisseaux sanguins éclatés de ses yeux, lorsqu'il les lève dans ma direction, me signalent qu'il a passé l'après-midi à picoler.

— T'as perdu tes godasses ? bafouille-t-il avec morosité.

— Ça arrive, dis-je simplement, parce que ça ne vaut pas la peine de développer.

— J'crois qu'on t'les a tirées. Tout s'fait piquer, par ici.

— Je crois que tu es saoul. Tu veux que je te couche ?

— Dans ton lit.

— Tu te sens vraiment d'affronter le soleil qui rebondit sur Ponte, demain à 6 heures du mat' ?

— Faudrait la raser.

— Ou acheter des rideaux. Allez, viens, mon grand.

Je réussis à le relever en m'aidant de la rambarde. Puis, nous commençons à grimper lentement, pas à pas, les six étages, précédés par la Mangouste.

Dès que nous entrons, elle file vers la chaleur de mon ordinateur portable. Cette fois, je la laisse s'installer, entre autres parce que je suis trop occupée à faire avancer Benoît.

J'essaie de l'installer sur le lit, puis je me rends compte que ça sera plus facile de tirer le matelas près de lui et de l'y pousser.

— J'voulais causer, dit-il en s'affalant et en manquant de s'assommer contre le mur dans sa chute.

– On aura le temps plus tard, lui dis-je.

Je verse un peu d'eau en bouteille dans une tasse : le proprio a coupé la flotte, une fois de plus.

Je la fais couler dans sa bouche et il l'avale. Je le borde, glisse une bassine à côté de lui, pour faciliter sa régurgitation au cas où, puis me débarrasse de mes chaussettes crasseuses et me couche à côté de lui.

– T'as les pieds gelés, se plaint-il.

– Au moins, on ne me les a pas volés.

A ce moment précis, le générateur crachote et tombe à court de carburant. Nous nous retrouvons dans le noir, ce qui m'évite d'aller éteindre la lumière.

8

Get Real : La Base de Données en Ligne du Documentaire

LE SEIGNEUR DE GUERRE & LE PINGOUIN
L'Histoire Secrète de Dehqan Baiyat (2003)

Note Générale : 7/10 (17 264 votes)
Réalisateur : Jan Stephen Samara Khaja
Scénaristes : Jan Stephen (narrateur)
Nikolai Wood
Interviews : Dehqan Baiyat
Gul Agha Baiyat
Général Rashid « le Lutteur » Dostum
Lt.-Cap. Al Stuart
Matthias Weems
Brigadier Jon Chafe

[PLUS]

Durée : 180 minutes
Langues : Anglais/Dari/Pachto sous-titrés
Distribution : League Pictures, Londres
Pays : Royaume-Uni

Classification : Public adulte/Non classifié
Genre : Politique/Culture/Histoire
Format : 1.85 : 1
Son : Dolby SR
Lieux de Tournage : Afghanistan, Pakistan, New York, Londres, Guantanamo
Date de Diffusion : 9 octobre 2002 (R-U) sur BBC1
14 mars 2003 (USA/reste du monde)
Récompenses : Oscar du Meilleur Documentaire 2004
Festival du Film de Sundance 2003
Association Internationale des Documentaires 2003
BAFTA 2004
Genie 2004
Golden Gate 2004

[PLUS]

Synopsis : Seigneur de Guerre. Icône. Patient Zéro ? La vie et la mort de Dehqan Baiyat.

Résumé Complet : (SPOILERS) Dehqan Baiyat était étudiant en cinéma à New York avant de se transformer en seigneur de guerre afghan, avec moto et mitrailleuse. Il devint célèbre à la fin des années 90, non pas en raison de ses trafics d'opium ou de ses tactiques brutales contre les talibans et l'OTAN... mais à cause du pingouin qui ne le quittait jamais.

Lorsque les rumeurs parlant d'un chef militaire accompagné d'un oiseau antarctique vêtu d'un gilet pare-balles ont commencé à se répandre parmi les troupes britanniques, le journaliste d'investigation Jan Stephen s'est lancé à la poursuite de Baiyat dans les champs de pavot de la province de Helmand et a passé deux ans avec lui dans le désert et les montagnes, afin de percer le mystère de l'homme et de son volatile.

Ce documentaire retrace la vie et la mort de Dehqan Baiyat.

Descendant d'un clan iranien qui se battit jadis contre Gengis Khan, il fut connu, à tort, en tant que « patient zéro » de ce qui était alors appelé Zoopidémie et, ultérieurement, FAA : Familier Aposymbiotique Acquis.

Baiyat fut filmé à plusieurs reprises lors de rassemblements, occupé à donner à son pingouin des lanières de viande qu'il prétendait être la chair de ses ennemis. On racontait qu'il pouvait torturer un homme sans le toucher. La rumeur enfla : on parla de magie noire, de manipulations génétiques, d'effets spéciaux numériques. Ou de tout cela réuni.

Après l'assassinat du pingouin, lors d'une embuscade tendue par les talibans, la mort de Baiyat, dans le « nuage noir » (ou *Siah Chal* en perse) fut retransmise par toutes les télévisions du monde. C'était la première fois que l'événement était filmé, et il provoqua une panique générale qui engendra la création de camps de quarantaine dans de nombreux pays, ainsi que des vagues d'exécutions sommaires dans d'autres.

Injustement comparé à Gaëtan Dugas, le steward canadien qu'on crut responsable de la transmission du sida aux USA, Baiyat était seulement, en réalité, le cas le plus médiatisé d'une épidémie qui n'avait rien à voir avec une maladie.

On pensait à l'origine qu'il s'agissait d'une excentricité isolée, de la part d'un sociopathe aussi charismatique que narcissique, mais d'autres théories postulèrent que l'apparition du phénomène des animaux en Afghanistan résultait des retombées radioactives des essais nucléaires auxquels avait procédé le Pakistan non loin, dans les collines de Chagai, en 1998.

On estime à présent que des cas d'animalés existent depuis le milieu des années 80, d'après des rapports anthropologiques venant de Nouvelle-Guinée, du Mali et des Philippines. Le cas le plus ancien, rétrospectivement, est celui du célèbre bandit australien, Kevin Warren, qui fut abattu par la police durant un braquage de banque à Brisbane, avec son wallaby, en 1986. Sorti du placard des animalés douze ans après, Baiyat n'était pas tant leur précurseur que leur tête d'affiche.

Mais qui était vraiment Baiyat ?

Le film se penche non seulement sur la mythologie qui en est venue à l'entourer au sein du chaos de l'Afghanistan des talibans, mais aussi sur tout ce qu'on sait des animalés et du Glissement ontologique qui s'est déroulé autour de lui.

Il propose des interviews de journalistes intégrés auprès d'unités combattantes, des chefs moudjahidin, des troupes britanniques, des soldats talibans et de la famille Baiyat, lesquels nous livrent le portrait de l'homme à l'épicentre public du Glissement.

CITATIONS :

« *Pourquoi je suis revenu de l'école de cinéma en Amérique ? [rires] Parce que mon père me l'a demandé. Parce que c'est ici mon pays. Parce que ici je suis une rock star. J'ai 18 000 hommes sous mes ordres. Les gens me respectent. Des villages entiers viennent me verser un tribut. Parce que ici je peux baiser ou tuer qui je veux.* »

Dehqan Baiyat

« *Disons que c'est ma mascotte. Vous avez une patte de lapin porte-bonheur, moi j'ai mon Pingouin. Vous gardez la patte dans votre poche, à l'abri, moi je mets une armure à mon Pingouin.* »

Dehqan Baiyat

« *Vous imaginez peut-être, je ne sais pas, une sorte de seigneur de guerre/playboy/magicien, mais c'est faux. C'est un vendeur de drogues, un violeur, un meurtrier et une sale petite merde gâtée, avec une armée personnelle et une tonne de tours de passe-passe tribaux sortis de son trou de balle. »*

Lt.-Cap. Al Stuart

AVIS DES SPECTATEURS : (1 218 au total)

[Signalé pour modération]
20 mars 2010
Nom d'Utilisateur : JodieStar1991 **10/10**
M0RT3L !
Super film !! ça ma donné envie de me taper un z00 !!!! g trouvé un super site de p0rn z00 !!! Allez voir vous-mêmes !!!!!!! http://zoo.Ur78KG
[3 commentaires]

[12 utilisateurs sur 16 ont trouvé cet avis utile]
14 février 2010
Nom d'Utilisateur : Rebecca Wilson **7/10**
Un point de vue sans concession sur une icône perturbée (& perturbante)
Le troisième volet du Quartet des Conflits de Jan Stephen (Israël/Liberia/Afghanistan/Burma) est peut-être le plus poignant pour son approche sans fard d'un homme détesté, adoré et essentiellement incompris.

Le rôle qu'a joué Baiyat dans la façon dont le grand public a réagi à ce que les médias ont appelé le Glissement est crucial. Là où certains ont vu un personnage romanesque (un étudiant en cinéma devenu combattant de la liberté), d'autres ont vu un symbole de l'inconnu. Pour un temps, avant que les animalés n'atteignent le point de basculement, Baiyat est devenu l'incarnation de la question de la moralité humaine.

Ce Pingouin, était-il son Jiminy Cricket ou le diable perché sur son épaule ?

Le documentaire évite cette question ; ou plutôt, Baiyat évite d'y répondre devant la caméra et se montre évasif lorsque le sujet de son oiseau est abordé, si bien que j'aurais voulu que les réalisateurs aient... **[PLUS]**
[9 commentaires]

[126 utilisateurs sur 527 ont trouvé cet avis utile]
28 décembre 2009
Nom d'Utilisateur : Patriot777 **0/10**
Sans blague

Ouvrez les yeux, les apos ne sont pas humains. Tout est dans le nom. Zoos. Animalés. Aposymbiotes. Quel que soit le terme politiquement correct à la mode cette semaine. « Apo » comme dans « pas humain ». « Apo » comme dans « Apocalypse ». Tout ça fait partie de la guerre secrète menée contre les bons citoyens, sous couvert des droits des apos.

Tout est dans le Deutéronome : « *Tu n'introduiras point une chose abominable dans ta maison, afin que tu ne sois pas, comme cette chose, dévoué par interdit ; tu l'auras en horreur, tu l'auras en abomination, car c'est une chose dévouée par interdit* ». Et dans l'Exode : « *Tu ne laisseras point vivre la magicienne* ».

Faut-il en rajouter ? Des familiers. Le Contre-courant de l'Enfer. La destruction du détestable. Dieu est miséricordieux, mais seulement envers les vrais, les authentiques êtres humains. Les apos sont des criminels. Ce sont des rebuts. Ce ne sont même pas des animaux.

Ce sont des choses, et ils auront ce qu'ils... **[PLUS]**
[1 031 commentaires]

[720 utilisateurs sur 936 ont trouvé cet avis utile]
23 décembre 2009
Nom d'Utilisateur : TuxBoy **10/10**
Pingouin Cannibale FTW !

C'est tout.
[118 commentaires]

[PLUS D'AVIS]

Recommandations
Si vous avez apprécié ce titre, notre base de données vous recommande également :
— Le Glissement (2006)
— Des Anges au Bestiaire* (1998)
— Zoologika : Point de vue, des prisons chinoises aux ghettos de Chicago (2007)
— Grand Totem Blanc (2003)
— Trafic (2006)
— Le Seigneur de Guerre de Kayan (1989)
— La Boussole d'Or : Le fantastique de Pullman à la lumière du Glissement (2005)
— Toutes Griffes Dehors : L'émergence du Mouvement des Droits des Animalés (2008)

9

— Si je puis dire : Waouh ! Je suis *tellement* surpris que vous ayez appelé !

Maltais remonte Empire à bonne allure, environ cinquante kilomètres-heure de plus que la limite autorisée, dans une vieille Mercedes dorée façon 70's. Son Chien est sur ses genoux, la tête sortie par la fenêtre, la langue au vent. Ils ont insisté pour venir me chercher, même si prendre un taxi nous aurait fait gagner du temps.

— Hmm. Nous pensions devoir vous traquer, dit Marabout depuis la banquette arrière.

Son Oiseau étend et replie ses ailes, ses plumes frottant contre le plafond. La voiture n'est pas conçue pour accommoder la pleine envergure d'une cigogne nécrophage. L'odeur qui imprègne l'habitacle est atroce : des relents douceâtres de décomposition, qui se greffent sur ceux du cuir et de l'eau de Cologne citronnée de Maltais. Il remarque que je cille et esquisse silencieusement les mots « pue du bec » en fronçant le nez.

Paresseux émet un grognement de gorge, et ses griffes tâtent mon bras comme celles d'un chat. C'est pour ça que je ne peux pas jouer au poker. Rien de tel qu'un gros indice velu pour laminer votre bluff. J'essaie de ne pas m'agripper à l'accoudoir de la portière alors que la voiture remonte Empire à toute pompe et grille un nouveau feu orange. Paresseux enfouit le museau dans mon cou. Je me concentre sur les titres des présentoirs à journaux pour oublier la nausée : AFFAIRE DE CORRUPTION AJOURNÉE. UN SDF MEURT BRÛLÉ. SAISIE DE DROGUE À L'AÉROPORT.

— Je n'aime toujours pas les petits chiens, dis-je.

— Ce n'est pas grave, répond Maltais sur un ton remarquablement joyeux. Vous n'allez pas travailler pour nous de toute façon.

— Et peut-être même que je ne vais travailler pour personne. Je viens juste voir de quoi il s'agit.

— Vous êtes une vraie dure. *J'adore* ça.

Nous nous arrêtons devant une barrière qui marque l'entrée d'une résidence clôturée. Le garde en uniforme a un Rat dans la poche, dont le museau rose remue au-dessus du logo de Sentinel Armed Response. Les zoos s'en tirent bien sur le marché de la sécurité, en particulier avec Sentinel, qui est la plus grosse société de la ville et, par nécessité, la plus ouverte d'esprit.

Le Chien se hérisse, et lorsque le garde se penche pour jeter un regard dans la voiture, il bondit et entonne une série d'aboiements et de grognements. Le Rat cligne des yeux en le voyant, ses moustaches frétillent, mais il ne se cache pas.

— Couché, biscuit ! Désolé, Pierre, vous savez à quel point il s'excite.

— Moi, c'est João, monsieur Mazibuko. Mais ce n'est pas grave.

— Oups, je suis *navré*. J'aurais pourtant dû me rappeler le nom d'un aussi joli garçon. Je vous promets que je ne l'oublierai plus.

Il lance un regard appréciateur à la sentinelle.

— Savez-vous chanter, par le plus grand des hasards ?

— Mark, coupe Marabout d'une voix grave, acérée.

– Non, bien sûr que non. Suis-je sot. Peu importe, Felipe. João. Quel que soit votre nom. Pourriez-vous prévenir M. Huron que nous sommes là ? Si ça ne vous dérange pas de faire votre travail, bien sûr, mon mignon.

– Oui, monsieur.

Impassible, le garde fait un pas en arrière, lâche quelques mots dans sa radio puis lève la barrière pour laisser passer la Mercedes. Il y a dans ses gestes une saccade qui trahit l'ex-soldat. C'est une des spécialités de l'Afrique. Il y a beaucoup de guerres, et beaucoup de militaires désœuvrés.

La voiture redémarre, un peu plus vigoureusement que nécessaire, passe sous la barrière, franchit un ralentisseur et s'enfonce dans le cœur pourri des banlieues feuillues. Ces banlieues qui dorment à l'ombre des chênes, des jacarandas et des ormes. C'est la plus grande forêt plantée par l'homme, à ce qu'il paraît.

Les arbustes qui bordent les trottoirs sont aussi soigneusement taillés que le buisson d'une actrice de X, et montent vers des murs de dix mètres de haut surmontés de clôtures électrifiées. N'importe quoi peut se passer derrière ces murs sans que personne ne le sache jamais. C'est peut-être ça, l'idée.

– Huron. Odi Huron ? Le mec des disques ?

– Le producteur, oui, corrige Marabout.

– Lily Nobomvu.

– Une perte terrible.

– Il se la joue Howard Hughes ?

– Il est malade, répond Marabout avec un élégant haussement d'épaules qu'imite son Oiseau, tel un siamois emplumé, avec une seconde de retard.

Nous nous engageons dans une impasse, longeons un terrain envahi par les herbes qui vaut dans les 5 millions, et nous nous garons à côté d'un mur de grès brun relativement bas, couvert de lierre ; du vrai lierre. Le portail en fer forgé révèle de longues pelouses conduisant jusqu'à une maison de pierre style sir Herbert Baker, qui doit dater du début du XXe. Une petite colline bosselée, une *koppie*, s'élève derrière elle. Dans ce quartier, elle fait l'effet d'une pustule velue sur le visage tendance de la modernité.

– Et il a perdu quelque chose.

– Quelqu'un, précise Marabout.

– Et ce quelqu'un est... ?

– Oh, ma chérie, la patience est une vertu. La vertu est une grâce...

Marabout se joint au chœur, la vieille comptine sonnant bizarrement avec son accent d'Europe de l'Est :

– Grâce est une petite fille qui ne s'est jamais mangé la face.

– Lavé la face, corrige immédiatement Maltais.

Ces deux-là ont l'antagonisme bien rodé d'un vieux couple, ou d'un frère et d'une sœur. Marabout l'ignore, et Maltais poursuit :

– C'est un homme merveilleux. Vous allez l'adorer, ma chérie.

– Il n'a pas de petit chien, alors ?

– *Absolument* aucun petit chien.

Maltais actionne une télécommande et le portail s'ouvre en grinçant pour nous laisser entrer dans l'immense propriété.

Nous nous dirigeons vers le côté de la maison, où un garage moderne à quatre places fait un contrepoint hideux à sir Herbert Baker. L'une des portes est ouverte, révélant une Daimler soigneusement lustrée, bleu nuit, avec des panneaux de bois. Huron aime donc se déplacer avec style, ce qui est curieux, puisque j'avais précisément l'impression qu'il ne se déplaçait pas. Un grand type en casquette de chauffeur est occupé à briquer les enjoliveurs. Il se relève en nous voyant approcher et fait signe à Maltais de se garer sur la gauche. Puis, il récupère son seau d'eau et disparaît dans le garage en laissant des flaques savonneuses dans son sillage.

– Charmant.

– Etre charmant ne fait pas partie de ses responsabilités, dit Marabout.

Elle ouvre la portière et se glisse hors de la voiture, tenant la tête de son Volatile serrée contre sa poitrine pour l'empêcher de se heurter à l'habitacle.

Maltais ne bouge pas. Ses pouces tambourinent sur les bords du volant.

– Allez-y, je vais voir si John veut bien passer un petit coup de polish sur la Merco tant qu'il a son seau sous la main.

– Il s'appelle James, fait Marabout.

– Peu importe. Je vous rejoins.

– L'entrée est par là, dit Marabout en me guidant le long du garage, puis sur l'allée pentue qui mène à la demeure.

Vue de près, la propriété a presque l'air en ruine. Des mauvaises herbes épineuses et des pissenlits poussent entre les dalles de pierre qu'elles ont parfois réussi à déloger. Les pelouses qui flanquent l'allée sont sèches, jaunes, hantées par un ibis solitaire qui fouille l'herbe de son bec à la recherche d'insectes. La clôture du court de tennis, au fond du jardin, est pleine de trous et le sol en béton est fissuré. Le filet s'affaisse sur la ligne centrale comme le *boep* à bière d'un athlète vieillissant. Les fleurs blanches et pourpres des hier, aujourd'hui, demain ont éclos et leur odeur imprègne l'air. Paresseux fait des bruits de gorge. Je sais ce qu'il veut dire. Tout a l'air abandonné.

J'aiguillonne Marabout pour le plaisir. Mais aussi parce que je suis curieuse.

– Que signifie « acquisitions », alors ? Vous êtes chasseurs de têtes pour une grosse boîte ? Vous faites dans les antiquités rares ? De la négociation lors des prises d'otages ?

– Ça peut signifier ce que vous voulez, mademoiselle December. Un peu comme votre profession.

L'Oiseau émet un croassement guttural qui fait trembloter sa gorge molle.

– Oh, allez… Quelles étaient vos trois dernières missions ?

– La discrétion fait partie de nos garanties. J'espère que c'est aussi votre cas ?

– Avec l'argent, tout devient possible, admets-je. Bon, vous n'allez même pas me lâcher un petit indice ?

– Nous sommes comme un service d'intendance exclusif. Nous faisons ce que notre travail exige de nous. Pour M. Huron, nous avons récemment escorté des musiciens en tournée à Berlin et facilité des accords avec un distributeur allemand.

– Ça ressemble plus à un travail d'A&R qu'à de « l'acquisition ».

– Juste avant cela, nous avons fait venir depuis l'Espagne une caisse de crucifix du XVIIe, cachés dans un conteneur de carreaux de céramique.

– Vraiment ?

– Peut-être. Peut-être que je mens pour vous faire plaisir. Comment pourriez-vous vérifier ?

Elle presse du doigt le bouton de la sonnette. L'huis est en bois noir et épais, frappé d'une rosace en verre coloré. Dans la maison, un carillon retentit. Un instant plus tard, la porte s'ouvre sur une femme vêtue d'un pantalon rouge cardinal, les cheveux blonds coupés au carré. Elle semble ravie de nous voir et sourit comme si on lui avait enfoncé un rayon de soleil dans la gorge

– Oh, waouh, vous êtes super en avance. Odi est en train de finir un truc.

– Carmen est l'une des protégées de M. Huron, explique Marabout pour répondre à mon haussement de sourcil.

– Oh ouais, désolée, fait Carmen en m'adressant un nouveau sourire aveuglant de blancheur. Vous êtes, genre, dans les médias ?

– Plus maintenant.

Elle perd immédiatement tout intérêt pour moi, mais son rayon de soleil vacille à peine.

– Eh bien, entrez. Allez dans le patio, je vous apporte du thé.

Elle se détourne et s'en va dans le martèlement de ses escarpins à plate-forme rouges pour nous piloter à travers une maison qui paraît trop moisie pour abriter une fille aussi jeune et branchée. Des tapis persans défraîchis jetés sur les lattes du plancher étouffent le cliquetis des chaussures de Carmen. Le mobilier est impressionnant : on le croirait fait de traverses de teck et de bois jaune. Paresseux se blottit contre moi, et je reçois une bouffée d'odeur minérale rance, comme de la vase vieille de plusieurs semaines.

Nous traversons une salle à manger dans laquelle trône une table en bois jaune pour douze personnes, sous un énorme chandelier qui ressemble à un gâteau de mariage retourné. Des mites léthargiques tourbillonnent dans les rayons de lumière qui parviennent à traverser le lierre et le verre coloré. Quelqu'un a laissé une poignée de raisins chocolatés à fossiliser sous la table.

– M. Huron vient d'emménager ?

– Oh non, il est là depuis une éternité, répond Carmen. Mais je sais ce que vous pensez : genre, tout ça n'est pas très rock'n'roll.

– Vous savez, c'est exactement ce que je pensais.

– Exactement ! Moi aussi, ça m'a fait bizarre la première fois, quand je suis venue à l'audition. Mais ça fait partie de la philosophie d'Odi. Parce qu'on est là pour la musique.

– Par opposition à... ?

– L'image. Les paillettes. Le glamour. Toutes ces *interférences.*

Le couloir est décoré de récompenses, de disques d'or, de platine, de certificats de SAMA, MTV ou Kora, de noms familiers même pour quelqu'un qui, comme moi, ne connaît rien à la musique. JumpFish. Detective Wolf. Assegai. Keleketla. Moro. Zakes Tsukudu. Lily Nobomvu. iJusi. Noxx. Les dates indiquent 1981, 1986, 1988, 1989, 1990, 1992, 1995, 1998. Puis on passe directement à 2003, 2004, 2005, 2008.

– Il y a comme un hiatus.

– M. Huron a d'autres affaires, dit Marabout.

– Et il a été malade, intervient Carmen. Mais ne vous inquiétez pas, il est, genre, presque totalement guéri.

Nous passons devant un bureau garni d'un matériel de montage vidéo, d'étagères remplies de dossiers et de tout un bric-à-brac hétéroclite. Puis, le couloir se termine abruptement par un salon authentiquement rétro, dont la verrière s'ouvre sur un patio lumineux surplombant la piscine. Il y a un fauteuil-œuf suspendu et une lourde table basse argentée, à peine éraflée, cernée par des canapés bas en cuir brun chocolat. Deux enceintes hautes et étroites, conçues pour se fondre dans le décor, passent un R & B sirupeux.

– Nous y voilà, dit Carmen en ouvrant les portes-fenêtres qui donnent sur le patio.

Elle s'accroupit pour chasser de la main les feuilles qui sont tombées sur les coussins des chaises en fer forgé alambiquées disposées autour d'une table assortie, sous une tonnelle de vigne. La vue, très jolie, donne sur la *koppie* couverte de buissons drus et d'aloès. Au pied de la colline, un bâtiment évoque un bunker fermé par des portes coulissantes en verre. Ça, ce n'est pas de l'Herbert Baker.

– C'est là que la magie a lieu, dit Carmen en agitant une main de modèle pour ongles en direction du bunker. Les studios Moja. Si vous lui demandez gentiment, Odi vous les fera peut-être visiter.

Elle nous adresse un clin d'œil adorable.

– Je reviens tout de suite !

Puis, elle retourne en cliquetant dans les ombres fraîches de la maison.

La piscine est un énorme rectangle à l'ancienne, avec des carreaux de mosaïque et une fontaine classique représentant deux jeunes filles versant de l'eau depuis leur cruche. Mais les carreaux sont abîmés, et le lapis-lazuli défraîchi a la couleur terne d'un glaucome. L'eau fangeuse est d'un vert répugnant. Le lichen a envahi les deux ondines. La mousse s'agrippe aux plis de leur tunique et aux creux de leurs coudes, cache leurs traits comme un masque de beauté qui a mal tourné. Comme si quelqu'un leur avait mangé le visage.

Je fais descendre Paresseux sur la table en jouant des épaules. Il s'étend sur son ventre et passe ses longues griffes autour des fioritures du fer forgé. Marabout se glisse sur une chaise ouvragée, penchée en avant pour ne pas écraser l'Oiseau attaché à son dos.

– Vous ne le posez jamais ?

– C'est une femelle. Seulement quand je dors.

– Qu'est-il arrivé à ses pattes ?

– Elle s'est battue avec un autre animal, et n'en est pas sortie vainqueur. Et ce n'était pas un combat organisé, si c'est ce que vous vous demandez.

– Non. Mais je suis surprise que ça n'arrive pas plus souvent. Mélanger herbivores et carnivores... On devrait peut-être établir une sorte de ségrégation.

– Hmm, dit-elle distraitement.

– C'était quoi, ce livre ? je demande pour faire la conversation.

L'Oiseau lève abruptement la tête et me regarde.

– Le livre ?

Marabout reste nonchalante, tout le contraire de son animal.

– L'un de vos objets perdus.

Je me concentre sur les fils, mais cette fois l'image est floue, ce qui me frustre. Je n'arrive plus à lire l'inscription sur le pistolet, ni à voir les détails des gants, et le livre pourrait tout aussi bien n'être qu'une vieille brique.

– La couverture est déchirée, les pages sont moisies, gonflées d'humidité. Ça parle d'un arbre ?

– C'est comme ça que fonctionne votre talent ? Vous voyez les choses ? demande-t-elle avec un air amusé. Comme c'est pratique. Je ne sais pas comment s'appelait le livre. Mais l'une des autres filles nous le lisait, dans le conteneur.

– Le conteneur ?

– Ils nous ont expédiées comme ça. Serrées comme des sardines...

Elle caresse la gorge du Marabout qui plisse les yeux pour montrer qu'il apprécie.

– ... certaines sardines n'ont pas survécu. J'ai commencé une autre vie.

– Je pourrais essayer de découvrir ce qu'était ce livre. Si vous voulez. Vous pourriez en trouver un autre exemplaire.

– Et s'il n'est pas aussi bon que dans mes souvenirs ? Il vaut mieux que certains objets restent perdus.

– J'espère que vous ne parlez pas de ma chanteuse !

M. Huron, je présume, apparaît sur la terrasse en faisant la révérence. Il n'est pas tant taillé comme une barrique que comme une cornemuse : tout son poids est concentré sur l'avant, et il déborde d'un tee-shirt frappé de l'inscription *Depeche Mode Rose Bowl Pasadena 1987.* Son crâne est dégarni, mais ce qui lui reste de cheveux est tiré en une queue-de-cheval malingre. Les vrais puissants, contrairement à tous les Vuyo du monde, ne se soucient pas de faire bonne impression.

– Navré de vous avoir fait attendre. Amira, tu es radieuse. Le Botox te réussit. Tu devrais essayer sur l'Oiseau. Quant à vous, vous devez être notre nouvelle aide, dit-il en prenant ma main dans ses gigantesques battoirs, qui m'évoquent les gants de Mickey Mouse. Je plaisante, ajoute-t-il en clignant de l'œil. Presque.

Paresseux quitte la table pour mon giron en gémissant faiblement. Il voit ce que je vois, c'est-à-dire ce qui écorne l'image du producteur-vedette : une grosse tumeur noire de choses perdues qui pend autour de lui. Une tumeur qui aurait avalé une pieuvre, mais ses gros tentacules noirs ont été amputés et il n'en reste que des moignons. Des dizaines, qui remuent lascivement.

C'est l'une des pires tailles que j'aie jamais vues. Il y a des manières de couper les fils. Un bon *sangoma* peut le faire. Mais ils finissent toujours par repousser, plus épais et plus rugueux que jamais. Dans l'ombre de ce halo noir, la peau de l'homme paraît blême, ses bajoues creuses, ses yeux vides et ternes.

– Qu'est-ce qui arrive à votre animal ? demande-t-il en se laissant tomber sur une chaise tout en passant le doigt dans l'un des trous de son tee-shirt.

– Il est timide avec les étrangers, dis-je en caressant la tête de Paresseux pour le calmer.

Je dois m'obliger à regarder le visage d'Odi plutôt que les moignons noirs autour de sa tête. Je me concentre sur ses lèvres charnues, son large nez, légèrement tordu, comme s'il avait été cassé dans une mêlée de rugby ou une bagarre de bar.

– En fait, monsieur Huron, continué-je, j'attends de savoir de quoi il s'agit. Avant même de décider si je veux être briefée ou non.

– Appelez-moi Odi, je vous en prie. C'est le diminutif d'Odysseus.

– Bien sûr. Odi.

Nous sommes interrompus par le retour de Carmen, chargée d'un plateau en plastique rouge qui semble fait de la même matière que ses chaussures. Elle pose un presse-papiers et une théière aux volutes répugnantes.

– Ne vous inquiétez pas, c'est sans alcool, ricane Huron en remplissant une tasse et en me la donnant.

– Vous avez fait vos recherches.

– Oui. Je sais tout de votre vilaine habitude. Mais ce n'est pas que pour vous. A Moja Records, nous avons une politique : pas d'alcool, pas de drogues, pas de sorts neuraux.

– Pas *d'interférences.*

Je prends une gorgée prudente. Le goût est aussi immonde et âcre que l'odeur.

– Buchu et graine de moutarde. C'est bon pour se désintoxiquer.

– Merveilleux.

Je souris et ajoute cinq cuillerées de sucre. Ça ne rend le breuvage qu'à peine plus tolérable. C'est si compliqué que ça de faire un thé correct ?

– Je ne suis même pas sûre de pouvoir vous aider, monsieur Huron.

– Appelez-moi Odi. J'insiste.

Il pose une enveloppe sur la table.

– Ouvrez-la.

Je m'exécute. Paresseux tend le cou pour voir ce qu'il s'y trouve. Elle contient une liasse de billets neufs de 100 rands. Je la repose sur la table.

– Qu'est-ce que c'est ?

– 2000, juste pour avoir votre oreille. Si vous aimez ce que je vous dis, vous acceptez le job et prenez ça comme une avance. Si vous n'aimez pas, vous le prenez aussi, vous n'en parlez à personne, et on reste tous copains.

– Ça paraît très sérieux. Vous êtes sûr de vous adresser à la bonne personne ?

– Mark et Amira le pensent.

– Juste au cas où je me trouve du mauvais côté du micro, vous savez que je ne sais pas chanter ?

– Comme si ç'avait déjà empêché une jolie fille d'enregistrer un disque. Autotune est une belle invention.

Il s'esclaffe, mais ses yeux sont froids.

– Laissez-moi vous rassurer, vous êtes là pour vos autres talents.

Il me scrute. Je prends l'enveloppe et la glisse dans mon sac, en ignorant Paresseux qui m'égratigne le bras et l'auréole de moignons noirs autour de la tête de Huron.

– Bien. Bon, vous connaissez sans doute iJusi.

En voyant mon regard perplexe, il agite la main avec impatience.

– Les jumeaux ? Song et S'bu ?

Le nom m'est vaguement familier, un bout d'image aperçu sur la télé chez Mak, peut-être sur la couverture d'un vieux *Heat* au *spaza* du coin. Un garçon et une fille. Des jumeaux. Beaux. Sains.

Huron pousse un soupir exaspéré.

– Bon, vous pourrez toujours faire des recherches.

— Il leur est arrivé quelque chose ?

— Officiellement, non. Absolument rien. Tout va bien. Ils font profil bas parce qu'ils sont en studio et écrivent de nouvelles chansons. Leur nouvel album sort dans trois semaines. On a prévu une énorme fête.

— Et officieusement ?

— Songweza a disparu.

— Enfuie ? Kidnappée ?

— L'un ou l'autre. Elle n'est pas rentrée chez elle depuis quatre jours, selon sa tutrice.

— C'est inhabituel ?

— Vous voyez, iJusi, même si vous n'en savez rien, est un petit rayon de soleil dans un monde très, très moche...

Il se pince le coin de la lèvre inférieure et le roule entre ses doigts épais.

— ... ce sont de bons gamins, des modèles.

— Et vous voulez que ça reste comme ça. Que ce vilain monde ne touche pas à la petite fille de papa Odi.

— Amira m'avait prévenu que vous aviez la langue fourchue.

Les moignons se tordent et cinglent l'air.

— Je préfère penser que j'ai de la repartie. Alors, elle a un copain ? Une copine, peut-être ? insisté-je.

— Elle aura tout le temps pour ça plus tard.

— Parce que c'est une gentille fille.

— Vous pigez. On se comprend.

— Mais je ne pige pas pourquoi vous vous adressez à moi plutôt qu'à un détective privé ou aux flics. Quatre jours, ça fait long. Elle est peut-être morte.

— Ah, Zinzi, ça ne serait pas très discret. La police. Les privés. Si les tabloïds l'apprennent...

— Je vois. Vous faites une erreur, mais je veux bien prendre votre argent. De combien est-ce qu'on parle ?

— Si vous la ramenez avant l'annonce officielle, et *intacte* ?

Il a un maigre sourire. Je comprends ce qu'il veut dire. Douce. Innocente. Non animalée.

– 50 000 rands, dit-il.

Paresseux inspire rapidement en entendant la somme. C'est effectivement très sérieux.

– 200 et je marche.

– 85.

– 150. Plus les frais. Ne vous inquiétez pas, monsieur Huron, je vous fournirai des reçus.

Marabout a l'air peinée. Huron me lance un long regard calculateur. Les tentacules se figent, comme s'ils retenaient leur souffle.

– Odi, je vous en prie.

Et nous échangeons un sourire de conspirateurs. Ou peut-être que nous nous montrons simplement les dents, comme deux chimpanzés cherchant à établir qui domine qui.

– Odi ? Un coup de fil pour toi.

Carmen passe la tête par la porte, grognonne, comme si elle estimait que nous avions déjà pris trop de temps à Huron. Elle tient un Lapin noir dont elle caresse les oreilles. Ceci explique les raisins chocolatés fossilisés dans la salle à manger. Qui aurait pu savoir que les excentricités d'Odi Huron incluaient l'entretien d'une ménagerie personnelle de zoos ? Je ne peux m'empêcher de me demander ce que Carmen a fait pour gagner son Lapinou.

– Ah, merci, Carmencita, dit Odi. Je crois que nous avons terminé. Amira et Mark vous brieferont et feront les arrangements nécessaires. Tout ce dont vous avez besoin.

Il se lève, très businessman, avale son verre et jette les glaçons vers la piscine. Les cubes de glace cliquettent sur les dalles et plongent dans l'eau, envoyant des ondes graisseuses déranger les feuilles. Le temps que je relève la tête, Odi a disparu dans la maison. Et je n'ai même pas eu droit à une visite du studio.

Paresseux m'en veut. Je le sens à la manière dont il s'agrippe à mon dos, raide et de guingois.

– Tu avais une meilleure idée ? je lui siffle.

– Comment ? demande tièdement Marabout en scrutant la piscine, les ondines aveuglées par le lichen et les vaguelettes qui se brisent sur leurs pieds nus.

– Je me demandais si c'était vraiment une bonne idée, dis-je. Il doit y avoir des gens plus qualifiés que moi.

– Plus qualifiés, mais peut-être moins discrets que vous. Et qui auraient plus de mal à disparaître que vous si les choses tournaient mal.

– Vous savez, je ne me souviens pas qu'on ait parlé de disparaître.

– Vous faites ce pour quoi vous êtes payée, puis vous disparaissez. Pas de questions. Retour à Zoo City et à votre petit monde.

– Je vois.

Je pense à son pistolet perdu.

– On y va ? Vous devriez probablement commencer.

Maltais nous attend dans la voiture, devant la maison. La Mercedes a été polie et lustrée, elle est comme neuve. L'habitacle sent le désodorisant au pin, rehaussé d'un soupçon d'ammoniaque. Le mélange fait éternuer Paresseux. Ce qui signifie que je me suis trompée sur ce type. J'étais convaincue que « passer un petit coup de polish » était une métaphore pour une partie de jambes en l'air. En revanche, il ne fait aucun doute que ce bon vieil Odi se tape la douce petite Carmen dans tous les sens. Peut-être en ce moment même, d'ailleurs.

Maltais – Mark – semble impatient de partir. La voiture tourne au ralenti, il est déjà attaché et le Chien repose sur ses genoux, les pattes sur le volant. Il lance un jappement impatient, comme si nous étions une Formule 1 au stand d'arrêt et que je les empêchais de retourner dans la course.

– Ça s'est bien passé, ma chérie ? Etait-il conforme au portrait que nous vous avions fait de lui ? demande Mark en passant la première pendant que je ferme la portière.

– Et plus encore ! dis-je en imitant les intonations joyeuses de Carmencita. J'ai le job *et* j'ai été remise à ma place !

– Ne le prenez pas personnellement, chérie.

Au moment où la voiture s'engage dans l'allée, Huron apparaît à la porte d'entrée. Je me retourne pour le regarder par-dessus l'appui-tête, au-delà d'Amira et de son sale Oiseau. Il se balance sur ses talons, les mains dans les poches de son jean, l'image même de la cool attitude. Une pose de junkie. Cette façon de faire comme si tout était pour le mieux dans le meilleur des mondes, comme si rien ne vous inquiétait, alors que dans les poches de votre futal, vos mains sont moites et crispées et que vos ongles laissent des croissants blancs dans vos paumes. Et si les croissants blancs de Huron étaient les sillons d'un disque, il passerait la reprise qu'a faite Johnny Cash de *Hurt* de Nine Inch Nails. Et les tentacules tressailliraient en rythme.

10

CALEB CARTER
Prison Barwon
Australie

« Je n'avais pas encore le Tapir quand je suis arrivé ici. Il s'est pointé la deuxième nuit, après que je me suis fait tomber dessus par deux mecs du gang 4161 de Melbourne. Coup de bol, mon pote Len était déjà sur place et connaissait leurs petits jeux. Il m'a refilé un schlass à mon arrivée, lequel a fini dans le cou d'un des mecs, un connard tatoué appelé Deke.

Cette nuit, au moment où Deke canait dans un hôpital à Geelong, le Tapir est apparu devant ma cellule d'isolement. Je l'ai entendu gratter à la porte. Ça m'a foutu une trouille pas possible. C'était une femelle. Les gardes ont dit qu'elle était encore pleine de boue de la jungle quand ils l'ont trouvée.

J'veux dire, il y a des caméras partout. Et ce truc vient d'un autre continent. Comment ça se fait que personne l'a vue arriver ? Comment elle est venue là ? Si elle peut traverser les murs, voler ou je sais pas quoi d'autre, pourquoi elle me sort pas d'ici ?

Bref, je l'aime. Ils me laissent m'occuper d'elle, la promener dans la cour. Elle est moche et elle a l'air con comme un manche, mais lorsque les mecs d'ici la voient, ils se rappellent ce qui est arrivé à Deke. Ils se rappellent qu'il faut pas essayer de fourrer Carter. »

ZIA KHADIM
Prison centrale de Karachi
Pakistan

« Ils gardent nos animaux dans des cages, dans une autre partie de la prison. On ne les voit pas. Lorsqu'ils veulent nous torturer, ils les mettent dans le coffre d'une voiture et partent à Keti Bandar. La douleur est insupportable : on hurle, on vomit, on avoue tout.

Mon Cobra était avec moi lorsque j'ai été arrêté. Les policiers m'ont vu marcher dans la rue, le serpent autour du cou, et m'ont attrapé. Ils ont dit que j'avais cambriolé une maison. Ce n'était pas vrai, mais ils m'ont battu jusqu'à ce que je dise que j'avais fait le coup.

Lorsqu'ils m'ont amené ici, ils ont jeté mon Cobra dans une pièce, avec tous les autres animaux. Ils se battaient, se mordaient, ça s'infectait et ils mouraient. Le Contre-courant venait toutes les nuits. Trop de gens sont morts. Maintenant, ils mettent les animaux dans des cages séparées, mais ils nous empêchent toujours de les voir, à moins qu'on ne leur donne un pot-de-vin, l'équivalent d'un mois de leur salaire, au moins. Je n'ai pas cet argent.

Je n'ai pas vu mon Cobra depuis que j'ai été arrêté. Maintenant, j'ai quatorze ans. »

TYRONE JONES
Corcoran
USA

« C'est dingue, là-dedans. Je sais qu'on peut pas séparer un homme de son animal, que c'est pas juste. Mais certains de ces négros, ils ont de vraies bêtes sauvages, mec. Y en a un qu'a un Couguar. Me dites pas que c'est bien, de laisser un taulard se balader avec un Couguar.

Il y a une hiérarchie, aussi. Quoi que tu aies fait, si ton animal est un vrai dur, t'es un vrai dur aussi. Et même si t'as buté plein de mecs dehors, du moment que tu te retrouves ici avec juste un Hamster ou un Ecureuil, tu fais la chienne. C'est comme ça.

Puis, il y a moi. J'ai un Papillon. Je le garde dans une boîte d'allumettes. Je devrais être dégoûté. T'imagines ce que ça donne, d'être ici avec un Papillon ? Sauf qu'il y a ces trucs qu'il me permet de faire.

Tu vois, quand je me pieute, le soir, je me réveille en étant quelqu'un d'autre. Pendant que je dors, je vis la journée de quelqu'un qui est de l'autre côté du monde. Mec, j'ai été un gamin en Afrique et en Inde, et une fois j'ai été cette vieille dame en Chine. Souvent, je suis pauvre, mais parfois j'ai du bol et je suis riche.

Ce que je dis, c'est que je peux pas haïr ce Papillon. Grâce à lui, je m'évade toutes les nuits. »

Extraits d'*En cage : Les Animalés derrière les barreaux*
Photographies et entretiens de Steve Deacon
HarperCollins, 2008

11

A Joburg, la circulation, c'est comme le processus démocratique : à chaque fois qu'on pense que ça se décoince et qu'on va avancer, on se retrouve empêtré dans un nouveau bouchon. Avant, on pouvait prendre des raccourcis à travers les banlieues, mais ils ont été illégalement bloqués par des résidences clôturées et fortifiées comme des citadelles privatisées. Pas tant pour empêcher le monde extérieur d'entrer que pour contenir la paranoïa rampante de la classe moyenne.

– Je vais avoir besoin d'un véhicule.

– Qu'est-ce qu'il se passe, ma chérie ? Vous n'aimez pas ma façon de conduire ? demande Maltais.

La pique est lancée avec assez peu d'ardeur. Il semble déboussolé depuis que nous sommes partis de chez Huron. Même son Clébard est abattu. Nous franchissons néanmoins les feux verts à la vitesse d'une roquette.

– Pas particulièrement. C'est surtout cette histoire de petit chien.

– Vous n'abandonnez jamais, hein ? geint-il.

Pour la première fois, on dirait que j'ai réussi à l'atteindre.

– Je dois travailler seule. C'est comme ça que fonctionne mon *shavi*. Je dois parler aux gens, trouver comment je peux sentir Song.

C'est des conneries, mais après tout ils n'en savent rien. J'espère tomber sur un objet perdu qui me conduira droit à la fille, mais je ne peux pas compter là-dessus.

– Je croyais que vous visualisiez les choses ? s'étonne Marabout.

– Sûr, quand la personne est dans la pièce. Mais si c'était le cas, vous n'auriez pas besoin de moi. Alors, voilà comment on va procéder : vous me présentez à des gens, puis vous dégagez. Personne n'a envie d'ouvrir son cœur à une foule. Si je suis seule, c'est un entretien. Si on est trois, c'est un interrogatoire.

– *Nous afons les moyens de fous faire parler*, fait Marabout depuis la banquette arrière, ce qui prouve qu'elle n'est pas totalement dénuée de sens de l'humour.

– Je n'ai pas besoin d'un truc tape-à-l'œil.

– Certes non. Nous n'avons pas envie que vous vous fassiez braquer, dit Marabout.

– Ce serait fâcheux, admets-je.

Les mots sortent de moi automatiquement, parce que je suis tombée dans l'embuscade d'un souvenir : la balle qui a arraché la moitié de mon oreille avant de finir dans le crâne de mon frère.

– Une Kia, alors, dit Maltais.

Il n'a aucune conscience de l'image que j'ai dans la tête : Thando étendu dans les pâquerettes, ma maman qui hurle et s'élance sur l'allée dans sa robe de chambre préférée, celle avec les motifs imprimés japonais. Après cela, elle a fait arracher le parterre de pâquerettes et la pelouse a été recouverte de béton.

– Quoi ? je dis en essayant de revenir au moment présent.

– Ou une voiture d'occasion. Une *skedonk* qui use ses derniers pneus. Un véhicule adapté à votre style de vie. Le genre de bagnole au volant de laquelle on s'attend à trouver une zoo déchue.

– Waouh, merci. Et pourquoi pas une voiture qui ne roule pas ? Trouvez-moi une belle épave sur parpaings, ça collerait bien à mon *style de vie.*

Il nous faut une heure et demie pour gagner Midrand et le domaine golfable sur lequel S'busiso et Songweza Radebe partagent une maison, juste à côté de celle de leur tutrice légale, Mme Prim Luthuli, tout cela généreusement fourni par leur maison de disques. Encore dix minutes pour outrepasser le gardien, qui nous saoule de questions et insiste pour qu'on sorte du véhicule, afin d'être pris en photo par la webcam montée sur la vitre de sa guérite.

– Les animalistes sont partout, lâche Mark en serrant les dents tandis que le garde lève la barrière et nous fait signe d'entrer. S'ils le pouvaient, ils rétabliraient les camps de quarantaine.

– Et Zoo City, vous appelez ça comment ?

– Soyez heureuse de ne pas vivre en Inde, dit simplement Marabout.

Mark fait inutilement hurler le moteur.

– Qui aurait pu se douter qu'il y avait une caste encore inférieure aux intouchables ?

Les maisons sont toutes des variations sur le thème de l'habitation moderne, avec des pelouses nettes sur le devant, l'arrière donnant sur le golf.

– Je me perds toujours, ici, dit Maltais.

Le système de numérotation est incohérent et la propriété immense, si bien qu'il nous faut plusieurs minutes pour trouver le H4-301. De l'extérieur, il paraît identique à toutes les autres habitations construites sur le même gabarit, avec leur gazon parfait et leurs arroseurs siffleurs.

– Pas de restrictions d'eau ? je demande.

– Forage. Il y a des nappes souterraines dans tout le secteur. Bien entendu, ça coûte une fortune à mettre en place, mais quand on dirige un golf…

Il hausse les épaules.

On dirait qu'il n'y a personne au H4-301, domicile d'une certaine Mme Primrose Luthuli.

– On aurait peut-être dû appeler avant.

– On peut parler aux garçons, en attendant.

— Ils sont au courant ?

— Non. Et M. Huron souhaite que cela reste comme ça.

Marabout se dirige vers l'entrée du H4-303, ignore l'interphone avec caméra intégrée et gratte à la porte. Elle attend. Gratte de nouveau. Puis frappe. Impossible de savoir si le son parvient à traverser les nappes de basse du hip-hop qui retentit à l'intérieur.

Puis, des pas pesants, qui laissent imaginer un hippopotame sénile en pantoufles fantaisie, résonnent de l'autre côté du battant. Un instant plus tard, la porte s'ouvre pour révéler un gamin très gros, très blanc, vêtu d'un sweat à capuche très voyant, décoré de singes-robots rose néon. Il se frotte le nez du dos de la main. La puanteur de la came a traversé son pull pour s'incruster dans les pores de sa peau. Il marmonne :

— Ecoutez, soyez un peu cool, mec, le syndic des résidents peut vous donner l'ordre de plus venir... Bordel de merde !

Ses yeux injectés de sang s'écarquillent lorsqu'il voit enfin l'Oiseau. Il tombe sur le cul dans la maison, retrouve à grand-peine son équilibre et décampe dans le couloir, en chaussettes sales, en glapissant :

— Les mecs, ça y est ! Ils sont là, bordel ! Sortez le matos ! Merde !

Marabout entre à sa suite. Je fais mine de la suivre, mais Mark glisse le bras dans l'encadrement de la porte pour m'en empêcher, en secouant légèrement la tête. A l'intérieur, un coup de feu résonne, étrangement creux, puis des cris.

— Sortez les flingues ! Sortez les putains de flingues ! couine le gros.

Une autre voix, déçue, décontenancée (déçunancée, me dis-je sottement) :

— Eh ! Vous êtes pas censés être là !

Puis une troisième, lasse :

— Mec, y a pas de flingues...

Le gros crie :

— Non, non, non, faites pas ça, merde, t'approche pas de...

Enfin, un craquement étouffé, et des sanglots.

Mark lève le bras et un geste flamboyant de sa main m'invite à entrer. Ce que je fais, prudemment. La maison est décorée comme celle d'un gamin qui vient de partir de chez ses parents, mais avec des efforts. Les affiches des classiques (*Le Parrain, La Créature du marais, Kill Bill*) sont toutes encadrées. Le katana au-dessus de la télé géante est monté sur le mur, les canettes de bière gardées en trophées sur les étagères sont parfaitement alignées, étiquette visible.

Deux gamins sont assis sur le canapé en peluche rouge. L'un est torse nu, en jeans, braguette ouverte. Il a de petites dreadlocks propres et un anneau d'or dans l'oreille. Il boude comme s'il avait commandé une strip-teaseuse pour son anniversaire et avait reçu un clown à la place.

Je reconnais l'autre d'après un souvenir de clip. La moitié mâle d'iJusi. De grands yeux de biche, un petit nez rond retroussé et des boutons. Ça lui passera, peut-être même dans les six mois à venir, mais S'bu a encore un charme enfantin incroyable, et même son attitude de poseur n'entame pas la douceur qui émane de lui comme un parfum. On en mangerait, presque.

Tous deux sont armés de manettes de PlayStation (la source des coups de feu) et tous deux regardent Marabout et le gros gamin, lequel tient à deux mains son nez sanguinolent. L'Oiseau avance la tête pour toucher la main de la femme du bout du bec. Elle baisse les yeux sur le sang qui tache ses phalanges avec l'air vaguement révulsé d'un médecin légiste, et l'essuie sur le côté du canapé. Sonné, le gros s'effondre sur un La-Z-Boy.

Mark pose son Clebs, saisit l'une des sept télécommandes qui trônent sur la table basse (coup de bol, c'est la bonne) et coupe le son de la chaîne stéréo.

Le jeunot torse nu ouvre la bouche pour protester :

– Eh, c'est…

Le Chien émet un petit grognement aigu et Mark dit :

– Ta gueule, Des. Personne ne t'a adressé la parole.

Il s'assied au bord de la table basse en teck noir, pousse un cendrier sans odeur en forme de soucoupe volante et croise les jambes.

– Eh bien, les garçons, c'est un drôle de spectacle.

S'bu se lève et se dirige vers le cendrier.

– Je sais, je sais, dit-il avec toute la lassitude existentielle de l'adolescence.

Il appuie sur le couvercle de l'ovni, qui s'ouvre avec un vrombissement et un concert de diodes clignotantes, et écrase son joint.

– Elle b'a pété le dez... commence le gros.

– Ta gueule, Arno. Tu l'as cherché, coupe le gamin à moitié nu.

– Tu sais que tu n'es pas censé fumer, S'bu, réprimande Mark.

– J'ai dit : je sais, je sais.

– Ces deux-là peuvent-ils aller faire un tour ?

Il hausse les épaules.

– Arno et Des sont mes potos.

– Nous devons parler de ta sœur.

– Qu'est-ce qu'elle a, ta zœur, bec ? T'as rien dit zur ta zœur ? Qu'est-ce qu'elle a, la Zong ?

– Ta gueule, Arno, font Des et S'bu à l'unisson.

– Parce qu'elle est pas dans le coin. Berde. C'est quand qu'on la vue la derdière fois ?

– Mec, c'est quand que t'as vu ton cul pour la dernière fois ?

Arno semble blessé, mais je ne sais pas si son regard de chien battu est d'origine ou s'il est dû à l'ecchymose qui commence à le faire enfler.

– D'autres choses illégales ? demande Amira.

– Des a touché.

S'bu désigne son ami. Celui-ci grogne, sort une *bankie* d'herbe et la donne à contrecœur à Amira.

– Qu'est-ce qui ne va pas, mes chéris ? demande Mark.

– Bah, fait Des, c'est juste qu'on croyait que vous étiez… les flics.

– Des zombies, dit Arno au même moment.

– Pourquoi avez-vous peur des flics ?

– J'sais pas. Juste… parce que.

Il agite vaguement la main en direction du cendrier. Deux boîtes de jeu vidéo sont posées à côté, décorées de morts-vivants cannibales et d'extraterrestres. L'une des deux, *Grand Theft Auto VI : Zootopia,* est frappée d'un dur à cuire en sweat à capuche, armé d'un fusil à pompe et accompagné d'une Panthère écumante.

– Tu sais que ça signifie que nous allons devoir fouiller la maison. Encore.

– Ouais, peu importe.

S'bu se rencogne dans le canapé, reprend sa manette et recommence à jouer. Le jeu est un first person shooter. Il dirige une fille en minijupe, cheveux verts coiffés en pointes et mitrailleuse à la place du bras, qui abat des hordes d'aliens particulièrement monstrueux.

– Tu veux retourner en désintox, S'bu ?

– Je m'en fous.

Je note toutefois qu'il frémit, suffisamment pour rater sa cible. Sur l'écran, un extraterrestre lui lacère le bras et fait descendre sa jauge de santé à 89 %.

– Voici Zinzi December. Elle veut te parler. Aide-la, dit Mark.

– C'est pour un article, dans un magazine. Vous connaissez *Credo* ? bluffé-je.

– Ah ouais ?

S'bu n'a l'air que vaguement intéressé, mais Des mord tout de suite.

– *Credo* envoie grave, mec, dit-il en donnant du coude à S'bu. T'es dans *Credo,* tu y es. Merde ouais, m'dame. Mon pote est pour.

– Super, je dis.

– Peu importe, vous pouvez repartir avec vos petits copains, dit S'bu, toujours plongé dans son jeu.

– Oh, mais nous n'en avons pas terminé ici, fait Mark.

Il siffle son Clébard. Le Chien saute du canapé rouge et commence à renifler le sol avec le plus grand sérieux tout en remuant la queue. S'bu lève les pieds pour le laisser flairer le bas du sofa.

– C'est juste des graines, mec, dit Des.

Le Chien quitte la pièce, guidé par sa truffe et talonné par Mark et Amira. Nous les entendons grimper à l'étage. Un instant plus tard résonne le bruit d'objets qu'on jette dans tous les sens.

– Berde, bec. Et si elle casse bes trucs ? demande Arno.

– Je t'en achèterai d'autres. Tu la boucles, maintenant ? Tu m'empêches de me concentrer.

Tout le monde reste silencieux quelques instants. Des et Arno me regardent regarder S'bu qui tue des aliens. D'autres bruits à l'étage. Impulsivement, je me débarrasse de Paresseux sur le pouf récemment libéré, me glisse à côté de S'bu et m'empare de la manette abandonnée par Des.

– Ça se joue à deux, non ?

– Ouais, mais...

– Tuer des aliens avec S'bu Radebe. C'est de l'or en barre. *Credo* va adorer.

– Ce sont des Cthul'mites, en fait.

– Peu importe. Ils saignent aussi.

Dans la fenêtre du joueur, je sélectionne l'énorme Noir avec des tatouages faciaux à la Mike Tyson et des lames-fouets montées sur les avant-bras. C'est bien de voir que les concepteurs de jeux entretiennent les clichés.

– Tu sais jouer ? me demande S'bu en me lançant un regard de côté.

– Je suis nulle. A toi de nous sortir de là.

– Génial.

Mais il laisse filtrer un imperceptible sourire.

– Quelqu'un veut une bière ? demande Arno en se dirigeant vers la cuisine.

– Amène-les avant qu'on nous les confisque, lance S'bu.

– J'en prends une ! crié-je tout en éventrant un spécimen particulièrement horrible, avec des mâchoires distendues et de longs doigts, d'un revers de mes lames-fouets.

Ma jauge de santé est déjà tombée à 46 %. Ce n'est que lorsque Arno revient, décapsule ma canette de Windhoek avec les dents et la pose, moussue, devant moi, que je me rends compte de ce que je viens de faire.

– Oh merci, mais en fait, je vais passer mon tour.

Je réussis à peine à esquiver lorsqu'un monstre surmonté d'une masse gélatineuse, rejeton bâtard des amours d'une méduse et d'une araignée, me crache une nuée d'insectes mécaniques. Par chance, S'bu est là pour les liquider, et l'essentiel du nuage de bestioles est réduit à l'état d'étincelles.

– Notre bière est pas assez bonne pour vous ?

– Non, c'est juste que moi non plus je n'ai pas envie de retourner en désintox.

– Sans blague, mec, fait Des. L'endroit est glauque. Plein de junkies qui gémissent et tremblent tout le temps.

– Et de zombies, ajoute Arno sur un ton plein d'espoir.

– Les mecs, vous êtes pas censés être ailleurs ? coupe S'bu.

– Non, mec. On est là sur la durée.

– Sérieux, je crois que j'entends ta maman t'appeler.

– Mec. Pas cool.

– *Madoda.* Pigez le message et *hamba.*

– D'ac. Viens, Arno, on va viser les hadedas sur le quatorzième trou.

– Mais j'aibe bien les hadedas.

– *Gijima,* gros lard. Tu vois pas que je suis au milieu d'une interview ?

Des attrape le jeu de clubs appuyé contre le mur, près du frigo, et sort sans avoir mis de chemise. Il adresse un doigt à S'bu en passant. Arno le suit en traînant les pieds, sans lâcher sa bière.

– Vous m'avez pas l'air d'être du genre à golfer, dis-je en piétinant frénétiquement les derniers insectes mécaniques.

Mais l'un d'eux a le temps de me mordre et de m'injecter son venin. Un voile rouge descend sur mon champ de vision. Je vais avoir besoin d'antibiotiques.

– Où est la trousse de secours quand on a besoin d'elle ?

– Ouais, c'est vrai. Je préfère jouer à la console. Faire des conneries à la Tiger Woods ? Les trousses de secours, c'est les boîtes en plastique blanc avec la croix rouge.

Ma santé baisse point par point. J'en suis à 22 %.

– Alors, tu es allé en centre de désintox ?

– Ecoutez, c'est pas parce qu'on était tous les deux en désintox qu'on est devenus les meilleurs potes du monde, quoi.

– J'ai fait la mienne en prison. Involontairement.

– C'est là que vous avez eu le Paresseux ?

– Juste avant, en fait. Mais, ouais, pas loin. Il m'a aidée à m'en sortir.

– Là !

– Quoi ?

– Une trousse de secours.

– Je l'ai.

Je pilote le gros Black costaud vers le kit de soin accroché à un mur près d'une alarme à incendie. J'ai failli le rater à cause de la lueur rouge qui clignote dans ma fenêtre, due au poison.

– Et ta sœur ?

– Ma sœur ?

– Je veux dire, elle a été là, pour toi ?

– Pour moi ?

Il me lance un regard en coin mais réussit à atomiser le crapaud au visage couvert de tentacules qui descend le long d'un mur.

– Non, Song est là que pour elle.

– Alors, tu fumais de l'herbe ? C'est un peu gros d'aller en désintox pour ça.

– Ah. Allez dire ça à M. Odi.

– Hmm.

D'après sa première réaction, je m'étais dit qu'il s'était peut-être retrouvé à Donkerpoort, ou dans un autre de ces chiottes fondamentalistes où on vous débarrasse de votre accoutumance à coups de trique, de Bible et de sermons. Thérapie de privation. Des gamins enchaînés à l'air libre, nus, suants, frissonnants. La méthadone, c'est pour les faibles. Et si vous êtes vraiment mal, ils lâchent les chiens.

– C'était pas si dur, j'imagine. C'est la désintox du vieux qui me tue. Des lentilles, des lavements et tout ça, dit S'bu. Le boss !

Un grotesque torse décharné glisse vers nous. Je frappe avec mes lames-fouets, ouvre sa cage thoracique. Les deux moitiés s'écartent et essaient de se recoller. Puis, les bords déchiquetés des côtes s'allongent, jusqu'à ce que le torse ouvert devienne une bouche pleine de grosses dents.

– Dégueu. Qu'en a pensé Songweza ?

– Que pense la Song ?

– A toi de me le dire.

– Ça l'a pas dérangée. Vous savez ce qu'on dit ? Que je ne suis là que parce qu'elle y est. Que c'est elle qui a du talent.

– J'y crois pas... Merde ! Désolée...

Je suis morte, empalée sur les dents acérées, et mon corps crache de grands geysers de sang alors que le boss erre en tous sens à la recherche de l'écolière punkette de S'bu.

– Vous inquiétez pas, je recharge.

S'bu fait apparaître l'historique de la partie et revient à un moment où nous étions tous les deux en vie et en bonne santé.

– Ça serait bien, une option « reprendre la partie sauvée » dans la vraie vie.

– M'en parlez pas, renifle S'bu.

– A quel moment tu voudrais revenir ?

– Vous d'abord.

— Juste avant que je fasse tuer mon frère.

— C'est du lourd, lâche nonchalamment S'bu, mais je devine qu'il est impressionné.

Voilà où j'en suis : révéler ma pire tragédie personnelle pour gagner la confiance d'un ado. Si je n'avais pas déjà touché le fond, je dirais que c'est ce que je viens de faire.

— Et toi ?

— Avant de signer.

— C'est la pire chose qui te soit arrivée ? *Seriaas* ?

— Je sais pas. Peut-être qu'on aurait signé avec quelqu'un d'autre.

— Odi est un mec assez extrême.

— Ouais.

— Tu as dû *vraiment* en chier pendant ta désintox.

— Ouais, couine-t-il. C'est surtout sa philosophie. Pire que le straight-edge. Genre, c'est pas marrant pour deux ronds.

— Pourtant, tu as l'air de bien t'en tirer.

— Ouais, sûr, fait-il en levant les yeux vers les bruits qui proviennent de l'étage. Ce mec devrait prendre un Xanax, vous voyez ? P't-être littéralement.

— Tu crois que tu serais là où tu en es si Odi ne t'avait pas poussé ?

— Non, mec, je m'en rends compte, c'est le côté clean de tout ça. J'ai quinze ans, yo. On est plus des gamins. Et je suis pas si mauvais. C'est Songweza qui nous fout dans la merde à chaque fois.

— Où est ta sœur ?

— Je sais pas. Elle fait la bringue avec ses potes.

— Des potes en particulier ?

— Hey, de quoi parle cette interview, en fait ?

— Du groupe.

— Parce qu'on dirait que c'est tout sur elle.

— Je peux être réglo avec toi ? demandé-je avant de me jeter à l'eau.

— Sûr.

— Je viens d'être engagée pour retrouver ta sœur. L'interview est une couverture.

— Merde !

Il balance sa manette à travers la pièce. Elle rate de peu la télé et frappe le mur sous le katana. Le choc l'ouvre et sème des piles à la ronde.

— Je voulais juste être honnête avec toi.

— Oh, vous voilà honnête, alors ? Et les autres conneries, c'était juste... de la merde ?

On dirait qu'il va se mettre à pleurer.

— Non, j'ai vraiment été en désintox. J'ai vraiment tué mon frère, dis-je calmement.

— Peu importe. Eh, m'dame, vous vous êtes pas dit que Song avait peut-être *pas envie* d'être retrouvée ?

— Ou que tu ne voulais pas qu'on la retrouve ?

— Vous êtes une pouffe tarée, vous. Quoi, comme si genre je... je l'avais tuée ou quoi ?

— C'est le cas ? Non. Je ne crois pas. Mais si elle s'est enfuie avec son petit copain ou autre, on dirait que ça te dérange pas qu'elle prenne son temps pour revenir.

S'bu secoue la tête.

— M'dame, on a un album à sortir.

Il attrape une veste drapée sur le dossier d'une chaise et se dirige vers la porte en s'essuyant les yeux.

— Où vas-tu ?

— Pareil que Song. *Dehors.*

Paresseux me flanque une tape pleine de reproches sur le bras. Comme si j'avais fait exprès de faire pleurer ce gosse.

Il sort de la maison comme une tornade, dépasse Mark et Amira, qui étaient assis dans les escaliers pour nous espionner.

— Et vous, allez vous faire foutre.

Il claque la porte.

— Ça ne s'est pas très bien passé, hein, chérie ? demande Mark.

Son Chien halète joyeusement, moqueur.

— J'ai connu pire.

C'est vrai. La fois où je suis arrivée à la bourre pour interviewer Morgan Freeman, par exemple.

– Vous avez fini de retourner la maison ? Je peux jeter un œil ?

– Lâchez-vous.

– Une approche intéressante, la journaliste, dit Marabout en caressant la tête ridée de son Oiseau.

– Vous seriez surprise de voir à quel point les gens s'ouvrent quand ils pensent que quelqu'un s'intéresse à ce qu'ils disent. Ecoutez, ne m'attendez pas. Après ça, je vais aller faire un tour sur le golf. Je prendrai un taxi pour rentrer.

Maltais renifle.

– Un jour de mission et elle est déjà trop bien pour nous.

Je les regarde partir puis me mets à fouiller. J'évite la cuisine qui, étonnamment pour une maison pleine de gamins, ne nécessite pas l'intervention du Comité Hygiène et Sécurité. Je grimpe les escaliers, enjambe l'ampli posé au sommet des marches. D'autres instruments de musique jonchent le couloir. Une basse, un fouillis de fils de micros. Il y en a partout. Je ne sais pas si c'est leur place habituelle, ou s'ils sont le résultat du plan de déco de Mark et Amira.

La première pièce est aussi anonyme qu'une chambre d'hôtel. Une frise monotone. Une photo encadrée en noir et blanc, des pâquerettes Namaqualand, au-dessus du lit. La chambre d'ami. Je passe à la suivante ; deux lits monoplaces calés dans des coins opposés. Des vêtements partout, des coussins, des matelas retournés, un sac de sport camouflage renversé. Des posters de Megan Fox et de Khanyi Mbau scotchés au mur, des pubs arrachées à des magazines de mode masculine, et un plan d'affaires noté sur un tableau blanc, sous le croquis d'une vieille console Nintendo et les mots « Salle des Opérations ».

Lancement marque de fringues Semaine de la Mode de Jozi, dernière semaine d'août (réaliste ???)

Réunion Logo avec Adam le Robot

Sortir brief tee-shirt pour 10and5.
Gorata Mugudamani s'occupe de la pub ?
Distrib !!!! Pollinisation croisée avec les disquaires ? Int ?
Choisir morceaux sonneries. Remix ?
Solo ?!?!?!? Heather Yalo
Lancer un parfum ? Etude de marché.

Je prends des notes. Je poursuis.

Salle de Bains n° 1. Un fouillis d'affaires de jeunes mâles. Cinq déodorants différents, des rasoirs électriques dernier cri, des brosses à dents électriques, de la mousse à raser, un baume hydratant, un exfoliant, de la crème antirides pour les yeux ; et tout ça pour des gamins de quinze ans. Une cabine de douche au rideau couvert de motifs hawaïens et de moisissures. Des serviettes humides abandonnées sur le carrelage italien. Hormis cela, elle est remarquablement propre. Pas de traces de freinage dans les toilettes. Rien de vivant dans la baignoire. Bien fournie en PQ.

Salle de Bains n° 2. Considérablement plus petite. Première trace de la présence de Song. Un flacon de parfum dans un coin. Une bouteille noire punky, gravée en blanc du nom *Lithium,* comme écrit la craie. Du vernis à ongles bleu. De l'eye-liner. Encore de l'eye-liner. Quatre mascaras différents : charbon, noir, ultra-noir et vert. Du fard à paupières nacré. Barbie Princesse chez les Gothpunks. Je vaporise un peu de parfum. Il sent le pétrole et les fleurs mortes. Paresseux hume avec un air appréciateur. Visiblement, il y a des fragrances que le nez humain n'est pas conçu pour apprécier. Un bocal en verre rempli de feuilles vertes séchées. J'en écrase une entre mes doigts. Odorante. Pas de la dope. Peut-être de la *muti.* Mais pour quoi ? Si seulement les guérisseurs traditionnels pouvaient mettre des étiquettes sur leur merde. J'en pose quelques-unes dans un mouchoir que je glisse dans ma poche.

Plus important, il y a une boîte à pilules non ouverte marquée « Songweza Radebe » et « Flurazepam », « dosage : 1 par jour pendant le repas ». Je consulte mon téléphone. Un médicament générique, utilisé dans les cas d'anxiété et d'insomnie, en particulier par les maniacodépressifs. La date de l'étiquette est le vendredi 18 mars. Ainsi, la veille de sa fugue, elle s'est fait prescrire des anxiolytiques lourds. On dirait qu'elle n'avait pas prévu ce qui allait suivre. Intéressant.

La porte suivante s'ouvre sur une chambre-studio aux murs tapissés de boîtes d'œufs, avec des tables de mixage et un ordinateur planté devant la plus petite cabine d'enregistrement au monde. Mais le matériel est au moins semi-pro, si j'estime correctement son prix. Et je suis douée pour ça.

Juste à côté du studio se trouve la dernière pièce. Elle a été aménagée avec créativité. Elle ne fait qu'un mètre de large en raison du mur de Placo, posé à la hâte, qui la coupe en deux et forme la cloison de la cabine d'enregistrement. Un lit double occupe l'essentiel de l'espace restant, sous un poster monté sur carton représentant Barbarella qui scrute les profondeurs de l'espace, volontaire et audacieuse. L'armoire est ouverte, et des vêtements sont empilés sur le lit parmi les BD. D'autres comics se pressent sur une longue et basse étagère qui court le long de la fenêtre. J'en parcours quelques-uns. Des créatures des marais et des maisons qui se téléportent, un gars baraqué en collant frappé de l'Union Jack.

Une collection de monstres de cinéma est disposée sur le dessus de cette étagère. D'instinct, je prends celui qui ressemble à une poubelle retournée décorée d'une rangée de clous. Lorsque je le saisis, il dit : « Exterminer ! » et je manque de le lâcher. Sa tête se dévisse. Une *bankie* de came est cachée dans son corps. C'est de la bonne, si j'estime correctement sa qualité. Et je suis douée pour ça.

Je replace la petite tête du robot, laissant la dope où elle est, et repose le jouet entre Arnold Schwarzenegger, dont le squelette luit sous sa peau en plastique déchirée, et une fille manga à la crinière rose et aux seins qui débordent d'un bikini imprimé léopard, assorti à ses oreilles et à sa queue. Je prends toutefois l'un des cahiers au format A5, à couverture souple, glissé entre les comics. La couverture dit *Paroles*. Et © *S'bu Radebe*. Je le roule et le glisse dans mon sac.

Pendant que nous retournons vers l'escalier, Paresseux pépie.

– C'est exactement ce que je me disais, je marmonne en entrant dans la chambre d'ami qui en fait n'en est pas une.

J'ouvre l'armoire et me retrouve face à des piles de beaux vêtements d'étudiante. Robes légères à bretelles et parures afro-chic signées Sun Goddess, Darkie et Stoned Cherrie. L'idéal pour une petite princesse kwaito branchée. Mais pas pour une Barbie Gothpunk. Il y a des cintres vides, comme des dents manquantes dans un sourire. Où que soit allée Song, quelles que soient les personnes qui l'ont emmenée, elle a eu le temps de prendre quelques affaires.

Je fouille la pièce à la recherche d'objets perdus, sous le matelas, derrière l'armoire. Des moutons de poussière, quelques pièces de monnaie, un bandeau à cheveux. Rien de perdu. Rien qui puisse me conduire à Song. Ce qui signifie que je reste coincée dans le rôle de la journaliste d'investigation.

– Oh-oh. Alerte, dit Arno d'une voix nasillarde tandis que je m'approche.

Il a l'air moins défoncé, sans doute grâce à la douleur qui irradie de son nez, mais ses yeux sont toujours injectés de sang.

– Ignore-la. Elle finira peut-être par saisir.

Des aligne sa frappe, une fois, deux fois, puis balance le club, violemment, et arrache une motte de terre qui va rejoindre celles qui s'entassent déjà autour de ses baskets, lesquelles ne sont pas des chaussures de golf réglementaires. Mais les miennes non plus. J'ai laissé des traces caractéristiques sur trois autres trous : la zonarde moyenne en talonnettes.

– Vous jouez au golf, en plus de jouer à Blood Skies ? se moque Des.

– Non. Je déteste le golf. C'est la version polie du matraquage de bébés phoques, mais en moins rigolo.

– Qu'est-ce que vous voulez ?

– Une toile de fond. De la couleur.

– C'est ude bauvaise blague ? se hérisse Arno.

– Pour peindre la vie d'iJusi. Les gens avec qui ils traînent, ce qu'ils font.

– Vous allez pas écrire sur les flingues, hein ? s'inquiète Arno.

Je m'esclaffe.

– Qu'est-ce que c'était ?

– C'est la came. Ça le rend *lank* parano. *Doos*, fait Des en assénant une tape sur la tête d'Arno.

– Ne vous inquiétez pas, je garde ça off the record.

Je sors mon carnet, mon stylo et les regarde avec l'air d'attendre quelque chose.

– Alors, parlez-moi de vous, les gars. Comment avez-vous fait la connaissance de S'bu ?

Ils se regardent, mal à l'aise.

– Si le moment n'est pas mal choisi, bien sûr. Je ne voudrais pas interrompre votre partie de... jardinage.

Je baisse les yeux sur la pelouse massacrée. Ils ont la bonne grâce de paraître embarrassés.

– Venez, je vous paye un verre au club-house.

Sur place, il s'avère qu'Arno et Des ont déjà leur réputation.

– Oh non, fait le serveur.

Il porte un nœud papillon et des gants, comme si on était à Inanda plutôt qu'à Mayfields.

– Pas de chemise, pas de service. Et les animaux sont interdits.

– Bonjour, dis-je en lui tendant la main. Zinzi December, journaliste pour *The Economist.* Vous avez entendu parler de *The Economist*, j'imagine ? J'interviewe ces deux jeunes gens pour un article sur la musique sud-africaine, et je vous serais reconnaissante de nous trouver une place. Je détesterais avoir à mentionner la piètre qualité du service de Mayfields dans mon article.

– Vous avez une carte professionnelle ?

– Pas sur moi.

Je lui sers mon plus beau sourire pseudo-tolérant. Il le considère, et me renvoie son plus beau sourire pseudo-obséquieux.

– Par ici, madame. Mais veuillez informer ces messieurs que nous ne leur servirons pas de boissons alcoolisées. Nous avons confisqué leurs fausses pièces d'identité lors de leur dernière visite.

Nous nous asseyons sur la terrasse qui surplombe les reliefs doux du green. Une pie-grièche tourne autour de notre table en quête de restes. Aussi appelée oiseau-boucher, elle a la charmante habitude d'empaler ses proies sur les clôtures barbelées. Les gens ont tendance à penser que les animaux sont meilleurs que les humains. Les chimpanzés aussi pratiquent au meurtre. La seule différence est que les animaux ne se sentent pas coupables.

– Combien de ces gens jouent vraiment au golf ? je demande en agitant mon verre d'Appletiser en direction des maisons.

– Deux ? hasarde Arno.

– Trois maximum. C'est comme le gymnase, dit Des. Les gens s'inscrivent et y vont pendant un mois, puis on les revoit plus jamais.

– Alors, qui êtes-vous, les mecs ? Parlez-moi de vous.

– Euh... Ardo Redelidhaze. R-E-D-E...

Il épelle en se penchant par-dessus mon carnet. A l'écouter, mes yeux me piquent.

– Redelinghuys, je l'ai, dis-je en clignant de l'œil. Quel âge as-tu, Arno ?

– Quinze ans.

– Et toi, Des ?

– Vingt-deux. Et je m'appelle Desmond Luthuli.

– Vous allez au lycée avec S'bu ?

— Oui, pépie Arno. Mais Des a embédagé ici avec lui. C'est son coloc. Boi, je leur rends visite et j'y dors, parfois.

— Emménagé depuis ?

— La vallée des Billes Collides. Kwa-Zulu Daddal ? Ils ont, genre, grandi ensemble, c'est des super potes.

— Je peux répondre tout seul, Arno.

Des a quelque chose d'avide. J'ai le sentiment que le seul reflet de la gloire ne lui suffit pas.

— Désolé, bec. Berde.

— Ouais, donc S'bu et Arno sont potes depuis, genre, seulement deux ans. Ils vont tous les deux à Crawford, explique Des. Mais moi et S'bu, on a grandi ensemble. Dans un tout petit village appelé KwaXimba, dans la vallée des Mille Collines. Donc, *ja*, quand iJusi a signé et que S'bu et Song ont emménagé ici…

— Comment ont-ils été signés ? coupé-je.

— Vous ne savez pas ?

— Je veux seulement avoir votre point de vue là-dessus, avec vos propres mots.

En fait, Maltais et Marabout m'ont déjà mise au parfum sur le chemin. Il y a eu un gros buzz après qu'ils ont réussi les auditions Starmakerz Coca-Cola, à l'âge tendre de quatorze ans ; c'étaient les plus jeunes participants à s'être jamais qualifiés, et ils venaient d'une famille si pauvre qu'ils sont instantanément devenus l'espoir de service d'une grande et belle nation en devenir. Mais ils ont dû abandonner le concours avant la demi-finale, parce que leur grand-mère est morte d'un lupus, deux ans à peine après que leurs parents ont fait de même, par suite de complications liées au sida.

Ils étaient adorables. Ils étaient tragiques. Ils avaient au moins un peu de talent. Et la chanson qu'ils avaient choisi de reprendre était une interprétation poignante de *Too Late for Mama*, de Brenda Fassie. Comment le Grand Public pouvait-il résister ? Ils firent l'unanimité. Radio 702 lança une quête pour payer les funérailles de leur grand-mère et créer un fonds pour les orphelins. Coca-Cola les installa dans un hôtel pour la durée de la compétition, paya des chaperons pour veiller sur eux, et leur offrit généreusement autant de soda qu'ils pouvaient en boire. Et, j'espère, prit en charge leurs frais dentaires.

Des sponsors se jetèrent sur eux. Ils eurent des vêtements gratuits, des soins gratuits, des billets gratuits pour les matchs de rugby, lors desquels ils chantèrent pour les Springboks et le président. Ils furent signés avant même la diffusion des demi-finales, et se retirèrent de la compétition selon les conseils de leur nouveau label, Moja Records.

Des résume l'histoire succinctement :

– Genre, ils étaient à Starmakerz, ils ont signé et Odi a payé leur déménagement.

– En fait, la febbe avec l'Oiseau craignos et le bec au Chien sont vedus leur parler bêbe avant ça.

– Avant Starmakerz ?

– Ils ont dit qu'ils cherchaient de douveaux talents.

– Ouais, mais je leur ai dit qu'ils feraient bien de ne pas accepter la première offre, même si elle leur venait de M. Odi Grand Nabab Huron, coupe Des. Je les ai poussés à passer les auditions de Starmakerz, à la place. Ça a marché. Ils sont devenus plus connus, et ont fini chez Odi de toute manière.

– Ils ont fait ce que tu leur avais dit de faire ?

– Oui. Je suis, style, le manager de S'bu.

– Tu as vingt-deux ans.

– Et ?

– Sa Baban est leur tutrice légale, intervient Arno.

– Ouais, ça aussi. Lorsqu'ils sont venus à Joburg, on a bougé avec eux.

– Mme Luthuli. D'accord. Alors, où est ta mère ? Ça ne la dérange pas que vous fumiez de l'herbe et buviez de la bière ?

– Non, elle est vraiment cool. Et on le mérite bien, mec.

– Tu veux dire que S'bu le bérite, interrompt Arno.

– Et où est Songweza, dans tout ça ? Je n'ai pas pu m'empêcher de remarquer que la maison était très... *masculine.*

— Song est une pétasse coincée, répond Arno.

Il vient de cracher tout le venin de quelqu'un qui a entretenu une flamme dans la cave de son cœur, et qui n'a reçu qu'une petite tape condescendante sur la joue lorsqu'il l'a révélée au grand jour et à l'élue de son palpitant. La graine a été brûlée, mais ça ne signifie pas qu'elle est morte.

— Ta *gueule*, Arno. Song a ses propres affaires. Elle n'est là qu'une ou deux nuits par semaine, à peu près.

— Et le reste du temps ?

— Qui sait ? Qui ça intéresse ?

— Ta mère ne s'en inquiète pas ? Après tout, c'est sa tutrice officielle.

— Elle s'en inquiète. Elle s'occupe mieux de ces deux-là que de sa propre famille.

— Ah ?

— Une bande de vampires à pognon. Mais c'est privé. Off the record, hein ?

Des agite l'index vers moi, comme un vrai manager, comme un adulte.

— Pas de problème, l'apaisé-je. Parle-moi de ton rôle de manager, Des. Qu'est-ce que ça implique ?

— J'ai des business avec les boîtes, des deals de sponsorisation, et moi et S'bu on bosse sur une marque de fringues pour homme. Controller.

— Mais pas Song ?

Il ignore ma question.

— Des tee-shirts et des accessoires, mais de la qualité, hein ? Pas de la merde bon marché. Il y a des boutiques intéressées. The Space. Même YDE. C'est plus seulement de la musique, c'est une marque. Il faut être malin. Les CD, ça rapporte rien. Tout est dans les téléchargements pour portables.

— Waouh. Ça te dirait de devenir *mon* manager ?

— Ça dépend, dit-il en me jaugeant avec le plus grand sérieux, pour la première fois. Qu'est-ce que vous avez ?

— Pas grand-chose, pour tout te dire. Et toi, Arno ?

– Boi ?

– Non, tête de con, l'autre gros Blanc, intervient Des en m'adressant un ricanement complice.

– Je zode avec lui, c'est tout.

– Qu'est-ce que tu apprécies le plus, chez lui ?

– Heu. Il est très barrant ? Et cool. Et il est vraibent bon aux jeux.

– Ça a l'air un peu tendu avec sa sœur, non ?

– *Ag.* Ils se disputent souvent, mais ils s'aiment. C'est juste qu'ils tirent dans des directions différentes et S'bu, il est genre... sensible, répond Des, agacé de ne plus être l'objet de mon attention. On a fini ?

– Ouais, OK. Je vous recontacterai peut-être, si ça vous va, d'accord ? Voilà ma carte.

Je leur donne à chacun une vieille carte de mon AV. Il y a écrit :

ZINZI DECEMBER
DEALEUSE DE MOTS

Voilà le genre de crétine orgueilleuse que j'étais. « Forgeron de mots », ça sonnait trop pompeux. Mais pourquoi je ne me suis pas contentée de « écrivain » ou « journaliste indépendante » ? Seul mon crétin de moi de mon AV le sait. Au moins, mon numéro de téléphone n'a pas changé.

– C'est quoi une dealeuse de mots ? Vous vendez des mots ?

– A des mecs louches dans des ruelles sombres, ouais.

– C'est un peu flou.

– Je compte m'offrir de nouvelles cartes.

– Si j'étais votre manager, je dirais que c'est une très bonne idée.

– Ouais. Là, c'est juste... dul, dit Arno.

– J'y réfléchirai intensément. Merci.

Lorsque je reviens à la maison, il y a une Toyota Conquest garée devant, le coffre ouvert comme pour avaler la femme qui y pèche des sacs de course.

– Un coup de main ?

– *Ngiyabonga, sisi,* dit Prim Luthuli en émergeant de la malle.

Elle réussit à contenir sa surprise lorsqu'elle voit Paresseux et me pose trois sacs dans chaque main, pleins de grosses bouteilles de soft-drink, de mini-pizzas et de frites surgelées. Elle approche de la cinquantaine ; c'est une grosse mamma en robe fleurie et chemisier blanc délavé.

– Laissez-moi deviner : vous nourrissez des ados ?

Elle a un faible sourire, mais son visage se crispe légèrement.

– J'essaie de leur faire de la cuisine saine, mais, *hei,* les gamins sont difficiles.

Elle se débat avec la serrure, quatre sacs en équilibre dans un bras et ouvre la porte d'un coup de hanche, révélant un intérieur disposé comme celui du H4-303. Les murs sont d'un jaune chaleureux, le couloir s'ouvre sur une cuisine écarlate à la cloison décorée d'un tableau de liège couvert de photos de famille et de coupures de presse ayant trait à iJusi.

Je pose les sacs sur le comptoir et manque de renverser un vase plein de roses blanches que Mme Luthuli sauve sans commentaire.

– Vous vivez dans le complexe, ma chère ? demande-t-elle en ouvrant le frigo pour y ranger une barquette de fraises, du lait, des carottes, du poulet, des tomates. Je ne crois pas qu'on se soit déjà rencontrées ?

– Je m'appelle Zinzi December. Odysseus Huron m'envoie parler avec vous de Songweza.

Elle referme le frigo et s'assied lourdement sur l'un des tabourets de bar fixés dans le coin déjeuner. Ses mains se nouent sur sa jupe fleurie. Elle est visiblement contrariée.

– Vous ? Pourquoi n'a-t-il pas appelé la police ?

– A vous de me le dire.

Elle pousse un gros soupir.

– Il croit qu'elle joue avec nous. Mais même si c'est le cas, elle est peut-être en danger ! Qui sait où elle est ? Ça fait quatre jours qu'elle est partie.

Elle commence à renifler. Pour la deuxième fois en une heure, j'ai réussi à faire pleurer quelqu'un. Aiguillonnée par Paresseux, je m'approche et passe maladroitement un bras autour de ses épaules.

– Tout ira bien, je murmure. Tout ira bien. Ecoutez, ça va vous paraître étrange, mais avez-vous un objet que Songweza aurait perdu ? Quelque chose qui a une valeur sentimentale ? Je ne sais pas, une boucle d'oreille qu'elle adorait et qui serait tombée derrière un canapé ? Un livre ou une lettre ? Une chaussette, même ?

Je m'accroche au moindre indice, linge de corps compris. Elle me regarde comme si j'étais folle.

– Non. Je ne comprends pas. Je n'ai rien de tel.

– OK. Vous avez son numéro de téléphone ?

– J'essaie de l'appeler tous les jours. Je tombe sur sa messagerie.

– Puis-je tenter le coup ?

Ça ne serait pas dingue, si elle répondait ? L'argent le plus facilement gagné de toute ma vie. Mais comme prévu, je tombe sur sa messagerie.

– *Vous savez qui je suis. Je vous rappellerai si ça me chante.*

La voix est dynamique, sexy. Malgré le vernis blasé, elle retentit comme une invitation. Elle est suivie par le message préenregistré du réseau, délivré d'une voix résolument moins séduisante :

– Cette messagerie est pleine. Veuillez rappeler ultérieurement. Cette messagerie est pleine. Veuillez rappeler ultérieurement.

D'accord, ça ne sera pas aussi facile. Bien entendu, être transféré directement sur répondeur ne signifie pas que Song ne se sert pas de son téléphone pour passer des coups de fil.

– Avez-vous une idée de l'endroit où elle peut se trouver ? A-t-elle d'autres parents ? Des amis proches chez qui elle pourrait passer quelques jours ?

– J'ai appelé ses amies du lycée. Nonkuleko. Priya. Elles ne l'ont pas vue.

– Et ses amis hors du lycée ?

Elle me regarde avec hébétude.

– Non, je...

– Peu importe. Depuis combien de temps êtes-vous la tutrice légale des jumeaux ?

– Lorsque leur grand-mère est morte, elle a indiqué dans son testament qu'elle souhaitait que je m'occupe d'eux. Nous étions voisines. Mais c'est ce que j'aurais fait de toute façon. La tradition veut qu'on s'occupe des orphelins.

– C'est un sacré héritage.

– C'est dur. Ça me stresse. Toutes ces âneries de Starmakerz. La ville, les fêtes, zut zut zut. Ça a une mauvaise influence, Joburg. Mais ce sont de bons petits.

– J'ai l'impression que les garçons ne sont pas au courant, pour Song. Ne craignez rien, je leur ai dit que j'étais journaliste.

– Des sait. C'est mon fils. A-t-il parlé de...

Elle me regarde pour s'assurer que je suis au parfum des liens familiaux.

– Il a dit que je ne devrais pas leur en parler. Ils sont jeunes. Ils sont sensibles. En particulier S'busiso. Il prend tout à cœur.

– J'ai remarqué.

– Je crois qu'on le maltraite, à l'école. Il ne m'en parle pas, mais parfois il rentre avec des bleus. Et si quelque chose était arrivé à Songweza ? Comment le prendraient-ils ? Mieux vaut qu'ils ne sachent pas. Ils ne doivent pas porter ce fardeau. Je leur ai dit qu'elle était allée voir une amie.

– Comment est-elle, Songweza ?

– Elle est intelligente, très intelligente. Elle n'a que des A, à l'école. Mais elle n'est pas comme S'bu. Les filles du lycée l'aiment bien. Et les garçons aussi, ajoute-t-elle avec une grimace inquiète.

Ça, je l'aurais parié, si son ramage se rapporte à son plumage.

– A-t-elle un petit ami ?

– Oh, non, dit-elle, visiblement choquée. Song me l'aurait dit. Nous avons un accord. Pas de petit ami tant qu'elle n'a pas fini le lycée.

– Diriez-vous qu'elle est heureuse ?

– Parfois, elle a l'air en colère contre le monde entier. Mais elle ne le pense pas vraiment. Elle a juste ses hauts et ses bas.

– C'est pour ça qu'elle prend des médicaments ?

Elle a l'air perplexe.

– Non, je ne crois pas.

– Rien ? Pas même de l'homéopathie ? De la *muti* ?

– Oh, oui. Oui, elle voit un *sangoma* une fois par mois. S'bu aussi. Il leur donne des traitements pour lutter contre le stress. La pression de la célébrité.

– Je... crains que vous ne connaissiez pas aussi bien vos enfants que vous ne le pensez.

– Nous parlons tout le temps. Je leur fais à manger tous les soirs. Je prépare leurs repas pour l'école. Nous allons à l'église le dimanche.

– Vous savez qu'ils boivent de la bière ? Fument de l'herbe ?

Elle tressaille et me regarde avec un air suppliant.

– Ils évacuent la pression, c'est tout. Ce sont de bons petits. Ne le dites pas à M. Huron. S'il vous plaît. Ce sont de bons petits.

12

Je demande au taxi de me déposer à Rosebanks et me dirige vers la première cabine venue. Que le centre commercial ait encore un téléphone public tient de l'anachronisme, mais j'imagine qu'il sert surtout aux traders du marché africain et aux ados à court de forfait. Ou à ceux qui font des affaires louches, comme moi. Je ne veux pas utiliser mon mobile, je ne veux pas que mon numéro apparaisse chez mon correspondant, des fois que je décide de raccrocher. Des fois qu'il l'ait encore, enregistré sur son téléphone.

Parce qu'en vérité je ne sais pas si j'en suis capable. A moins que Prim Luthuli ne parvienne à me trouver un objet perdu intéressant, je vais avoir besoin d'un plan B. Et le plan B nécessite d'invoquer de vieux démons de mon Ancienne Vie. Paresseux n'approuve *pas* ce plan.

— Publication & Impression Ninth Floor, dit la réceptionniste avec un soupçon de mépris. Allô ? Bonjour ?

J'arrive à retrouver ma voix.

— Puis-je parler à Gio… Giovanni Conti, s'il vous plaît ? Il est rédacteur pour *Mach*.

— Rédacteur adjoint. Je vous transfère.

Il y a une bribe de radio passant un morceau vaguement house parcouru d'un riff de marimba, puis cette voix traînante caractéristique :

– 'llo ?

Giovanni garde la voix rauque de quelqu'un qui se réveille comme d'autres gardent les épis de la nuit. Désinvolte, en apparence, mais en vérité tout aussi soigneusement étudiée que ses tee-shirts à messages ironiques ou ses jeans de couturiers russes underground.

– Salut, Gio.

Une longue pause, le temps qu'il percute. Voire, le temps qu'il modifie sa réponse. Puis, il dit :

– Zinzi ? Sainte merda. Où es-tu ?

– En bas. Je peux monter ?

– Non. Attends. Je descends. Retrouve-moi à Reputation. C'est le bar de l'hôtel de l'autre côté de la rue.

– Je crois que leur règlement intérieur... dis-je sans finir ma phrase.

– Ah. Ah, d'accord.

Et c'est ainsi que nous finissons par nous retrouver sous les lumières fluorescentes du Kauai local, à monopoliser l'attention d'un troupeau de jeunes, percés de toutes parts, assis autour d'une table en plastique chargée de smoothies vert bilieux. Là où les autres badauds, les *black diamonds* branchés, les chalands et les mecs en costards ne m'accordent qu'un regard de côté, du genre dont on gratifie les grands brûlés et les paraplégiques, ces petits goths ne se cachent pas. Ils me traquent presque. Je lève une main, façon people qui vient d'être reconnu, *oui, c'est bien moi, maintenant foutez-moi la paix*. Ça ne les dissuade pas le moins du monde. Le fait de s'habiller en noir doit rendre socialement invincible. Je serais presque tentée de m'y mettre, mais eux ne font que *jouer* aux parias.

Gio pose la main sur mon épaule.

– Zinz ?

Il la retire prestement lorsque Paresseux fait mine de la chasser.

– Tu attendais quelqu'un d'autre ?

Il se penche maladroitement, comme pour m'étreindre, puis se ravise et se glisse sur la chaise en face de moi.

– J'aime bien la barbe, je fais. Et la nouvelle coupe. Tu as bonne mine.

– Merci.

Il frotte distraitement ses cheveux ras de la paume de la main.

En fait, je voulais dire qu'il semble différent. Il s'est étoffé, en particulier au niveau du visage, et il y a un soupçon de bedon sous sa chemise. Je me demande s'il a laissé tomber les tee-shirts ironiques ou s'il est juste dans un jour « chemise boutonnée ». Ses manches sont remontées et révèlent le tatouage qui s'enroule autour de son bras droit, une ligne nette de pointillés qui tracent la trajectoire d'un avion en papier prêt à s'envoler de son biceps ; un hommage à l'idéalisme, à la fragilité du vol. J'avais l'habitude de parcourir cette ligne du bout des doigts. Ça lui plaisait.

Je suis consciente du fait qu'il m'étudie de la même manière ; il compare cette Zinzi avec celle de sa base de données. Comme un jeu des sept erreurs. Les rides autour des yeux. L'oreille arrachée par une balle. Le Paresseux, aux bras curieusement disproportionnés, drapé sur mes épaules, comme les bretelles d'un sac à dos velu.

– Alors. Mince. C'est bon de te revoir. Comment… je veux dire, les journaux parlaient de dix ans…

– Liberté sur parole. Bonne conduite. Tu n'étais pas au courant ?

– Non, je…

– C'est pas grave. Je n'ai pas suivi ta vie de près non plus.

– Eh bien, c'est pas comme si tu avais régulièrement mis ton statut à jour. Bon, tu veux quelque chose ? Un smoothie ? Un verre ? Un… que boit cette chose, d'abord ?

– De l'eau, Gio, ça ira pour nous deux. Ne te donne pas tant de mal. C'est bon de te revoir aussi.

– Ouais, ouais, sûr.

Il rentre la tête dans les épaules, comme un petit garçon, mais l'effet est atténué par l'absence de frange touffue. Les plaques tectoniques de ce qu'il y avait entre nous, quoi que ça ait été, se sont écartées sous nos pieds. Attention aux gouffres.

L'une des goths et son gang nous évitent d'avoir à briser le silence.

– Excusez-moi.

Son ton laisse penser qu'elle se fiche éperdument des racines blondes qui percent sous sa teinture noire (mais elle a quand même pris soin de dissimuler ses taches de rousseur sous une épaisse couche de fard).

– Y a rien à voir, circulez, les gosses, dit Gio en faisant le geste de les envoyer paître.

– Je ne te parle pas, crétin.

Elle fronce les traits dans une grimace de mépris adolescent et me touche la manche, avec autant de légèreté qu'un papillon qui éternue, comme si j'étais une sainte, ou peut-être une cousine éloignée de Dita von Teese.

– Je voulais juste vous dire que ce que vous avez fait n'a pas d'importance.

– Eh bien, en fait, si.

Mais ma réplique rebondit sur elle comme une balle de ping-pong sur une voiture blindée.

– On pense quand même que vous êtes cool.

– OK. Merci.

Un alligator. Deux alligators. Trois alligators. Les autres regardent la scène avec révérence, et lorsqu'il devient évident que je ne vais rien ajouter, ni la bénir ou autre, elle hoche la tête et emmène sa bande en direction des cinémas.

– C'était bizarre, dis-je en regardant la meute noire prendre l'escalator.

– C'est ce rappeur avec la hyène, Slinger. Il a rendu les zoos cool. Tu es un modèle pour la contre-culture, baby.

– C'était le rêve de ma vie.

L'interruption a brisé la glace entre nous.

– Tu manges toujours des sushis ? demande-t-il.

Nous déménageons vers un rolling bar, juste au coin.

– Alors, quoi de neuf, Zinz ? demande-t-il en enfournant un California au saumon à l'aide de baguettes en plastique, tandis que des grains de riz rebelles tombent dans sa sauce soja.

J'ai vu, dans un magazine, un scan IRM d'un sushi. Quand il est préparé par un maître, les grains de riz sont disposés à plat, dans le sens de la longueur, ce qui empêche l'ensemble de s'effilocher. Ce n'est pas une mauvaise philosophie. Restez groupés, baissez la tête, et vous ne tomberez pas en morceaux.

– Qu'est-ce qui t'amène dans ce coin de la ville ? insiste-t-il.

Il empale un maki de sa baguette avant de le fourrer dans sa bouche. Il a toujours eu un côté rustre.

– Des recherches, dis-je pour éviter le concert de questions au son duquel je n'ai pas envie de danser en ce moment. Je travaille sur quelque chose, et je pensais que tu pourrais me donner quelques indications.

– Quelque chose d'autobiographique ? hasarde-t-il.

– Ah, non. C'est un article. Un livre, en fait, improvisé-je. Je n'en suis qu'au tout début. C'est sur ce groupe de kwaito, iJusi.

– Ils ne sont pas dans l'afropop, plutôt ?

– C'est pareil.

– Pas tout à fait. Et n'est-ce pas un peu tôt pour les immortaliser ? Dans six mois, on les aura oubliés.

– OK. Ecoute, c'est pour un papier que j'espère vendre à *Credo*, afin de peut-être en faire un livre sur la musique et la culture des jeunes de Jozi, mi-livre de chevet, mi-bible des tendances. Quelque chose qui pourrait rapporter de l'argent.

Je commence même à y croire.

– Alors c'est donc ça ? dit-il en faisant claquer ses baguettes pour appuyer son commentaire.

– Quoi ?

– Le Grand Retour de Zinzi.

C'est auprès de Giovanni que j'ai appris à parler en lettres capitales. Et à tirer sur une pipe à crack, aussi.

– J'espère. Bien sûr, je pars avec un handicap, dis-je en tendant le menton vers Paresseux, qui s'est endormi sur mon épaule. Je soupçonne que ce petit gars va compliquer les choses au moment d'obtenir des interviews.

– Tu serais surprise… dit Gio en me gratifiant de son sourire en coin.

Sourire que je trouve de plus en plus agréable.

13

Les gens qui n'hésitent pas à traverser Zoo City à toute pompe en plein jour n'osent pas y passer la nuit, pas même pour contourner les barrages de police : ils ont trop peur. Pourtant c'est précisément à ce moment que Zoo City devient la plus sociable. Dès 6 heures du soir, lorsque les journaliers rentrent du job qu'ils ont réussi à se trouver, les portes des appartements s'ouvrent. Les gamins se poursuivent dans les couloirs. Les gens sortent leur animal pour le promener ou lui faire renifler gentiment les fesses des autres bestioles. Les odeurs de cuisson, surtout de la nourriture mais parfois de la meth, étouffent temporairement les relents de pourriture et d'urine des cages d'escalier. Les putes accros sortent de leurs réduits moisis pour bavarder et fumer sur les escaliers de secours, et siffler les gens qui hèlent un taxi pour aller au travail.

Je rentre chez moi avec un exemplaire de tous les magazines de musique de l'univers, ou du moins ceux que j'ai pu trouver au CNA. Je n'ai pas vu Benoît de la journée. Il devait remplacer Elias, une fois de plus, mais quand je suis partie ce matin, il était encore inconscient et puait toujours la bière.

C'est la quatrième fois cette semaine qu'Elias lui a demandé cette faveur. Il est malade et crache ses poumons dans la piaule sordide qu'il partage avec six autres Zimbabwéens. Ça ressemble à la tuberculose. D'Nice harcèle Elias pour qu'il lui donne de ses glaires, afin de les revendre sur le marché noir à des gens qui sauront les utiliser pour obtenir des pensions temporaires. Mais la maladie d'Elias est peut-être simplement due à l'amiante ou aux moisissures. Un bon diagnostic est aussi rare qu'un bon docteur, par ici.

Des mauvais, il y en a à la pelle. Des *nyangas* et des *sangomas*, des guérisseurs avec divers degrés de talent et d'habileté, qui font l'article de leurs services sur des affiches placardées aux murs et aux poteaux téléphoniques. Certains sont des charlatans, des escrocs qui proposent des remèdes à tout, des problèmes financiers aux chagrins d'amour en passant par le sida, au moyen de *mutis* faits de couilles de lézard broyées et d'aspirine. Devinez lequel de ces ingrédients fait tout le travail.

La *muti* des objets est facile, en particulier lorsqu'elle est basée sur un simple code binaire. Ouvert ou fermé. Perdu ou trouvé. Les objets veulent avoir une utilité. Ils sont heureux qu'on leur dise quoi faire. Les gens, moins. Un sortilège pour brouiller les SMS sur le téléphone d'un rival en affaires, c'est facile. Un charme d'affection pour vous attirer les faveurs de quelqu'un, qu'il s'agisse d'une amourette de lycée ou d'un mari violent, c'est un peu plus délicat. Des études en laboratoire ont prouvé que certains sorts sont basés sur la manipulation des hormones, car ils boostent la sérotonine, l'ocytocine ou la testostérone. De simples équations marche/arrêt. L'essentiel de la magie est pourtant plus abstrait. Capricieux. Elle a tendance à provoquer des retours de flamme. Et ses plus étourdissantes promesses (la guérison du sida, le grossissement du pénis ou la mort d'un ennemi) sont toutes des placebos inutiles ou même néfastes, des bénédictions et des malédictions conjurées dans votre tête. Ce n'est finalement guère différent de ces magazines à couverture glacée qui vous promettent une meilleure vie sexuelle, un meilleur travail, un meilleur *vous.* Croyez-moi, j'ai rédigé pas mal d'articles dans ce genre. Et regardez où j'en suis, à présent.

Certains ont un vrai *mashavi* pour la guérison, certains peuvent faire de la vraie *muti.* Mais ils sont rares, et ils ont tendance à être un peu trop chers pour quelqu'un comme Elias. Ce qui implique une journée de plus à faire la queue à la clinique dès 5 heures du matin, dans l'espoir d'arriver au guichet avant la pause déjeuner, histoire de passer sept minutes et demie avec une infirmière épuisée qui a déjà tout vu et entendu. Ça n'aide pas à faire ses heures de travail.

C'est pourquoi je suis d'autant plus surprise lorsque je me rends compte que l'une des odeurs de cuisson qui se mélangent dans l'immeuble provient de *mon* appartement. Je pousse la porte pour trouver Benoît, qui porte encore l'uniforme trop petit d'Elias. Il est penché au-dessus de la plaque, occupé à cuisiner des hot-dogs, du *pap* et des haricots. L'appartement entier a été balayé et rangé, jusqu'au lit qui est fait. Le générateur ronronne joyeusement, un bidon de pétrole non loin.

– Tu as l'air dispos pour quelqu'un qui devrait encore soigner sa gueule de bois. Et qu'est-ce que ça signifie ?

Il va s'avérer que j'ai de bonnes raisons d'être suspicieuse.

– Je n'ai pas le droit de faire quelque chose de gentil pour toi ?

– Oh, je pense à plusieurs choses gentilles que tu pourrais faire pour moi, avec moi, sur moi.

– Tu vois, ça pourrait être comme ça si tu me donnais une clé.

– C'était une exception à la règle, mister. Et uniquement parce que tu dormais encore quand je suis partie. Ne t'y habitue pas.

– Ça ne te plaît pas ?

Je cède, passe les bras autour de son cou et m'appuie contre son dos.

– Si. Je crois.

– Arrière, femme. Je cuisine, s'esclaffe-t-il.

Il se débarrasse de moi d'un haussement d'épaules, mais se tord quand même le cou pour m'embrasser.

– Tu cuisines ou tu incinères ?

– Merde* !

Il insiste pour que nous emportions nos hot-dogs légèrement brûlés sur le toit, en laissant les bestioles dans l'appartement. Il a même prévu des assiettes en carton et des serviettes, et deux canettes de bière. Il prend aussi son appareil photo, un modèle désespérément obsolète d'une marque générique coréenne, à peine un mégapixel, le tout rafistolé au gros scotch. Il en a vu, cet appareil. De quoi remplir plusieurs documentaires. Mais les seules photos que Benoît me montre sont celles qu'il prend de lui-même.

C'est une véritable obsession, chez lui. Il a enregistré toutes les étapes de son voyage, de Kinshasa à Joburg, photographié le moindre témoin géographique, le moindre carrefour, le moindre endroit où il a passé la nuit, la moindre personne qui lui a apporté un peu d'aide. Mais ça ne lui suffit pas de mitrailler les gens ou les endroits. Il veut apparaître dans l'image. Comme si c'était la seule preuve qu'il était vraiment là, qu'il existait.

Lorsque nous atteignons le toit, je suis à bout de souffle. Les gens n'y montent pas souvent, surtout depuis que l'ascenseur a rendu l'âme, sinon lors des beaux jours pour y mettre du linge à sécher. Parfois, il s'y déroule une fête, pour célébrer un mariage ou une naissance ou lorsque l'un des gangs locaux veut s'acheter la bonne volonté de la communauté au prix d'un mouton à la broche *braaié* et de quelques restes grillés. Lorsque les gens sont saouls, ça dégénère assez rapidement, surtout au Nouvel An. C'est pratiquement devenu une tradition de jeter l'électroménager dans la rue, plusieurs étages plus bas. C'est pour cette raison que les flics et les ambulances interviennent toujours à contrecœur lorsqu'un incident se produit à Zoo City. Quand ils interviennent tout court.

Benoît se penche pour passer sous une corde à linge dont les draps, les robes et les chemises claquent comme des cerfs-volants amarrés. Quand on est à quinze étages du sol, les bruits ne vous parviennent qu'étouffés. Le trafic est réduit à un flot bègue, les klaxons à des couacs de canard mécanique. L'horizon est net, la cité repeinte dans des tons cuivre et rouille par le soleil couchant, qui ensanglante aussi les nuages. C'est la poussière présente dans l'air qui rend les couchers de soleil du Highveld si spectaculaires, ce fin résidu minéral, jaune, qui monte des déchets des mines, et le dioxyde de carbone émis par les embouteillages. Qui a dit que rien de bon ne pouvait sortir de ces choses moches ?

– Pourquoi ne vient-on pas plus souvent ? demande Benoît sur un ton badin qui ne lui ressemble pas.

– Trop de marches.

Il me lance un regard réprobateur, et je m'en veux d'avoir gâché l'ambiance.

– Là, assieds-toi.

Il prend un édredon sur la corde à linge, ignorant la piqûre provoquée par le sort de protection que les tailleurs spécialisés, quelques étages plus bas, ont intégré au tissu, et l'étale sur le ciment, sous le réservoir d'eau. Je m'assieds. L'édredon est encore humide, couvert d'un patchwork de personnages qui auraient aimé naître chez Disney, mauvaises imitations et cousins méconnaissables. Ça ne ressemble pas à Benoît d'être aussi peu scrupuleux.

– Tu n'as pas peur qu'on le salisse ? je demande.

Il hausse les épaules.

– La crasse n'est pas un état permanent. Il s'en remettra.

J'ai l'impression qu'il ne parle pas de l'édredon.

– Viens là.

Je me glisse vers lui, il me cale sous son bras et lève l'appareil photo, objectif pointé sur nous.

– Dis « Jozi », lance-t-il.

Et je comprends qu'il va partir. Lorsqu'il retourne l'appareil pour vérifier sa photo, elle le révèle souriant fièrement à l'objectif, mais je ne suis qu'un profil flou tourné vers lui.

– Pas bon, déclare-t-il sans toutefois l'effacer.

Il tend le bras pour prendre une autre photo.

– Ne bouge pas, cette fois. Essaie de regarder l'appareil.

Il me touche le menton du pouce, ajuste légèrement l'angle de ma mâchoire pour que je fixe notre minuscule reflet dans la lentille.

– Tu ne peux pas attendre ?

– Je ne crois pas, Zinzi, dit-il doucement.

– Deux semaines, dis-je, puis, de désespoir : Une.

– Je n'en sais rien.

– Mais il faut encore que tu rassembles tes affaires. Que tu organises le voyage.

Les passeurs peuvent vous faire franchir les frontières, ramper sous des barbelés, traverser des fleuves infestés de crocodiles, acheter les gardes-frontières avec des caisses de bière ou de munitions. Mais, en général, ça se fait dans l'autre sens. Il n'y a pas beaucoup de demandes pour *quitter* l'Afrique du Sud en douce. Bien sûr, il pourrait simplement prendre l'avion, mais il lui faudrait alors expliquer les coups de tampon sur son passeport aux Affaires intérieures, qui pensent que le statut de réfugié implique que vous ne retournerez jamais chez vous.

Il soupire et baisse l'appareil pour me regarder.

– J'y travaille. D'Nice dit qu'il connaît des gens.

– Ça ne m'étonne pas. Comment vas-tu payer ?

– J'y travaille aussi.

– Comment ?

– Toujours ces questions, chérie*. Tu ne peux pas arrêter de jouer à la journaliste, une minute ?

Il m'embrasse, comme si c'était une réponse, puis lève de nouveau l'appareil, me taquine.

– Maintenant, ne bouge plus, d'accord ?

Et je me dis : Non, toi.

L'appel arrive plus tard. A 2 heures du matin, l'heure des ruminations insomniaques.

– Elle essaie de tout saboter, dit la voix avec empressement, sans même un *hola* ou un *unjani.*

Je ne la reconnais qu'à ses tonalités nasales.

– Arno ?

– Elle va tout faire berder. Song et le copain. Ils sont censés être en studio. Et elle est partie. Elle est tellebent égoïste. Elle veut tout foutre en l'air.

Il ravale ses larmes, et je comprends que je me suis trompé sur l'élue de son cœur. Ce n'est pas Songweza, mais S'bu.

14

Je passe la matinée à appeler les amis de Songweza grâce aux listes que m'ont fournies Mme Luthuli et, surtout, Des. La plupart d'entre eux ne m'apprennent rien de nouveau, même si tous s'ouvrent à moi comme des huîtres lorsque je prononce la formule magique : « je suis journaliste ». Même face à quelqu'un qui ne fait que côtoyer les célébrités, les gens sont prêts à tout déballer pour peu qu'on s'intéresse à eux, en particulier les ados. Ils me disent tout ce qu'ils savent sur le premier flirt de Songweza ; j'apprends comment elle a triché lors d'un contrôle de maths en primaire et s'est fait choper, si bien que toute la classe a dû recommencer ; qu'elle aime la musique ; qu'elle est talentueuse ; qu'elle tchate en classe, avec son téléphone, sur MXit ; qu'elle aime faire la fête. Que, parfois, elle déteste le monde entier, « genre vraiment sombre, eh, mais pas genre suicidaire », me révèle la dénommée Priya.

Mes notes me donnent un aperçu de l'histoire, sans les détails, comme sur un polaroïd en train de se développer. J'ai idée qu'il manque des noms sur la liste de Mme Luthuli, des noms qu'elle n'approuverait pas, comme ce petit ami dont elle ne connaît même pas l'existence.

Je consulte le nom des gens relevés sur le tableau blanc du plan d'action de Des. Le designer et le promoteur sont des impasses ; leurs affaires sont réglo, et ils sont légèrement perplexes sur les raisons de mon coup de fil. La seule personne d'intérêt est Heather Yalo, qui s'avère être le manager de grosses légumes telles que Leah et Noluthando Meje. Lorsque je me présente, elle me répond :

– Ce n'est pas le moment de parler aux médias.

Et me raccroche au nez. Je me demande si Huron sait que Des prépare un crime de lèse-majesté.

J'organise quelque chose pour ce soir, avec l'aide de Gio, qui « connaît des gens ». J'envoie aussi un message à Vuyo.

>>Kahlo999 : J'ai besoin d'un service.

>>Vuyo : J'ai entendu parlé de ton mkwerekwere. Je peux t'aider.

Ecris la lettre. Je choperai un en-tête officiel.

Je suis trop occupée à me débattre avec la vilaine étincelle d'espoir dans ma poitrine pour me soucier de comment Vuyo a eu l'info. Lorsqu'il s'agit de protéger ses intérêts, le syndicat a plus d'yeux que le système de vidéosurveillance du centre-ville. Et j'ai des soupçons sur l'identité de celui qui leur a parlé de moi. Je ne serais pas surprise que ce soit un certain D'Nice Languza.

>>Kahlo999 : De quoi tu parles ?

>>Vuyo : « Hélas, les informations de la Croix-Rouge internationale de RDC étaient erronées. La femme et les enfants de Benoît Bocanga sont morts. »

>>Kahlo999 : Tu es une sale petite MERDE.

>>Vuyo : Je peux mm fournir d photos d corps. Mais tu dois me donné des réf pour Photoshop.

>>Kahlo999 : Ta gueule, Vuyo, c'est hors de question.

>>Vuyo : Susceptible.

>>Kahlo999 : Tu ne m'écoutes pas. J'ai besoin de trois choses : je dois savoir si un certain numéro de mobile a été utilisé au cours des quatre derniers jours. Je dois

accéder à un compte MXit. Et je dois savoir si une police d'assurance-vie a été enregistrée pour une certaine personne.

>>Vuyo : Ça sera pas donné.

>>Kahlo999 : 5 000 rands. Ajoute-les à mon ardoise.

>>Vuyo : 12. + les intérêts. Envoie les détails.

>>Kahlo999 : Par curiosité, est-ce que le syndicat fait dans le trafic ?

>>Vuyo : T sûre ke tu n'as pas la police juste à côté ?

>>Kahlo999 : Complètement sûre.

>>Vuyo : T'as pas installé le pare-feu.

>>Kahlo999 : Je crois que tu as suffisamment le nez dans mes affaires. Allez, Vuyo. Dope ? Esclavage sexuel ?

>>Vuyo : Le syndicat a de nombreux centres d'intérêt.

>>Kahlo999 : Et si je veux savoir si quelqu'un a été kidnappé ? Par un dealer ? Pour tapiner ?

>>Vuyo : C pas du kidnapping si elles viennent de leur propre chef.

>>Kahlo999 : Je crois que nos définitions du « propre chef » ne sont peut-être pas les mêmes. Je peux te donner un nom ?

>>Vuyo : C'est un service coûteux ke tu me demandes, fillette.

Il y aura un prix à payé pour ce ki va suivre.

>>Kahlo999 : Je pense connaître quelqu'un qui peut le payer.

Il s'avère que retourner dans mon Ancienne Vie est aussi facile que de passer une robe. Bien sûr, il paraît que la mode n'est qu'une succession de peaux différentes pour révéler différentes saveurs de soi-même. Ce soir, je suis schnaps-pêche. Nerveuse comme une collégienne qui essaie de s'incruster dans une boîte pour la première fois. J'ai parlé d'une robe, mais je voulais dire « neuf robes ». C'est tout ce que je possède.

Paresseux souffle d'un air bougon. Il est étalé sur le sol avec une poignée de feuilles de manioc trouvées au marché, en bas (ainsi qu'un tube de cloportes pour la Mangouste). Si je pouvais le laisser ici, je le ferais. Mais la séparation a des effets handicapants. Manquer de crack quand on est accro n'est pas pire qu'être loin de son animal.

Après avoir essayé deux fois chacune de mes neuf robes, avec un petit interlude pour récupérer les cloportes qui se sont échappés quand Paresseux a renversé leur boîte, j'opte finalement pour un jean skinny et un haut à bretelles noir, d'un bon goût surprenant, emprunté à l'une des prostituées du troisième étage après que j'ai renoncé à piocher dans ma propre garde-robe. Lorsque je dis emprunté, je veux dire loué. Elle m'assure que tout est propre. Pour 30 rands, j'en doute, mais le vêtement passe l'épreuve du reniflage, alors merde.

J'attrape un taxi dans Auckland Park, au milieu des techniciens de surface, des infirmières et des plongeurs : la tribu invisible des coulisses. J'en sors après Media Park et marche jusqu'à la 7e Rue, avec son fouillis de restaurants, de bars et de cybercafés. Devant une épicerie/cybercafé mozambicaine, un camelot essaie de me fourguer une lanterne volante faite de papier et de fil de fer et, lorsque je refuse, il me propose de la marijuana à la place.

Je zonais par ici, avant. Je me suis fait choper à fumer de la came dans mon uniforme de lycéenne trop voyant, sur la *koppie*, et j'ai été suspendue pour deux semaines. J'ai pris mon premier rail de coke dans les toilettes du Buzz 9. J'ai baisé à la sauvette sur une allée privée de la 8e avant que le propriétaire n'appelle les flics. Je ne devrais pas être intimidée. Mais lorsque je vois Gio qui joue fiévreusement avec son mobile sur le trottoir devant le Biko Bar, je me sens soulagée.

— Salut !

Il lève les yeux et me lance un regard coupable avant de remballer son téléphone dans la poche de sa veste.

— Eh, baby, tu es là ! Viens, les autres sont déjà dedans.

Il me dirige vers une cordelette de velours qui a fait son temps et un videur courtaud, noueux, dont le tee-shirt propose : ESSAIE UN PEU, CONNARD.

– Elle est avec moi, dit Gio.

Le videur, s'il n'a pas l'air enchanté de voir Paresseux, nous adresse un léger hochement de tête qui signifie : « ouais, sûr, peu importe ».

Le Biko Bar est à Steve Biko ce que pas mal de tee-shirts merdiques sont à Che Guevara. Son portrait nous regarde depuis un certain nombre de représentations plus ou moins insolentes. Une pancarte de salon de coiffure, avec une ligne de profils de Biko arborant diverses coupes de cheveux : un *chiskop*, un mulet, un casque de mineur *makarapa*. Steve nous jauge avec ce mélange caractéristique de détermination et d'héroïsme joyeux depuis le centre d'une carte d'Afrique composée de rayons de soleil, façon Congrès panafricain. Steve, avec une crinière de lion, est le point focal d'une concentration de symboles de lutte : des poings serrés, des ballons de foot et une phrase manuscrite « L'arme la plus puissante entre les mains de l'oppresseur est l'esprit de l'opprimé ». Mon père, si académique, aurait détesté. Passer tout ça à la moulinette de l'ironie pour n'en tirer qu'une marque...

– Je vois qu'ils vendent des tee-shirts, dis-je. Les tailles enfants sont déjà imbibées d'acide ?

– Très drôle, Zinzi, dit Gio en m'aiguillant vers le fond de la salle. Ne t'inquiète pas, ils sont nerveux eux aussi.

L'appréhension me vrille les tripes, comme lorsqu'on atteint le sommet d'une bosse sur les montagnes russes. Je n'ai jamais aimé les montagnes russes. Gio me fait pivoter vers une table occupée par un petit groupe de gens douloureusement tendance, aux coupes de cheveux coûteuses. Il y a là une femme encrée et percée à foison, chevelure rouge violent et yeux de Bettie Page, et deux hommes. L'un est vêtu d'une hideuse chemise imprimée paisley, les cheveux en pointes gelées ; l'autre a la quarantaine, un gilet de reporter de guerre et un épais vernis de cynisme. Ils sont agglutinés autour d'un gros appareil photo à l'objectif pro et examinent l'écran LCD.

– Oh, beurk, fait la femme en repoussant l'appareil tandis que nous approchons. Pourquoi tu me montres ça ?

Elle frappe l'épaule du photographe, mais c'est une tape amicale, du genre qui veut dire : je t'aime bien, même si tu me montres des photos dégueulasses, peut-être même *parce que* tu me montres des photos dégueulasses.

– Qu'est-ce que Dave vous a déniché, cette fois ? demande Gio.

– Des photos du sans-abri qui a été tué, répond le Photographe Laconique, le Dave en question.

– Oooooh, cool. J'adorerais les voir. Tu sais, nous avons cette nouvelle rubrique d'épouvante dans *Mach*. Clichés de pieds gangrenés. De morsures de vipère heurtante. L'idéal pour illustrer un article sur une aventure qui a horriblement mal tourné.

– Se faire tabasser et cramer n'est pas une aventure. Ils l'ont salement tailladé. En particulier le visage. Ils lui ont coupé les doigts, aussi.

– Tu veux vraiment publier ça dans *Mach* ? demande Affreuse Chemise Paisley, visiblement enchanté par cette perspective.

– C'est un magazine pour hommes, fait Gio dans un haussement d'épaules. Les hommes sont brutaux. Ce qui ne veut pas dire que les femmes ne le sont pas, ajoute-t-il précipitamment.

– Elles le cachent mieux, c'est tout, dis-je.

Tout le monde me regarde, puis tout le monde se focalise à l'unisson sur Paresseux. Chemise Paisley ricane. Je lève la main, comme un écolier qui a trouvé la bonne réponse.

– Salut. Je m'appelle Zinzi.

– Désolé, ouais ; les gars, voici l'amie dont je vous ai parlé, dit Gio d'un ton plein de non-dits. Zinzi December. On travaillait ensemble.

On couchait ensemble. On prenait de la drogue ensemble. On couchait ensemble tout en prenant de la drogue ensemble tout en travaillant ensemble. Une relation toute simple, en vérité.

Piercing Girl se pousse pour nous faire de la place sur l'épaisse banquette de velours pendant que Gio fait les présentations. La crème de la crème* des fans de musique de son cercle social immédiat, plus Chemise Paisley, mieux connu sous le nom de Henry. Dave est, comme prévu, photographe pour le *Daily Truth,* mais il fait aussi des photos de concert ; essentiellement du jazz, mais il a également suivi Oppikoppi pendant quatre années d'affilée, et exécuté quelques jobs occasionnels pour des magazines de tendances en guise d'à-côtés. Henry s'occupe des réseaux sociaux dans une agence hors-média, et une grosse partie de ses activités concerne la scène musicale. Gio l'a invité spécialement.

– Si Songweza était une fille à pédés, m'a-t-il dit plus tôt, au téléphone, Henry serait *son* pédé. Si quelqu'un a des ragots sur ta copine, c'est Henry.

Piercing Girl est une journaliste musicale hardcore lorsqu'elle n'est pas la mère d'un garçon de deux ans qu'elle surnomme Bébésaurus.

– Juliette écrit pour tout le monde, dit Gio. Tous les magazines locaux, mais aussi *Billboard, Spin, Juke* et *Clash.*

Piercing Girl/Juliette lève les yeux dans un simulacre de modestie, ce que je prends comme une preuve que tout est vrai.

– Et que fais-tu, maintenant, Zinzi ? demande-t-elle avec compassion.

Elle s'est penchée vers moi pour me signifier que j'ai toute son attention. Ce n'est qu'aux trois quarts condescendant.

– Je retrouve les choses perdues.

– Les objets volés, par exemple ? intervient Henry. La maison de mes parents a été visitée la semaine dernière, et ils ont pris la montre de mon grand-père. C'était une montre de gousset, tu sais, avec la chaîne, genre vieille de cent deux ans…

– Non, dis-je. Les objets perdus. Les clés de voiture. Les testaments égarés.

– Pour de l'argent ?

Il hausse les sourcils, comme si le concept était encore plus ridicule qu'un grille-pain avec lecteur MP3 intégré.

— Je demande une somme modique par rapport au temps que j'y passe.

L'idée a soudain l'air de le séduire.

— Eh, tu sais, tu pourrais totalement travailler dans une maison de retraite, où les pensionnaires ont, style, la sénilité précoce ou cette maladie qui fait tout oublier ?

— Alzheimer, propose Piercing Girl.

— Oui. Je parie qu'ils perdent leurs affaires tout le temps. Tu pourrais les retrouver, les faire cracher, puis ils oublieraient qu'ils t'ont payée et tu pourrais les facturer de nouveau ?

— Je ne crois pas que ça fonctionne de cette manière, dit Piercing Girl, qui s'est décidément faite la championne de ma cause. N'est-ce pas, Zinzi ?

— Qui sait comment ça fonctionne ?

Je sais, je suis contrariante.

— Mais, n'y a-t-il pas des tests ? Je croyais qu'ils avaient analysé tout ça ?

— Des rats de laboratoire humains ! s'enthousiasme Henry. Sauf que, parfois, ce doit être de véritables rats, non ? Ça doit brouiller les pistes.

— Aux USA, en Australie, en Iran, des endroits comme ça, ils font un examen complet, avec tomodensitométrie, scanner du cerveau, analyse du système endocrinien, tout le tintouin. En Afrique du Sud, nous sommes protégés par la Constitution.

Et le coût exorbitant des tests susmentionnés. Le gouvernement connaît de meilleures façons de dépenser son argent, par exemple dans des sous-marins nucléaires ou pour remplir les poches des politiciens. Il se livre à quelques mesures basiques pour essayer de quantifier votre *shavi*, mais pour l'essentiel, il se fie aux rapports des flics et des travailleurs sociaux, ainsi qu'à une vague démonstration de ce que vous pouvez faire.

— Comment vont tes parents ? Tu... euh...

Gio hésite, car il sent qu'il s'est aventuré trop loin.

– Ce n'est pas grave, Gio. Je les googlise de temps à autre. Apparemment, ça va bien. Toujours divorcés. Ma mère vit à Zürich, maintenant. Papa est au Cap. Il enseigne la théorie du film à des gosses de riches qui s'intéressent plus aux effets spéciaux qu'aux messages sous-jacents.

– Je ne savais pas qu'ils avaient... oh, d'accord.

– Deux mois avant le procès.

Un silence gêné s'étire. Tombe en chute libre, atteint sa vélocité terminale et poursuit sa chute.

– Giovanni nous a dit que vous aviez recommencé à écrire ? demande Piercing Girl.

En tant qu'intervieweuse professionnelle, elle sait récupérer les morceaux d'une conversation qui vient de s'écraser au sol pour les remettre sur orbite.

– Un article sur la musique ? poursuit-elle. C'est pour ça que vous êtes ici, ce soir ?

– Je prépare un livre. Une bible des tendances/histoire de la culture des jeunes de Jozi. Musique, mode, technologie.

Plus j'en parle, plus ça paraît crédible. Faisable, même. Rentable, aussi, sans doute.

– Vous avez un éditeur ?

– Je commence par un article dans *Credo*. On verra ce qui arrive à partir de là.

– *Credo* ? Oh, j'ai travaillé pour eux. Ils sont fantastiques. Lindiwe est merveilleuse !

– Oui, elle est super.

Je n'ai pas travaillé ma couverture au point de réellement contacter mon prétendu employeur. Je le note sur ma liste mentale de choses à faire. Mais, après cela, tout se passe mieux. Hormis au moment où je surprends Henry en train d'essayer de renifler la fourrure de Paresseux.

Dave ne parle pas beaucoup, sinon pour me proposer de voir les fameuses photos, et une dispute éclate, visant à déterminer si publier des images aussi affreuses est synonyme de faillite morale. Je regarde distraitement les photos en question, en les faisant défiler aussi vite que possible. Elles sont aussi horribles qu'on peut s'y attendre, prises avec un détachement clinique, même les clichés sur lesquels figurent aussi des passants abasourdis, pour l'atmosphère.

– On sait qui c'était ? je demande en rendant l'appareil à son propriétaire.

– Un vagabond. Il dormait à la dure. On essaie encore de découvrir son nom. C'était peut-être un zoo, personne n'en est sûr. Ça ne te dérange pas ? demande-t-il en pointant l'objectif vers moi. Photos d'ambiance.

– Euh...

– Photo de groupe ! glapit Piercing Girl.

Dave fait quelques clichés tandis que nous posons maladroitement, puis disparaît en direction de la scène lorsque le groupe apparaît enfin, avec seulement une heure et demie de retard. C'est un combo 100 % filles qui joue du glam punk électro-rock Afrikaans/seSotho, les Nesting Mares.

Take me, take me, take me to your spider den
I'll be your conscience, your accomplice, your inner zen
Let me in, don't question why
Let me, let me be your alibi[1]

– Ils sont plutôt bons ! je crie, par-dessus le grattement des guitares et les grognements alto de la chanteuse.

Malgré le vacarme, Paresseux s'est endormi.

– Des petits joueurs ! répond Piercing Girl au même volume. Attends de voir les Tsotsis !

– Ouais ? Avec les masques de ski ?

– Ouais, ils sont géniaux ! Sûr, leur identité est loin d'être vraiment secrète. Comme Mzekezeke. Tes iJusi ne sont pas mauvais, non plus. Ils ont un vrai talent. Mais ils ont intérêt à lâcher Moja.

1. « Prends-moi, prends-moi, prends-moi dans ta toile d'araignée/Je serai ta conscience, ton complice, ton zen secret/Laisse-moi entrer, ne demande pas pourquoi/Laisse-moi, laisse-moi être ton alibi ».

– Pourquoi ?

– C'est une mauvaise influence !

– Dans quel sens ?

– Trop commercial !

– Et c'est une mauvaise chose ? Qu'un producteur expérimenté comme Odi Huron les gère ?

– Hein ?!

– Je disais, l'expérience d'Odi…

J'essaie de crier plus fort, mais mes mots se perdent dans les hurlements du refrain.

Kill me, thrill me
Kill me, thrill me
Take me away from it all[1]

– Ouais, il possède Counter Revolutionary ! clame Piercing Girl.

C'est une surprise. Counter Rev est le club le plus bouillant de tout Jozi. « Chic et saignant », selon *011 Magazine*, qui a accordé quatre étoiles au single *Spark* d'iJusi sur son Audiomètre : « *de l'Afropop/teenybop qui envoie férocement* ».

– C'est le roi des clubs, chérie, crie-t-elle.

Gio lui adresse une tape sur l'épaule et fait un signe de tête en direction des toilettes. Elle se lève pour le suivre tout en extirpant déjà une pochette en papier froissé de la poche avant de son jean, et me laisse seule avec Paisley Henry.

– Gio a dit que tu étais ami avec Songweza ?! je lui hurle.

– Ouais ? On traînait beaucoup ensemble !

– Au passé ?

Henry me répond quelque chose qui ressemble à : « c'est une brosse de quille ».

– On sort ? Je n'entends rien !

1. « Tue-moi, fais-moi vibrer/Tue-moi, fais-moi vibrer/Emmène-moi loin de tout ça ».

Dehors, les escaliers de secours sont déjà bondés de fumeurs.

– Qu'est-ce que tu disais ?

– Je disais que Song était une drôle de fille. Elle a son *plak* bien à elle. On la voulait pour cette série télé, tu vois ? Mais l'histoire se passait sur un bateau, et ils lui ont demandé si elle savait nager. Et elle a dit : bien sûr que je sais nager.

– Mais ce n'est pas le cas.

– Ce *n'était* pas le cas. En gros, elle a appris toute seule en un week-end. On est allés à la piscine, et elle a plongé dans le grand bassin, *sommer.* Elle a failli se noyer.

– Elle a eu le rôle ?

Il secoue la tête.

– Elle a menti sur son âge. Ils voulaient quelqu'un qui avait dix-huit ans, pour les scènes de sexe, tu vois ? Je ne sais pas comment ils n'ont pas vu plus tôt qu'elle n'avait que quinze piges. C'est une *mal,* celle-là.

– Tu me parais un peu vieux pour traîner avec des filles de quinze ans.

– *Ag,* c'est *Song* qui traînait avec moi. Je l'ai rencontrée dans les soirées, elle est toujours là aux concerts. Carfax, &Serif. Elle est pote avec les videurs.

– C'est quoi, ces histoires sur son petit ami ?

– Lequel ? Elle en change souvent. Elle papillonne trop pour que quelqu'un puisse s'agripper à elle.

Je vois néanmoins que j'ai touché un point important.

– Personne en particulier ?

– Eh bien, il y avait Jabu. Mais il s'est avéré que c'était un trou du cul intégral.

– Ah oui ?

– Il l'a plaquée par SMS. Tu le crois ? Je veux dire, elle aurait dû le voir venir. Ils se sont rencontrés en cure de désintox, merde. Elle a pleuré sur mon canapé pendant, style, des heures. Mais tu connais Song : elle a tout fait sortir, s'est essuyé les yeux, puis elle est passée à autre chose.

– Elle est sortie avec quelqu'un, depuis ?

– Hmm. Je sais qu'elle a embrassé un batteur la semaine dernière, celui de, euh, Papercut. Le groupe de screech metal. Tu connais la blague, non ? Que fait une fille avec son trou du cul, le matin ? Elle l'emmène répéter ses parties de batterie. Eh, je peux le tenir un peu ? explose-t-il en tendant les bras vers Paresseux.

Visiblement, ça fait un moment qu'il en meurt d'envie.

– Il mord.

– Je ferai attention, promis. S'il te plaît ? Juste cinq minutes.

– La société décline toute responsabilité.

– *Ja*, c'est OK.

Je lui donne prudemment Paresseux, en gratifiant l'animal d'une petite pression pour lui rappeler de se montrer gentil. A ma surprise, il se glisse joyeusement dans les bras d'Henry et enfouit la tête dans son cou.

– Whoa, il est *lank* lourd !

– Je sais.

– Mais il est drôlement doux. Waouh.

– Je sais aussi.

Je ne lui signale pas que Paresseux est en train de mâchonner le col de son horrible chemise.

– Tu penses qu'elle a pu s'enfuir avec le batteur ? Ou que Jabu est revenu ?

Il secoue la tête.

– Nan, quand Song passe à autre chose, elle passe à autre chose. Impossible qu'elle ait pardonné à Jabu et qu'elle ait bien voulu reprendre ses miches d'ex-drogué. Et le batteur n'était pas à la hauteur.

– Quelqu'un d'autre ?

– *Ag*, ce videur de Counter Rev la chauffait drôlement ces derniers temps. Ils étaient tout le temps en train de discuter. Et ce mec doit avoir au moins trente ans.

Il lève les yeux au ciel comme si tant de décrépitude l'horrifiait.

– Il n'a pas dû aller bien loin, note. Song est sans doute une traînée, mais elle n'est pas stupide.

— Il a un nom ?

— Euh… M. Super Canon ? Ses biceps font la taille de ta tête. Je ne sais pas s'il fait de la muscu, s'il se shoote aux stéroïdes ou si c'est juste congénital, mais tu ne peux pas le rater.

— Quand est-ce que tu as vu Song pour la dernière fois ?

— Il y a une semaine, je crois. Elle était à l'Informer, à Newtown.

— Je ne comprends pas. Si elle est dans le métal et le punk et traîne dans les boîtes rock, qu'est-ce qu'elle fout dans un groupe afropop ?

— Pourquoi tu écris un article pour *Credo* ? Parce que c'est le niveau au-dessus, non ? Aujourd'hui *Credo* ; demain, style, *Dazed and Confused* ou autre.

— Tu as une idée de la raison pour laquelle elle ne répond pas au téléphone ? C'est son genre ?

— Pas si elle veut bien parler à quelqu'un. Et, crois-moi, elle aimerait sûrement te parler. Elle est toujours à la recherche d'une bonne couverture médiatique.

— Nécessaire pour passer au « niveau au-dessus ».

— Ouais. Tu peux le reprendre ? geint-il en me rendant Paresseux.

Il vient de se rendre compte que les zoos ne vont pas avec le paisley.

Lorsque nous rentrons, Gio et Juliette sont revenus, et les filles ont cédé la place à un quarteron de jeunes masqués, armés de micros. Ça ne peut être que les Tsotsis.

— Tu t'amuses bien ? me crie Gio dans l'oreille.

Les Tsotsis jouent très fort. Mélange acrobatique et risqué de riffs hip-hop *kasi* et de folk *maskandi*.

— C'était enrichissant, je réponds en hurlant.

— Tu veux sortir ?

Gio me gratifie de son plus beau sourire de vilain garnement.

— On n'est qu'à sept minutes et demie de chez moi.

— Je veux bien que tu me ramènes à Zoo City, dis-je en souriant à la vue de son expression. Tu n'as qu'une chance sur trois de te faire descendre, ne t'inquiète pas.

Puis, je suis aveuglée par un flash lorsque Dave réapparaît et prend un gros plan.

– Dis : « paparazzi ».

Ça se transforme en sortie de groupe. L'occasion de faire une visite guidée est trop bonne pour que Dave puisse résister.

– Tu es souvent allé dans Zoo City ? je lui demande.

– Eh bien, nos bureaux ne sont pas loin. Et j'ai ramassé Lily Nobomvu, une fois, il y a sept ans, qui rentrait en stop de chez son dealer de crack, dans Kotze Street. Couverte de bleus. Son manager la battait. Elle avait l'air assez heureuse, pourtant. Elle m'a demandé de lui prêter dix sacs lorsque je l'ai lâchée à Parktown.

– Son manager, c'était Odi Huron, à tout hasard ?

– C'est bien lui. Un vrai truand, à ce qu'on dit.

Dave se penche entre les sièges pour prendre des clichés à travers la vitre : les arbres aux branches festonnées de sacs plastique, pareils à des guirlandes de Noël, les prostituées de Joubert Park prenant la pose sous les réverbères (ceux qui fonctionnent encore), comme si c'étaient leurs feux de la rampe personnels.

– Tu sais qu'ils n'ont jamais retrouvé son corps ? Elle vit peut-être encore dans le secteur.

– Lily ? Un peu comme Elvis ? Je les vois bien écumer les restos routiers de la Route 66 ensemble, et jouer à des jeux à boire avec les petits gris.

Gio glousse.

– Hey, Odieux avait un bar, non ? Tu te souviens, Zinz ? Bass Station ?

– Je me souviens d'avoir été trop déchirée pour me souvenir de quoi que ce soit à propos de Bass Station. Pareil, je ne me rappelle rien concernant le 206 ou Alcatraz.

– Oh, Bass Station a fermé il y a des années, dit Dave. Un braquage a mal fini. Deux morts, si ma mémoire est bonne. C'est peut-être pour ça que Huron a mis tant de temps à faire son come-back.

– Il faudra qu'on aille à Counter Rev, un de ces jours. Ça te plairait, coupe Gio.

– Ça ressemble au purgatoire des hipsters.

– D'accord, disons que tu trouveras ça intéressant, alors. D'un point de vue anthropologique.

– Tourne à gauche et arrête-toi au panneau marqué « Ses Croyants », dis-je en indiquant l'affiche de l'église néo-pentecôtiste.

– C'est ça que tu devrais faire, s'exclame Dave, soudainement très excité. Au lieu de faire un papier sur les groupes pop, écris sur Zoo City vue de l'intérieur.

– Les gens le liraient ? Un exposé sur les combats de chiens et les mœurs ?

– Les... combats de chiens ?

– Sers-toi de ton imagination.

– Je vois du sang et des paillettes. Du fric sur la table, de la fourrure dans l'arène, des gangsters entourés de petites pépées glamour qui observent depuis la ligne de touche.

– Enlève le glamour et les paillettes, ajoute encore une grosse dose d'illégalité, et tu l'as.

– A mort ?

– Non, sauf quand ça devient vraiment sale. On essaie d'éviter le Contre-courant autant que possible.

– Ça sonne comme la soirée idéale. Peut-être qu'on pourrait enchaîner Counter Rev et une visite aux combats de chiens ?

– Ou pas.

Mais Dave ne laisse pas tomber.

– Un article vu de l'intérieur. Des scènes de rue, ce que ça fait de vivre ici.

– C'est de la *kak*, Dave. Qu'est-ce que tu veux savoir de plus ?

– Penses-y, c'est tout.

– Alors ? je peux te raccompagner ? demande Gio en se garant.

– Tu ne devrais pas laisser ta voiture seule dans ce quartier.

– C'est pas grave, je reste, propose Dave.

— Tu peux me raccompagner jusqu'à ce que je sois en sécurité. Après cela, je ne garantis pas celle de Dave.

Un petit groupe d'hommes, plutôt des ados, est assis sur les marches qui montent vers Aurum Place, juste en face. Le désœuvrement et la bière les rendent dangereux. La lueur des bougies scintille derrière les fenêtres de l'immeuble squatté auquel on a coupé le jus depuis longtemps. Une ligne de basse monte du salon de coiffure bon marché dans l'allée. On teste le système sonore. Au loin, des sirènes, le coup de feu occasionnel. Gio cille, essaie de le cacher. Nous atteignons le portail et je me retourne pour lui dire bonne nuit. Il fait la moue.

— Je n'ai pas le droit de monter ?

— La prochaine fois. Peut-être.

— C'était bon de te revoir.

— Comme au bon vieux temps.

Ce qui n'est pas forcément « bon ».

— Alors, au Counter Revolutionary ? Samedi ? Dis-toi que c'est pour tes recherches...

— Pourquoi pas demain ?

— Ça roule.

Il se penche pour m'embrasser. Je recule juste assez pour le contrarier.

— Qu'est-ce que tu fais, Giovanni ?

— Oh-ho, dit-il. Refoulement par Nom Complet. C'est du lourd. Tu ne veux pas que je te raccompagne. Tu ne veux pas que je t'embrasse.

— On a rompu. Dans de mauvaises conditions.

— C'était il y a quatre ans. Les choses changent. Les gens aussi. Tu as changé.

— Mais pas toi, pas le moins du monde.

— Un baiser. Rapide, avant que je ne me fasse violer et assassiner par ces épouvantables zoos.

— Tu n'abandonnes jamais, hein ?

Je l'attrape par la chemise et presse ma bouche contre la sienne. Ses lèvres sont chaudes. Pris au dépourvu, il lui faut une milliseconde pour répondre, puis nous nous embrassons comme des affamés prêts à se dévorer mutuellement, et c'est à la fois familier et nouveau. Et juste à ce moment, Paresseux se penche en avant et lui mord l'oreille. Gio glapit, et les gamins sur les marches s'arrêtent de bavasser pour regarder dans notre direction.

– Nom de Dieu ! Vire-le ! Merde ! Aïe !

– Paresseux !

Paresseux lâche l'affaire et se cache la tête derrière ma nuque. Gio agrippe son oreille ensanglantée et lève le poing en grognant. Je pivote pour m'interposer entre le coup et mon animal.

– Tu as de la chance que ce soit un herbivore, dis-je calmement.

– De la chance ? Merde. Cette putain de saloperie a failli me bouffer ma putain d'oreille.

Il se touche l'oreille, qui est à peine égratignée, et examine les traces de sang sur ses doigts.

– Ça s'entend, que tu vis de ta plume, dis-je.

– C'est pas le moment, Zinzi. Aïe. Merde. Tu crois que je vais avoir besoin d'une piqûre antitétanique ? Va falloir que j'aille à ces putains d'urgences.

– Tout ira bien. Merci, j'ai passé une merveilleuse soirée.

– Ouais, super. Non, bon, OK, je le pense vraiment. A part le passage avec le Hannibal Lecter que tu te trimballes.

– On se voit demain.

Tandis que la voiture redémarre et s'en va dans la nuit, D'Nice se détache du groupe d'en face et s'approche en tanguant, une *lengolongola* vide dans la main. Sa Guenon Vervet s'agrippe à son cou pour garder l'équilibre.

– Qu'est-ce que fout une jolie petite fille foncée avec un *umlungu* comme lui ? demande-t-il.

– Peut-être que c'est mon mari perdu, je coupe.

– Hin-hin, fait D'Nice.

Et il y a dans ses yeux embués par l'alcool quelque chose de mauvais.

15

CREDO, août 2010

Roi un jour, roi toujours ?

L'alchimiste des hits de Moja Records se cache depuis près d'une décennie. **Evan Milton** a réussi à le coincer pour sa toute première interview entre quatre yeux, afin de parler de teen pop, de clubs et du deuxième avènement d'Odi Huron.

« Je crois aux deuxièmes chances », dit Odysseus Huron, assis derrière la table de mixage dans son studio analogue/digital, un bunker spacieux construit dans la koppie juste derrière sa maison : la base d'opérations de Moja Records. Cet aménagement est une nécessité, parce que Huron, qui vit notoirement en reclus, n'a pas mis les pieds hors de sa vaste propriété de Westcliff depuis 2001.

Cependant, ce n'est sans doute pas à lui-même que s'adresse sa remarque, puisqu'il en est déjà à sa troisième ou quatrième chance. Au cours de quatre décennies passées dans le monde de la musique, tragédies et scandales l'ont suivi comme une ombre, mais il a toujours réussi à renaître de ses cendres. Il prend d'ailleurs son passé à la légère. « Je ne crois pas qu'on puisse sortir indemne de ce milieu », avance-t-il. « On ne peut qu'essayer d'être mieux préparé. »

Chaque ère a son génie musical/ermite ; chaque genre a son faiseur de stars en coulisses, lourd d'une traîne de controverses. Brian Wilson a disparu pendant des dizaines d'années avant de revenir avec Pet Sounds, James Brown a trop flirté avec les limites de la loi, et disons simplement que l'empire du rap Death Row Records portait un nom approprié. Plus près de chez nous, certaines stars de la world music africaine ont été accusées de trafics d'esclaves, d'implication dans les diamants de sang, et le gouvernement nigérian avait même inculpé Fela Kuti pour exportation illégale de devises.

Mzansi a Odysseus Huron, le producteur aux nombreux disques de platine qu'on retrouve derrière des numéros un tels que Lily Nobomvu, Detective Wolf ou Moro, mais aussi l'homme qui a ouvert la boîte Bass Station, à Yeoville, laquelle connut un destin tragique (néanmoins, Bass Station fut presque l'équivalent africain d'un Shrine ou d'un CBGB).

Par le passé, Odi Huron a engendré tubes et stars à la pelle. Il fait partie du tissu culturel en mutation constante de l'Afrique du Sud depuis les jours sombres de l'apartheid, et il a su traverser la révolution Arc-en-ciel et l'ère post-Born Free. Il est aussi l'homme qui a presque entièrement disparu de la vie publique depuis le drame de Bass Station et la mort de Lily Nobomvu.

Il n'est donc pas facile de le rencontrer ou de l'interviewer. D'ailleurs, en ce qui concerne Odi Huron, rien n'est facile. Pour commencer, il a dû consulter un sangoma afin de déterminer la meilleure date pour répondre à l'interview. Il a ensuite vérifié mes références avec autant de minutie que si j'avais demandé un visa.

Trois semaines plus tard, son garde du corps/sergent-chef, James, me fait entrer dans sa demeure et me fournit une liste de sujets tabous. « Il ne souhaite pas en parler », me prévient-il.

« Entrez, entrez. Vous n'êtes pas un cambrioleur rôdant dans le vestibule, après tout ? » m'encourage impatiemment Huron en me faisant pénétrer dans le salon. Il a une manière rigolarde de rabaisser les gens, de leur rappeler leur place.

Odi vit seul dans cette grande maison. Il fait ses courses en ligne. Les artistes en quête de producteur lui envoient leurs démos par e-mail. Pour tout le reste, il y a James.

La maison a connu des jours meilleurs. Elle n'a rien du palais diplomatique d'un nabab du disque à l'Ahmet Ertegun, mais il faut aussi signaler que ce dernier, fondateur d'Atlantic Records, n'a pas été forcé de faire de la contrebande d'armes en Afrique du Sud, période apartheid, par des activistes en guerre. Le passé d'Odi est, en effet, pour le moins mouvementé.

Dans les années 80, il fit partie de la poignée de producteurs blancs (on pense à Gabi le Roux et Robert Trunz) qui prit le risque de s'occuper d'artistes noirs, à l'époque où le gouvernement pro-apartheid voyait d'un mauvais œil de tels « mélanges ». Odi devina le potentiel musical (et commercial) des artistes noirs. Il s'avéra que ce fut un choix de carrière judicieux.

Dans sa maison, tout n'est pas pop-rock'n'roll. Une dame entre deux âges, perchée au bord d'une chaise, serre son sac à main contre elle. Elle paraît totalement décalée au milieu de la déco 70's. Elle se lève pour me saluer, se présente comme étant Primrose Luthuli et m'explique en bafouillant qu'elle est la tutrice légale des jumeaux.

C'est pour eux que je suis là. S'busiso et Songweza Radebe, alias iJusi, alias la dernière manifestation en date du génie musical d'Odi Huron. Ils sont aussi les bénéficiaires de la « deuxième chance » dont parle le producteur, car ce duo au talent pur a repoussé sa première offre de production et de management pour participer à Starmakerz.

« C'est de la merde. Ça rabaisse les vrais artistes », dit Odi à propos de l'émission. Et, si l'on se fie aux performances de plus en plus embarrassantes de sa gagnante, Sholaine Pieters, il marque un point. Odi a relancé les jumeaux juste avant les demi-finales, et ils ont cette fois signé pour un contrat de trois albums.

Dans toute l'Afrique du Sud, vous ne trouverez pas une seule âme qui n'ait entendu *Spark*. Le tube sert de sonnerie à un million de téléphones mobiles, si l'on se fie aux statistiques de téléchargement. Créer de la musique entraînante et accrocheuse (voire trop accrocheuse) est une chose, mais accéder au statut de star demande plus que cela ; on retrouve donc la patte d'Odi dans des coups de marketing tels que la vente de la chanson pour la campagne publicitaire de la Chevy Spark. Si l'on en croit le buzz actuel, leur nouveau single, *Drive-by Love*, va les propulser encore plus haut.

Les teenyboppers en question jouent dans la piscine, dehors, laquelle est peinte dans un bleu sombre pour garder la chaleur. S'bu est assis au bord du bassin, les jambes de son pantalon gris de lycéen remontées. Songweza bat des pieds, en brassards vert fluo. Dans l'eau, elle fait preuve de plus d'enthousiasme que de maîtrise ; elle nage comme un chien en direction de son frère pour asperger le visage angélique qui sourit sur les murs de bien des chambres d'ados.

Le proverbial bourgeon qui apparaît sur un vieux tronc est une chose, mais voir l'homme reconstruit en est une autre. L'Odi qui mettait en avant les beats dancefloor moites, épais et dangereux d'Assegai ou les sous-entendus sexuels menaçants des plus gros tubes de Zakes

Tsukudu n'est plus. Maintenant, il est question de soleil et de deux gamins barbotant dans une piscine.

« Non, mec, Sooooooooong ! » glapit S'bu à l'adresse de son effervescente jumelle.

« Allez, viens ! » le provoque-t-elle. Il jette une chaussure d'écolier en direction de la voix responsable du refrain entêtant de *Spark*. Elle l'esquive. La chaussure frappe la surface de l'eau et coule sans laisser de trace.

« Tsha ! fait Mme Luthuli en entrant en jeu. Qui est-ce qui va payer tout ça ? »

« Celui qui a dit qu'il refusait de travailler avec des enfants ou des animaux ne connaissait pas Prim ! » coupe Huron. Il se tourne vers la porte : « Vous deux, venez dire bonjour ! »

Le duo entre dans la maison, dégoulinant, et Mme Luthuli part en quête de serviettes.

« Heita », me salue Songweza avec enthousiasme. « Je suis Song, nous sommes iJusi, et nous allons être énormes ! »

S'bu lui fiche un petit coup de poing dans le bras. « Song ! Un peu de modestie ! »

Song fronce les sourcils. « Quoi ? C'est la vérité. »

Et c'est probablement le cas.

Mais si les jumeaux sont les stars, ça reste l'Odi Huron Show. Il annonce que nous allons traverser le jardin pour gagner le studio récemment réaménagé, afin d'avoir « un aperçu auditif » du nouveau single d'iJusi, *Drive-by Love*.

« Pour moi, iJusi est plus qu'un groupe », dit-il. « Ils sont un signe du futur. Song et S'bu sont le nouveau Moja Records. Ça ne se limite pas à vendre nos beats à Babyface. Il ne s'agit pas de fourguer tous les mobiles Android subsahariens préchargés avec les futurs tubes d'iJusi. Il s'agit de *ça :* les gens disent que les jumeaux rayonnent, quand ils chantent. Et moi je dis que nous devons tous rayonner ; que nous pouvons tous rayonner si nous nous concentrons, si nous arrivons à transcender ce qui nous cloue au sol. »

Pour appuyer l'argument, il prend une gorgée de sa bouteille d'eau vitaminée, laquelle fait partie de son programme de désintoxication. On est loin des triples tequilas qui étaient son régime ordinaire à l'époque de Detective Wolf.

Cet Odi, en bonne santé et toujours aussi acerbe, exsude l'impression d'être un homme neuf. Et iJusi représente un nouveau son qui pourrait voir l'écurie Moja éclipser l'impressionnant tableau d'honneur de JumpFish (dont le brillant renouveau d'afropop bubblegum a balayé les charts urbains et pop-rock) et de Keleketla (l'impro urbaine électropop mâtinée de kwaito qui résonnait à tous les coins de rue en 2004, peu avant le split avec Moja pour cause de « différends artistiques »).

Et peut-être bien que Huron mérite un break après tout ce qu'il a traversé. « Est-ce que j'ai des regrets ? Bien sûr, merde », dit-il, avant d'ajouter : « Je regrette notamment que James n'ait pas été assez foutrement clair sur le fait que je ne voulais pas en parler. »

J'insiste. Les gens veulent entendre sa version de l'histoire. Les morts de Bass Station. Lily. Il cède, se mord les lèvres, malheureux.

« Il faut bien comprendre qu'on était dans les années 2000. Les années 90, où tout était facile et lumineux, étaient terminées. On voulait empêcher certaines personnes d'entrer, pas de sortir. » Son insolence l'abandonne un instant. « Ecoutez, il n'y a pas une journée où je ne repense pas à cette porte cadenassée, où je ne souhaite pas que tout cela ne soit jamais arrivé. »

Ce qui est arrivé, c'est que des braqueurs se sont introduits dans le Bass Station en novembre 2010, une demi-heure après la fermeture. La boîte faisait encore du chiffre, même si elle attirait une clientèle plus louche et plus camée qu'à ses débuts, lorsqu'elle était le club le plus hot de la ville, deux ans plus tôt.

Quand les braqueurs n'ont pas pu forcer le coffre à ouverture retardée, ils s'en sont pris au gérant, Jayan Kurian, qui était l'associé d'Odi, et à une serveuse, Precious Ncobo, qui l'aidait à fermer. Ceux-ci ont essayé de s'enfuir par la sortie de secours, mais elle était verrouillée, au mépris des règles de sécurité. Ils ont tous deux été abattus de sang-froid.

« Ç'a été un choc terrible. Que des hommes puissent entrer de force et me faire ça ? A moi ! Je ne me sentais plus en sécurité. Je n'ai pas pu le supporter. J'ai laissé tomber. J'ai pris de la distance. Je suis sorti du business. J'en avais fini. » Il regarde la salle d'enregistrement par-dessus la console, le visage reflété dans la vitre isolante. « Les docteurs m'ont diagnostiqué un stress post-traumatique. »

En pratiquement une nuit, Odi a disparu de la scène musicale et de la société. Il s'est enfermé dans sa maison, s'est enfoncé dans la maladie et la dépression. On a parlé de cancer, et même de sida. En tout cas, ses photos d'époque, en studio avec une Lily Nobomvu débutante, montrent un homme en plein dépérissement.

« Lily était mon ange, ma rédemption », dit Huron. Tout le monde sait qu'Odi était de moins en moins impliqué dans la musique, et ce depuis le milieu des années 90. « Le club me prenait trop de temps. Le milieu de Hillbrow était dur. Gangsters, dope, trafic d'armes, sans parler de la scène gay et du sexe, tout le monde couchait avec tout le monde. J'ai perdu pied. La musique en a souffert. »

Lily a été un tournant pour Odi. Après deux ans passés à « errer chez [lui], à [se] lamenter sur [lui-même] », il s'est réinventé et a adopté un nouveau « mantra de vie » ; sa nouvelle philosophie d'existence. « J'ai refusé les interférences. Pas de drogues. Pas d'alcool. Une vie saine », explique Odi. « De la bonne musique qui toucherait les gens là, au fond de leur âme », dit-il en posant la main sur l'arrière de sa tête. « Les gens veulent des choses qui restent. Ils cherchent quelque chose de spirituel. Ils ont soif de ça. »

Et, par le biais de ses chasseurs de talents, il a découvert quelqu'un qui pouvait assouvir cette soif : une choriste d'église, mère célibataire, du township d'Alexandra. Lily Nobomvu fit ses débuts en février 2003, avec *Kingdom Heart*, un single accrocheur, à la prod solide, qui n'eut que peu de temps d'antenne mais vendit des tonnes de CD à la sauvette. Odi persista, accentua le côté gospel à l'époque où le kwaito régnait sur les charts.

Dans le sillage de l'overdose fatale de Brenda Fassie en 2004, il mit en avant Lily comme l'alternative propre au mode de vie « sexe, drogues et disco soul » qui avait eu raison de la « Madonna des townships ». Lily rafla un disque de platine dans le mois.

Mais, le 18 juin 2006, deux ans et deux albums plus tard, la voiture de Lily bascula d'un pont. Elle n'avait que trente ans. Les rumeurs de dépression n'émergèrent qu'après coup. « Que dire ? » commente Huron. « Ç'a été un traumatisme. On était au courant, mais on ne savait pas à quel point c'était grave. Le milieu dévore les garçons et les filles de différentes manières. »

La fille de dix-neuf ans de Lily, Asonele Nobomvu, récemment recrutée en tant que nouveau talent de la mode par la marque de fringues hip-hop Lady-B, est d'un autre avis. « [Huron] l'a poussée à bout », a-t-elle raconté au Sunday Times lors d'une récente interview. « Il voulait à tout prix qu'elle devienne sa nouvelle Brenda, mais comment aurait-elle pu tenir le coup ? »

L'orpheline de Lily n'est la seule détractrice d'Odi. Moro, qui l'a quitté pour rejoindre Sony BMG en 2007, n'a pas de mots assez durs pour parler de l'homme qu'il décrivait autrefois comme son mentor. « Il voudrait être Dieu. Il ne lâche rien, vous êtes en studio nuit et jour, et il absorbe tout. Il est obsessif, voilà. Tout le temps qu'il a passé, tout seul, dans cette vieille baraque, les morts, toutes ces conneries... Il faut qu'il se réveille, qu'il vive un peu, voilà ce que je dis. »

Odi ricane en entendant ce conseil. « Vous croyez que je fais quoi ? » Et il est vrai que les choses bougent enfin pour ce créateur de hits passés et futurs. Quelle que soit la maladie qui l'a abattu, il a l'air de s'en remettre, et il a de grands projets pour les jumeaux. « Ils vont être plus célèbres que Michael Jackson ! »

Dans le cadre de son come-back, il a ouvert une nouvelle boîte, Counter Revolutionary. Tout a été réalisé sans qu'il voie le site, mais il met un point d'honneur à me signaler qu'il a approuvé chacun des dessins des architectes et qu'il est intervenu à toutes les étapes cruciales, jusque dans les moindres détails, y compris pour « choisir le modèle de chasse d'eau des gogues ».

Une fois de plus, ce nouveau club agite déjà la presse en raison de l'annonce, très critiquée, que des danseuses animalées vont s'y produire. Odi sourit en évoquant les trois associations de citoyens qui ont manifesté devant le club, lancé maintes pétitions sur Facebook et inondé les quotidiens de plaintes. Une décision provocante mais, comme le dit Odi avec insolence : « tout le monde a droit à une deuxième chance ».

Il consulte également un psychiatre, qui vient le voir deux fois par semaine afin de l'aider à surmonter la peur qui le garde reclus depuis tant d'années. « Donnez-nous quelques mois pour trouver le bon traitement, et je vous reverrai sur la piste de danse. »

« Vous êtes prêt ? » demande-t-il en se tournant vers la table de mixage. Il monte le volume et enfonce la touche « Play » d'un fichier nommé *Driveby*.

Irrésistiblement accrocheur, dansant, doux, pétillant, avec des sursauts d'un beat grunge/hip-hop un peu crade sur le refrain. Songweza a raison. Ça va être énorme. Odi aussi.

Comme le dit Noxx en rappant sur le remix du classique de Moro, *Cul-de-sac** : « L'œil sur la balle, frangin, l'œil sur la balle »...

iJusi sera en tête d'affiche de la scène Mzansi Unite samedi, avec HHP, Joz'll (feat. Da Les, Ishmael et Tasha Baxter), Lira, PondoLectro, et la sensation pop/R & B JonJon (guests : Mandoza et Danny K), ainsi que DJ Chillibite, DJ Tzozo, DJ Jullian Gomes, et DJ MP6-60. La scène World in Union accueillera Mix n'Blend, Krushed n'Sorted, Animal Chin, Spoek Mathambon Dank et HoneyB.

(Grand Parade Fan Park, ouverture des portes @ 16 h pour la retransmission du match sur grand écran ; concert 19 h ; billetterie WebTickets.co.za)

16

Ma nouvelle bagnole est une Ford Capri de 78, orange brûlé, en bon état hormis quelques traces de rouille et une vilaine éraflure sur la portière du passager. Elle n'est pas la seule à être un peu rouillée : je n'ai pas conduit depuis trois ans et cette voiture est aussi maniable qu'un Caddie sous Rohypnol.

Le gros bras de Huron, James, m'a donné les clés sans un mot. Il ne s'est pas embarrassé d'une réponse, non plus, quand je lui ai demandé un double. Et il n'était plus là quand j'ai dû m'y reprendre à cinq fois pour faire démarrer le moteur dans un grognement étouffé, juste avant qu'il ne se mette à crachoter, et enfin à rugir.

*Fort de vingt-deux ans d'expérience dans le traitement des accoutumances et autres comportements compulsifs, **Havre** vous propose une approche pluridisciplinaire, incluant des consultations, un programme en 12 étapes et une thérapie cognitivo-comportementale.*

Sis dans une propriété de campagne paisible et isolée, près du berceau de l'humanité, Havre vous accueille dans un environnement sûr et amical au sein duquel vous retrouverez votre sens du moi.

Je prends la sortie de Hartbeesport Dam, la destination aquatique préférée des citadins cloîtrés lorsqu'ils se décident à sortir le week-end. La ville se clairsème au fur et à mesure que l'état de la route se détériore ; les grappes de pavillons préfabriqués, les centres commerciaux et le pseudo-chef-d'œuvre italien qu'est le casino cèdent la place à des pensions de famille, des écuries, des quincailleries et des restaurants ruraux. Les vendeurs de marteaux géants en plastique et de peintures naïves de bananiers tanzaniens, tout comme les types qui distribuent des prospectus vantant les derniers complexes résidentiels deviennent terriblement insistants car la distance qui sépare les feux rouges s'étire. Un mécano grisonnant est assis sous un auvent de tôle ondulée et se roule une cigarette en guettant des clients. Un écriteau maladroitement rédigé signale qu'il vend des pots d'échappement. Un salon de thé proclame fièrement être « le Créateur de la Tourte au Poulet Originelle ! ». Puis, la civilisation disparaît. La route s'étrécit pour ne plus former qu'une seule voie et s'ouvre sur des prairies jaunâtres et des fermes cernées de clôtures électriques, sous un ciel d'un bleu féroce, frappé de gros cumulus blancs annonçant déjà un orage de fin d'après-midi.

Je rate presque la bifurcation vers Havre, malgré les indications très précises qu'on m'a données lorsque j'ai appelé. Ma couverture est l'organisation d'une interview pour un article fictif de *Mach* parlant de l'avènement des safaris de désintoxication.

« Après le panneau indiquant le parc aux lions, prenez le chemin de terre à droite. Vous verrez la pancarte », m'avait dit le très professionnellement chaleureux réceptionniste. J'aurais aimé que le nom de Havre ne soit pas perdu sur un poteau discret parmi huit autres minuscules pancartes, rédigées en lettres nettes, indiquant le Pavillon de Chasse Shongolo, les Thermes Moyo, l'Hôtel de Campagne Vulindlela et les Propriétés Viagères de Grassy Park Country.

Après avoir fait demi-tour (deux fois), je parviens enfin à remarquer le panneau et m'arrête devant un portail noir intimidant, entouré de fil électrifié. Je sonne à l'interphone et donne mon nom. Le portail s'écarte en coulissant ; Sésame, ouvre-toi. Je remonte le chemin de terre. La Capri réagit comme un rhinocéros belliqueux qu'on aurait affublé de patins à roulettes. Je compense en accélérant et mes roues arrière balancent des nuages de poussière tandis que je dérape dans les virages, dépasse un bosquet d'arbres et un coin de barrage bleu satin aux roseaux peuplés de cormorans.

Je franchis une courbe un peu trop vite et soudain apparaît une vaste ferme. Du chic rustique réaménagé : les étables et les granges ont été transformées en dortoirs, à en juger par un alignement net de petites fenêtres garnies de rideaux jaunes. Il y a un jardin d'aloès devant la maison, entretenu par une fille d'une vingtaine d'années en jean salopette, les cheveux coiffés en petits macarons. Elle lève la tête, s'abrite les yeux du soleil matinal, et me fait signe de me garer près d'un acacia, sur une série de bandes blanches tracées sur le gravier pour aiguiller les visiteurs. Je me range entre une Bentley vert anglais et une fourgonnette blanche aux vitres teintées, le mot « Havre » peint à la main sur le flanc.

Tandis que je mets le frein à main, la fille se rapproche de Paresseux et lui tend un morceau de succulente.

– Salut, Munchkin, dit-elle d'une voix de bébé. Oh, il est tellement mignon.

Paresseux se penche pour humer la feuille d'aloès. Il en prend une bouchée prudente qui lui laisse une traînée laiteuse sur le menton, et plisse le nez lorsque l'amertume envahit sa bouche.

– L'aloès est vraiment bon pour la peau, dit la fille. On fait aussi pousser des plantes autochtones et des légumes bio dans les champs, derrière.

– Pas de baraque à cheeseburgers ?

La fille retient un ricanement. Ses objets perdus lui font comme une auréole d'aigrettes de pissenlit.

– Vous êtes une patiente ou une voyeuse ? demande-t-elle.

– Une voyeuse, je réponds sans hésitation. Et vous ?

– Je suis garde-chiourme. Enfin, je fais partie de l'équipe, en tout cas. J'étais une patiente. A répétition. Crimes contre mon propre corps. Je n'arrêtais pas de vomir, puis j'ai pris de l'héroïne, et j'ai vomi encore plus.

Je devrais être surprise par sa franchise, mais les accros sont comme ça. Les douze étapes les ouvrent, et ils n'arrivent plus à se refermer, après.

– Vous devriez faire pousser du hoodia, proposé-je. Ne serait-ce pas une meilleure façon de diminuer votre appétit ?

– Ça serait plus naturel, sûr, admet la Bavarde. Mais je n'ai jamais vraiment accroché à l'argument. Je veux dire, le venin de vipère heurtante est naturel. Mourir d'une infection des gencives à trente ans est naturel. Vous savez pourquoi les Khoi utilisaient le hoodia ? Pour cacher le fait qu'ils mouraient de faim. C'est pas un peu taré, non ?

– Plutôt taré, oui.

Je la presse encore un peu pour voir ce qui en sort.

– L'endroit est bien ?

– C'est pas mal. Beaucoup de gosses de riches gâtés et de mythos, mais on ne le sent vraiment que quand on est de l'autre côté. La nourriture est bonne. Bio. Vous avez une cigarette, sur vous ?

– Désolée, en général je fais comme vous. Des gens intéressants ?

– Au niveau mythos ? La star du Big Brother anglais, la Pakistanaise. Mélanie je-sais-plus. Elle est vraiment sympa. Pas du tout ce qu'on pourrait attendre. Elle dit qu'ils l'ont fait passer pour une pétasse au montage. Hum. Le fils d'un gros politicien. Le ministre des parkings, ou je ne sais quoi. Certains ne sont là que parce qu'ils n'ont pas le choix, vous voyez ?

– Et vous, vous aviez le choix ?

– Sûr que non. C'est dans les gènes, hein ? C'est marrant, parce que j'étais à fond dans l'astrologie. Je voyais une femme une fois par mois, parfois deux. Elle était cool, même si je pense qu'elle inventait la moitié de ce qu'elle me disait. Mais je voulais vraiment croire qu'il y avait ces corps célestes qui aiguillaient ma vie, me disaient quoi faire, et finalement, ce ne sont pas les étoiles, mais un bout d'ADN foireux. Je souffre d'une programmation ratée, c'est tout.

– C'est pour ça que vous avez choisi de rester ?

– Vous voyez ce portail par lequel vous êtes entrée ? C'est une porte à tambour. Vous sortez, vous rentrez. Ça peut prendre des années, ou quelques heures. C'est inévitable. On nous parle de comportement cognitif, de briser le cycle, d'être vigilant. Moi, tout ce que j'en tire, c'est qu'il n'y a pas de libre arbitre.

– Vous en avez bavé ?

Elle hausse les épaules.

– Parfois plus que d'autres.

– J'ai un ami qui est passé par ici. S'bu ? Il ne veut même pas en parler.

– S'bu Radebe ? C'était un amour. Mais très timide. Il en a chié. Un gamin de la cambrousse. Je veux dire, il n'aurait jamais dû atterrir ici, même Veronique le disait. Et il était obligé d'écouter tous ces junkies parler des saloperies qu'ils avaient faites, de leurs passes en échange d'un fix, de leurs mômes abandonnés…

Du frère qu'ils ont assassiné, ajouté-je à la liste, mais seulement dans ma tête. Il ne sort de ma bouche que :

– Il n'aurait pas dû être là ?

– *Ag*. Vous savez, les problèmes, c'est comme les mauvaises herbes. Tout le monde en a. On peut les arracher, les empoisonner, elles finissent toujours par repousser. S'bu est trop sensible pour ce monde. Il lui faut juste s'endurcir un peu, et il ira bien. Sa sœur, par contre, elle était dingue.

– Comme nous tous, non ?

– Elle et ses copains. *Hei wena.*

– Vous voulez dire, comme Jabu ?
– Excusez-moi ? Bonjour ! Puis-je vous aider ?
Je reconnais soudain le ton professionnel que j'ai entendu au téléphone.
– J'aimerais qu'on poursuive cette discussion, dis-je à la fille tandis qu'un gars costaud, en chemise à carreaux, armé d'un sourire sérieux commence à avancer vers nous. On se voit plus tard ?
– Ça m'étonnerait. Les patients partent en excursion et c'est moi qui conduis.
Elle souffle un baiser à Paresseux.
– Au revoir, mon mignon !

Le réceptionniste me conduit à l'intérieur de la ferme. Il y fait frais. Celui qui l'a décorée a un certain sens de l'esthétique ou, du moins, du psychédélique. Le parquet de la salle de réception est en partie recouvert par un joyeux tapis orange, rouge et bleu. Au-dessus du comptoir, qui évoque celui d'un hôtel, on trouve un poster de fleurs affichant un sourire dément en Technicolor.

Devant, deux valises crème et or couvertes du monogramme LV sont parquées à côté d'un immense canapé en partie occupé par un gamin qui soupire de façon mélodramatique. Il essaie de se détendre en remuant le pied.

– Je suis à vous tout de suite, lance mon guide au gamin par-dessus l'épaule tout en me conduisant dans un couloir, jusqu'à une porte ornée d'une plaque.

Dr Veronique Auerbach – Directrice générale. En dessous : *Frappez avant d'entrer.*

Mon guide ignore l'écriteau et ouvre la porte pour révéler la dame en question, assise dans l'oriel qui surplombe les jardins, un magazine dans les mains.

– Ah, bien, fait-elle en se glissant dans ses chaussures et en se levant pour m'accueillir.

J'entraperçois la couverture du magazine. *Double Diagnostic : Santé Mentale et Abus de Substances.* Un rapide regard à l'étagère incrustée dans la base creuse du siège de l'oriel révèle une série de titres tout aussi tristement académiques. Le lourd bureau de bois est recouvert de piles de papiers et de dossiers qui empiètent sur un fin ordinateur portable argenté posé en son centre, tel l'œil du cyclone. Au-dessus du bureau, un tableau représente une hutte zouloue en flammes, une profonde racine phallique qui s'enfonce dans le sol et des silhouettes contorsionnées tout autour, figées dans leur tourment.

– Pesante lecture, dis-je alors qu'elle me serre la main.

Elle a la poigne d'une golfeuse pro : légère, mais pleine de contrôle.

– Je fais mes devoirs, dit-elle avec un sourire spontané qui creuse encore les rides autour de ses yeux.

Elle est courtaude, un mètre cinquante maximum, dans ses talons et son tailleur-pantalon noir, mais la vive curiosité de ses yeux va de pair avec son menton, du genre habitué à fouiller dans les affaires des autres. Elle a les cheveux courts, avec une frange de côté, châtains mais semés de gris. J'ai l'impression que c'est elle qui se charge de la déco. Ce doit être à cause des chaussures. Des Charles IX bleu canard aux lanières joyeusement décorées de fleurs rouges et pourpres.

– Je suis Veronique, bien évidemment. Merci d'être venue.

Comme si c'était moi qui lui accordais une faveur.

– Merci de m'avoir si rapidement reçue.

– Un titre accrocheur, « Safaris de désintoxication ». Flatteur.

– Tout est question d'accroche.

– Colbert Mashile, dit-elle en remarquant l'intérêt que je porte à la hutte incendiée. Ses premières œuvres étaient toutes liées à la circoncision. La culture, les traditions, les rites de passage, la difficulté d'être un homme, d'être mutilé.

– Vos clients s'y reconnaissent ?

– Nous les appelons « patients ». Mais, oui, je suppose que c'est le cas de certains d'entre eux. Venez, je vous fais faire le tour.

Elle n'est qu'enthousiasme et vivacité.

– Je dirais qu'entre 15 et 20 % de nos patients sont étrangers, ajoute-t-elle.

Comme une bonne journaliste, je prends des notes.

– Beaucoup viennent du Royaume-Uni. C'est un dernier recours pour les familles ; ah, cette vieille habitude d'envoyer les fauteurs de troubles dans les colonies ! Mais nous avons aussi des patients du Nigeria, de l'Angola, du Zimbabwe. Naisenya, la jeune femme à laquelle vous parliez dehors, est kenyane, par exemple. Pour la plupart, c'est une question de moyens. Trois mois chez nous coûtent la même somme qu'une semaine dans un centre anglais tel qu'Abbey.

Elle ouvre la porte sur un salon spacieux, aux chaises disposées en vague arc de cercle face à une énorme cheminée, assez grande pour y faire rôtir des enfants. Au-dessus du manteau est installée une lampe en plexiglas ornée d'un dessin naïf représentant un diable déguisé en gentleman arrogant, qui fume la pipe vautré dans un fauteuil. Sur le mur opposé, une gravure onirique d'une chèvre, tête basse, une chaîne autour du cou.

– Le diable et un bouc émissaire ? m'étonné-je.

– Ce ne sont que des illustrations, mademoiselle December, dit-elle sans en penser un traître mot. L'aspect le plus important de notre travail, ici, consiste à pénétrer les mécanismes de déni des gens, de les priver des alibis qui les font chuter.

– Expédier leurs péchés dans le désert pour qu'ils y meurent.

– C'est aussi l'une des théories concernant les animalés, bien entendu, dit-elle.

– Je ne l'ai jamais aimée, celle-là. En revanche, j'apprécie beaucoup celle de la Réincarnation Toxique.

– Je ne crois pas la connaître.

– Elle est très en vue. Le réchauffement global, la pollution, les toxines, le Bisphénol A des matières plastiques qui s'insinuent dans notre environnement ont perturbé le plan spirituel, quelle que soit la manière dont vous l'appelez. Ainsi, si vous êtes hindoue, et que vous subissez un traumatisme terrible, une partie de votre esprit se détache et revient sous la forme de l'animal dans lequel vous alliez être réincarné.

– Qu'en pensez-vous, personnellement ?

Je suis consciente qu'elle est devenue parfaitement immobile, afin de mieux me psychanalyser.

– La thérapie est offerte avec la visite guidée ?

– Désolée, c'est l'habitude. J'arrête tout de suite.

Elle lève les mains pour indiquer qu'elle capitule.

– Nous parlions d'art, je crois ? La lampe est l'œuvre de Conrad Botes et Brett Murray. Le bouc émissaire est signé Louisa Betteridge.

– C'est bien plus joli que le centre de désintox où je suis passée. La seule forme d'art était les graffitis sur les murs des toilettes.

– C'était en prison ? J'ai toujours voulu faire un programme carcéral. Nous faisons un travail de proximité à Hillbrow, vous savez ? Il porte ses fruits. Il y a beaucoup d'aposymbiotes. Vous devriez aller voir.

– J'irai sans doute, dis-je avec un léger sourire qui indique clairement que j'irai lorsque les poules auront quatre ou cinq rangées de molaires. C'est la même chose qu'ici ?

– Mêmes tactiques, mais stratégie différente. Il ne s'agit pas d'une jambe cassée mais d'une récupération à long terme. Vous ne voudriez pas écrire un article là-dessus, dites-moi ? Faire un peu de bruit ? Nous avons des mécènes impliqués dans le projet Hillbrow, mais c'est difficile.

– Ce n'est pas vraiment dans mon cahier des charges, navrée. Je peux le proposer pour une prochaine fois, peut-être.

– Je comprends. Venez, je vais vous montrer les dortoirs.

Nous traversons une cour où une bande de jeunes gens follement beaux, garçons et filles, rit, fume et bavarde. Le ratio de pommettes de rêve par tête de pipe est ahurissant.

— Visiblement, vous accueillez pas mal de mannequins, dis-je en grimpant la volée de marches qui conduit au dortoir.

Il y a deux lits par chambre. Elles sont lumineuses, joyeuses, pleines de touches personnelles.

— Beaucoup de musiciens, aussi. Des DJ. Des journalistes. Des publicitaires. Dans certains milieux, les comportements à risque vont avec la fonction.

— Des noms connus ?

— Nous prenons le secret professionnel très au sérieux, mademoiselle December. J'espère que vous n'êtes pas à la recherche de quelque scandale croustillant. Je ne pense pas que vous soyez une journaliste de tabloïd.

Hélas, elle me surestime, en vérité.

Je décide de ne pas l'interroger directement sur Song et S'bu. A la place, je lui montre le contenu de mon mouchoir : les feuilles séchées que j'ai trouvées dans la salle de bains de Song.

— Pourriez-vous me dire ce que c'est ?

Elle en prend une pincée entre deux doigts et la hume.

— Je ne suis pas experte en plantes, mais ça ressemble à de l'absinthe africaine. C'est très utilisé pour purifier, autant par les naturopathes que par ceux qui pratiquent les rituels traditionnels. Certains de nos patients apprécient beaucoup les médecines alternatives.

— Mais pas vous.

— J'aime la médecine à l'ancienne. La méthadone est une très bonne chose, même si beaucoup de traitements sont basés sur les plantes. Et n'oublions pas le pouvoir de l'effet placebo.

— La magie ?

— Il n'y a pas eu assez d'études pour atténuer mes soupçons sur son efficacité.

Je change d'angle d'attaque pour essayer de revenir sur mes pas.

— Alors, quels sont vos défis au quotidien ?

– Avec les patients étrangers ? La barrière de la langue, occasionnellement. La tentation des taux de change. Obtenir des médicaments à Johannesburg est très facile et très peu coûteux. Pas ici, évidemment. Le problème survient après, lorsque le patient se retrouve en troisième phase, dans le monde réel, en maison de sevrage.

– Des idylles ?

– La dépendance au sexe, vous voulez dire ?

– Je pensais davantage à de vraies liaisons.

– C'est totalement inapproprié, bien entendu. Nous essayons de les décourager. Parce qu'il s'agit souvent d'un substitut, de quelque chose à quoi se raccrocher, ce qui, à terme, n'aide pas le patient.

– Mais ça arrive.

– Ça pousse comme des fleurs sauvages. Les patients traversent une phase où ils sont très vulnérables. Il peut se développer entre eux des liens très forts qui ne survivront pas à l'air libre, dans le monde extérieur. Si vous êtes passée par là, vous le savez. Les gens peuvent se montrer très manipulateurs. Ils peuvent finir par se pousser mutuellement à replonger dans leurs vieilles habitudes. Et même si ce n'est pas le cas, la plupart de ces liaisons ne résistent pas, dehors.

– Serait-il possible de parler à certains de vos cli… de vos patients ? A Naisenya ?

– Je me ferais une joie d'organiser quelques entretiens. Si vous voulez bien me donner votre carte.

Elle tend la main. Je fais semblant de fouiller dans mon portefeuille.

– Ah, mince, je suis à court.

17

Home>>AdS PSYCHWEB>> Thérapie des Aposymbiotes>>
Absorption de l'Ombre

Masques de Vie : La Démystification de l'Absorption de l'Ombre

RÉSUMÉ

Cet article plaide pour la démystification de la psychanalyse des individus aposymbiotes qui témoignent d'un trauma psychique ; traumatisme lié à la peur du phénomène connu en psychanalyse sous le nom d'« absorption » de l'ombre et, plus communément, sous le nom de « Contre-courant ».

Si nous devons saluer le travail effectué par certaines organisations religieuses et par les thérapeutes non professionnels sur les individus aposymbiotes, les psychologues ne peuvent pas ignorer la stigmatisation religieuse continue des aposymbiotes au sein de la société et de la communauté médicale. Les praticiens qui, eux-mêmes, implicitement ou (dans certains cas exceptionnels) ouvertement, souscrivent à l'idée que les aposymbiotes sont des « animalés » ou des « zoos » et que l'absorption de l'ombre est « le Contre-courant de l'Enfer » ou le « Jugement Noir », perpétuent cette stigmatisation et sont souvent incapables de percevoir le véritable traumatisme que subissent les aposymbiotes en conséquence de leur appréhension permanente du phénomène en question.

Ce trauma, généralement vécu sous la forme d'une sensation irréfutable et sans cesse croissante de vide, se manifeste souvent sous la forme d'une obsession envers l'autoannihilation, par le biais d'un hédonisme extrême et d'un comportement criminel, ou comme un fétiche sexuel de l'autodestruction, par exemple à travers les bacchanales bien connues de sectes telles que le Sang pour la Désunion, qui organise l'élimination en masse de ses propres animaux afin de jouir de la la terreur et de l'extase que suscite l'absorption de leur ombre.

Si le sensationnalisme de ce mélange de sexe, de mort et d'animaux a poussé les médias à s'intéresser de plus en plus à l'exotisme des « zoos », la société a globalement ignoré la symbolique de pareils actes : il s'agit pourtant d'un cri désespéré des aposymbiotes qui souhaitent prendre en main leur propre existence plutôt que d'attendre, tel l'agneau, le canard ou le lama, le sacrifice divin.

Les cliniciens ont la responsabilité d'entendre cet appel et de revoir leur approche pour acquérir une compréhension plus objective, plus empathique et plus scientifique du phénomène d'absorption de l'ombre, ce qui à terme permettra la découverte de formes de traitement plus efficaces.

La pensée scientifique actuelle tend à considérer le « Contre-courant » comme une manifestation quantique de non-existence, l'équivalent psychique de la matière noire qui sert de contrepoint, mais aussi de terreau, au principe même de l'existence. Le processus d'absorption de l'ombre est, en fait, partie intégrante de la vie, telle que nous la connaissons, à tel point que dans *Matière Noire, Jugement Noir* (2005), le physicien Narim Jazaar estimait : « Si l'on découvrait une forme de vie intelligente ailleurs dans l'univers, il serait impossible d'imaginer une société dénuée d'une forme ou une autre de Contre-courant. »

Cette manière d'envisager le Contre-courant, non pas en tant que jugement divin mais comme un élément constituant du tissu de l'univers physique, ne peut qu'aider à soulager les aposymbiotes de l'intense fardeau de culpabilité qui bien souvent les accable.

Van Meer & Reeves (collectif, 2002) rapportent des différences importantes de fonction comportementale entre les groupes d'aposymbiotes religieux et séculiers, en particulier dans leurs réactions aux thérapies. Au cours de deux années d'études, le sentiment de culpabilité des membres des groupes religieux a été décuplé, de même que leur agressivité et leur idéalisation du suicide, contrairement aux groupes séculiers et aux groupes témoins.

Ces études forment la base d'un changement du cadre éthique et clinique dans lequel les thérapeutes et, in extenso, la société dans son ensemble, envisagent leurs interactions avec les aposymbiotes.

18

Vuyo insiste pour qu'on se retrouve au café Kaldi, dans Newtown, capitale funky de l'art, du théâtre, du design et de la mode du centre-ville. Le quartier fut incendié au début du XXe siècle pour enrayer une épidémie de peste bubonique, et je crois qu'on devrait répéter l'opération, afin de gommer la plaie constituée par ces hipsters bien-pensants qui veulent désespérément repeindre les lieux aux couleurs de l'arc-en-ciel. Il faudrait que j'arrête d'être cynique.

Je me presse entre deux tables occupées par des acteurs, des défricheurs des néo-médias, des capitalistes *BEE* en costume mais sans cravate, et des apprentis capitalistes (en costume aussi, mais *avec* cravate) qui ont l'ambition mais pas le bureau qui va avec, et viennent chez Kaldi pour profiter du Wi-Fi gratuit.

Vuyo est en retard. Je consulte mes e-mails sur mon mobile et prête une oreille à la conversation des acteurs à la table d'à côté, lesquels mènent un débat animé et hilare sur un combat imaginaire entre David Mamet et Athol Fugard. Cela dit, il est également possible qu'ils répètent les dialogues d'une pièce traitant du sujet.

Eloria a reçu 312 nouvelles réponses, dont celle d'un journaliste français qui veut faire un article, et se dit prêt à s'envoler immédiatement pour la RDC. Vuyo le trairait sans doute sous prétexte de frais de demande de visa, le convaincrait peut-être même de lever des fonds d'urgence pour évacuer Eloria. Je l'efface discrètement.

Il y a aussi un autre message étrangement anormal. Là encore, pas d'expéditeur. Peut-être que je vais installer le pare-feu de Vuyo, finalement.

Tu disais que tu m'aimerais malgré mes pustules.

Je le transfère vers mon adresse personnelle pour qu'il rejoigne le premier et manque d'être prise en flagrant délit par Vuyo, qui s'est glissé sur la chaise en face de moi.

– Quelque chose d'intéressant ?

Il ne s'excuse pas d'être en retard.

– De l'administratif, dis-je.

Il commande un black américano et attend que la serveuse soit repartie pour se lancer.

– Si quelqu'un a *l'élément* que tu cherches, nous n'en savons rien, dit-il. Mais il est dur de rater cet élément. Dur de le cacher. Il faudrait être stupide.

– Il arrive des vilaines choses même aux gens célèbres.

– Ah, mais quelqu'un se ferait du souci. Il y a une police d'assurance à ce nom, payée par Moja Records. Un virgule cinq.

– Million ?

– Et sur l'élément assorti. C'est une paire ?

– Comme souvent avec les jumeaux. OK. Et le compte MXit ?

– Désolé, je n'ai pas pu entrer.

– Quel genre de hackers minables emploies-tu ?

– Les hackers, c'est bon pour le bloc de l'Est. Le syndicat a recours aux bonnes vieilles méthodes africaines, telles qu'elles nous ont été enseignées par nos maîtres coloniaux.

– Corruption et pots-de-vin ?

– C'est tellement plus efficace.

– Et le téléphone ?

– Oui. Mon ami chez Vodacom a jeté un œil pour une petite somme. Ce numéro n'a pas passé ni reçu un seul appel depuis le dimanche 20, 2 h 36.

– As-tu une trace du dernier numéro appelé ?

– Ça te coûtera un supplément. Par chance, j'ai anticipé ta demande.

Il fait glisser vers moi une feuille de papier pliée en deux.

– Encore une chose, dit-il avant de la lâcher. Tu devrais voir un ami à moi. A Mai Mai. Dumisani Ndebele. Un *sangoma*. Il pourrait t'aider de bien d'autres manières.

– Je vais payer un supplément, pour ça aussi ?

– Ouvre la feuille.

Je m'exécute. Il y a un numéro à coût partagé à onze chiffres. En dessous, une ligne manuscrite qu'il me faut quelques instants pour déchiffrer. « Format Propriétés de Luxe Hani » et « Joue le jeu ».

– Qu'est-ce que...

Vuyo est déjà debout pour accueillir le salaryman japonais en nage, mallette menottée au poignet, que la serveuse a aiguillé vers notre table.

– Ah, monsieur Tagawa, fait Vuyo en déployant tout son charme. J'espère que le décalage horaire ne vous a pas trop assommé. Voici mon investment partner, Lebo Hani, fille du grand leader communiste. Mais ne vous inquiétez pas, elle est 100 % capitaliste. Ne faites pas attention à son animal.

– T'es vraiment un cas.

La voix de Gio, à l'appareil, porte un mélange d'admiration et de lassitude.

– Bonjour aussi.

– Bon, je viens de recevoir un coup de fil.

– Ah ?

– Le Dr Veronique Auerbach. A l'intention d'une journaliste de *Mach*. Pour confirmer qu'elle a arrangé des interviews pour toi. Si tu fais vraiment un article, bien sûr. Elle a paru sceptique. Suspicieuse, même.

– Ouais, je suis en train de rédiger le synopsis. Sexe, drogues, voyages de la jet-set.

– Ça ne m'aurait pas dérangé, si tu m'avais prévenu. Pas trop. Je veux dire, je ne pouvais pas m'attendre à autre chose de ta part, non ? demande Gio.

Sa rancœur est justifiée. Après tout, c'est moi qui, par le passé, ai volé sa carte de crédit pour retirer huit briques de son compte en banque avant d'accuser la femme de ménage.

– Le problème, c'est que ce n'est pas moi qu'elle a eu, mais Montle, mon rédac' chef. Et j'ai dû lui sortir une chiée d'explications. Alors, félicitations.

– J'ai le poste, alors ?

– Oui, et ça a failli me coûter le mien. Tu as une drôle de façon de te trouver un employeur, Zee. Je veux 1 600 mots dans ma boîte mail d'ici le 23 avril. Remue la saleté. Trouve quelque chose de sexy.

– Des saletés sexy, je suis pour.

– Et inversement, si je me souviens bien. Bon, qu'est-ce que fait le Paresseux quand tu baises ?

– Tu veux une autre morsure, ailleurs ?

– Oh, c'est coquin, ça.

A son ton, je devine qu'il est encore en colère.

– Tu pourras peut-être me montrer, plus tard, dit-il. A bientôt, baby. Je dois y aller.

– Ouais, moi aussi, dis-je en faisant décrire à la Capri un arc paresseux sous l'autoroute, en direction d'Anderson Street et du parking de Mai Mai.

Le marché des guérisseurs est moins populaire que Faraday, qui se trouve juste à côté d'une importante station de taxis. De l'extérieur, on dirait une attraction pour touristes bas de gamme, avec ses murs couleur boue et ses gerbes d'herbes qui sèchent sur le trottoir, à côté de l'entrée. Sous un préau à toit de chaume, un homme est assis sur ses talons devant une petite urne posée sur un feu dont les vapeurs âcres baignent tout le parking. Un touriste allemand sort des toilettes en ayant oublié de boutonner sa braguette et s'arrête pour bavarder avec un type qui taille des pneus pour en faire des sandales.

Le ciel a pris cette texture vive, translucide qui annonce un orage. La pression de l'air a changé. De gros cumulonimbus se massent à l'horizon et pèsent sur la ville. Ma mère nous faisait couvrir les miroirs pendant les orages, afin de ne pas attirer la foudre, et courait dans toute la maison avec des serviettes et des draps au moindre signe de nuage. Ça rendait mon père dingue.

– Des âneries superstitieuses, disait-il toujours avant de replonger dans un de ses bouquins de cinéphile. Voilà ce qui freine ce continent.

Il avait toujours fait preuve d'étroitesse dans sa définition de l'Afrique moderne.

Nous n'avons jamais été frappés par la foudre, mais de toutes les précautions de ma mère – sacrifier une chèvre aux ancêtres pour les remercier de la naissance de l'enfant de Thando, la cérémonie lorsque j'ai eu mon BA, ces stupides couvertures sur les miroirs – aucune n'a pu arrêter les balles.

Lorsque je descends de la voiture, un gamin maigrichon, entre douze et dix-neuf ans, sort de l'ombre d'un eucalyptus malingre, au bord du parking, et fonce vers moi en entamant ses boniments.

– Eh, m'dame, je m'occupe de votre voiture, m'dame. Vous voulez que je la lave, m'dame ?

Il a le regard fou, les yeux jaunâtres, et une vieille cicatrice sur le cuir chevelu, comme une raie bizarre. Paresseux recule en sentant son haleine.

– Pas aujourd'hui, merci.

– Pas cher pour toi, sœurette ! Prix spécial !

– La prochaine fois, mon pote.

Il retourne vers l'arbre, qui lui sert visiblement de maison. Une bâche est tendue maladroitement entre les branches basses et une pile de débris appuyée sur l'un des piliers de l'autoroute. Je vois d'autres silhouettes agglutinées sous l'abri de fortune.

– Attends, petit. Tu sais où je peux trouver Baba Ndebele ?

Yeux Jaunes saisit sur-le-champ et se met à sautiller vers l'entrée du marché.

– Par là, sœurette. Viens avec moi. Je vais te montrer.

L'arche carrée s'ouvre sur des rangées de maisons en brique rouge couvertes de lierre, dont les jardinières accueillent autant de fleurs que de mauvaises herbes. Une poule noire traque des miettes entre les briques. Une femme en sarong rouge et blanc, avec des boucliers zoulous et des perles croisés sur la poitrine comme des cartouchières, nous toise depuis une entrée, sans que je sache si ses regards torves s'adressent à moi ou au gamin.

Chaque fenêtre, chaque porte est un affreux *wunderkammer*. Des carapaces de tortue, un crâne de gnou avec une corne brisée, des lanières tordues de viande morte ou de matière végétale (difficile à dire), et des relents d'énergie magique, comme un vrombissement électrique dans l'air, en harmonie avec celui du trafic, au-dessus, sur l'autoroute. Paresseux se cache la tête derrière ma nuque.

– Par là, madame, par là, dit le jeune.

Je le récompense d'une pièce de 5 rands et il applaudit dans un geste horriblement servile, attend que je sois entrée, puis repart à grandes enjambées, fauchant la poule noire du pied en passant.

Je franchis l'entrée d'une minuscule salle d'attente/pharmacie. Une femme coud sur un banc étroit. Elle m'examine rapidement sans curiosité et retourne à son ouvrage sans commentaire. La pièce est garnie d'étagères ployant sous le poids de jarres en verre flou contenant des substances non identifiées. Des herbes sèches pendent du plafond et se balancent doucement dans le souffle d'un ventilateur ficelé aux barreaux métalliques d'une fenêtre. Ses pales sifflent et grincent dans un bruit de crise d'asthme. Un rideau est tiré sur le seuil d'une autre salle.

– *Sawubona,* Mama, je viens voir Baba Ndebele, dis-je à la femme à l'ouvrage.

Elle pose un doigt sur les lèvres et me regarde du coin de l'œil, puis retourne à son travail. Elle coud des perles sur une jupe orange et blanche. Je m'assieds à côté d'elle et attends. Une mouche vole selon une trajectoire rhomboïde invisible et réajuste en permanence son itinéraire, comme un insecte mathématicien se livrant à des calculs géométriques. Dehors, quelques portes plus bas, une femme éclate d'un rire franc et retourne à sa conversation murmurée. Le trafic adopte le souffle étouffé et rythmé de la marée basse, parfois interrompu par la pétarade d'une moto ou le rugissement d'un pot d'échappement percé. Le ventilateur vibre brutalement, comme s'il cherchait à se déloger de son support bricolé, puis retrouve son souffle asthmatique. Et la femme coud, perle par perle. Je fais passer Paresseux sur mes genoux et laisse aller ma tête contre le mur frais. 281 alligators. 342 alligators. 719 alligators. 953 alligators.

Je me réveille en sursaut lorsqu'une jeune femme émerge de derrière le rideau. Elle porte un bandeau autour de la tête, avec une frange de perles sur le devant et une vésicule biliaire de chèvre séchée à l'arrière. Des perles rouges et blanches entourent sa poitrine, ses chevilles et ses poignets. Elle est jolie : ses cheveux blond foncé ondulent sur ses épaules, mais son visage est impassible, soigneusement composé. Elle s'agenouille dans l'embrasure de la porte, se relève, s'incline et m'ouvre le rideau. La femme qui cousait est partie. Je remue Paresseux. Il pousse un murmure grognon et essaie de s'enfouir dans mon giron pour reprendre sa sieste.

– Viens, mon pote, dis-je en lui glissant le doigt entre les côtes. On se lève.

J'ai l'impression d'avoir la gueule de bois et, lorsque je me lève, le monde se met brièvement à vaciller. Un effet secondaire de la tempête à venir, ou de toute cette foutue magie.

Je glisse Paresseux sur mon dos et une pièce de 2 rands dans la main de la jeune femme, parce que les *thwasa* n'ont pas le droit de vous adresser la parole tant que vous ne leur avez pas donné quelque chose d'argenté. Il peut s'agir d'une simple feuille d'aluminium, mais on considère généralement que l'argent est plus apte à apaiser les ancêtres, même lorsqu'on traite avec une initiée.

– Enlevez vos chaussures, je vous prie, dit-elle.

J'ôte mes baskets et entre dans la salle de consultation. L'odeur d'*imphepho*, d'herbes brûlées, est vive.

– Voici Baba Dumisani Ndebele, *sangoma*, dit la jeune femme en désignant le colosse bâti comme un joueur de rugby agenouillé sur un tapis de roseau au centre du sol cimenté.

Il porte une veste blanche et un tablier rouge, surmonté d'une peau de léopard et d'un bandeau assorti sur le front. Son crâne rasé scintille de sueur. Ici, sans ventilateur, il fait bien plus chaud qu'à côté. Je note que sa veste est frappée du logo D & G, si discret qu'il s'agit peut-être d'une vraie. Les contrefaçons signées Hong Kong ont tendance à étaler leurs logos bidon aussi visiblement que possible. Au temps pour la vie d'ascète de celui qui sert l'esprit des ancêtres.

– *Thokoza khehla*, dis-je pour saluer les esprits, plus par reste de respect pour ma mère que par conviction personnelle.

– *Thokoza*, répond Dumisani avant d'éternuer plusieurs fois. Mon *dlozi* m'a parlé de toi.

Il agite son mobile, un iPhone flambant neuf.

– Il me dit que tu ne veux pas être là.

– Je ne savais pas que les ancêtres communiquaient par SMS, de nos jours.

– Non, il m'appelle. Les esprits trouvent la technologie moins compliquée que l'âme humaine. Moins surchargée, fait-il en se tapant le front. Ils préfèrent encore les rivières et l'océan, mais les données sont comme l'eau ; les esprits peuvent nager à travers elles. C'est pour ça qu'on ressent un picotement lorsqu'on approche d'une antenne.

– Et moi qui pensais que c'étaient les radiations...

Je sais, je manque de respect, mais je ne peux pas m'en empêcher.

– ... ainsi, il existe un réseau téléphonique pour les esprits ? Comment sont les tarifs ? Je parie que vous avez un tas de demandes de rappel.

– *Hayibo, sisi.* Tu as un *shavi* et tu es tellement cynique. Que dirait ta mère ?

Je cille. Mais ce n'est sans doute qu'un coup de bol.

– Mon *dlozi* dit que tu vas avoir besoin d'une séance. Les *amathambo* aideront à te guider.

L'initiée dit doucement :

– Veuillez poser l'argent sur le tapis. C'est 500 rands.

J'obéis et la *thwasa* quitte silencieusement la pièce en laissant le rideau retomber derrière elle.

– Honte, *sisi,* dit Dumisani. C'est parce que tu portes tes esprits avec toi. Le monde est comme ça, ma sœur. Sept milliards de personnes, ça fait beaucoup de fantômes. Parfois, ils se perdent. Mais les esprits sont lourds, *nè* ? Ils te ralentissent. Tu devrais libérer ton *shavi.*

– Très amusant.

– Ce n'est pas une plaisanterie. Il y a des façons de le faire. C'est comme au foot, il suffit de trouver un remplaçant.

– Paresseux m'a bien servi jusque-là, merci. On peut passer à la suite ?

– Je vois que tu es une femme d'action, qui ne perd pas de temps. Oui, on *peut* passer à la suite. Prends ça.

Il pose dans mes mains en coupe des coquilles de cauri, des pierres, un nautile fossilisé ébréché, des dominos (dont un cassé), des perles blanches entortillées autour d'un morceau de bois, une balle, une carte Sim prépayée (c'est décidément le moyen de communication préféré des ancêtres), et une petite figurine en plastique violet représentant un monstre très laid, qui provenait peut-être d'un Happy Meal, coiffée d'une touffe crasseuse de cheveux orange.

– Maintenant, souffle dessus et jette-les.

J'ouvre simplement les mains pour en laisser tomber le contenu. Dumisani semble irrité.

– Tu séchais le sport, à l'école, hein ?

Il examine la constellation d'objets avec le plus grand sérieux. Paresseux éternue violemment, une fois, deux fois, trois fois. Le *sangoma* annonce triomphalement :

– Tu vois, ils sont avec nous !

Je souris, mais je pense que la propension de Paresseux à éternuer n'est pas tant un signe de contact avec l'au-delà que le signe que l'encens lui chatouille le nez. Ça doit se voir à mon expression.

– Tu sais, dans ma vie passée, j'étais actuaire, dit Dumisani. Audi S4. Maison rénovée, quatre chambres, à Morningside. Tous les gadgets. Trois dames dont je prenais soin, et qui prenaient soin de moi. Deux enfants de mères différentes. Ecoles privées. Appartements. Voitures. Puis, j'ai eu l'appel. Dans mon cœur, je veux dire, pas sur mon téléphone. Les *amadlozi* ne me laissaient pas en paix. *Hakking, hakking* tout le temps. Comme le chien du voisin, qui aboie à 3 heures du matin. Ces rêves terribles. Le même, encore et encore : ma grand-mère porte un serpent qui descend de ses épaules, glisse vers moi et entre dans ma poitrine comme dans un vagin. J'ai été malade, tellement malade que mes amies ont cru que c'était le sida. Elles m'ont toutes quitté. Elles avaient peur. Je ne leur en veux pas. J'ai perdu quarante kilos en deux semaines. J'avais la peau qui pendait comme après une mauvaise liposuccion. Crois-moi, l'une de mes copines a fait une liposuccion. C'est très laid.

– Qu'est-ce qui s'est passé ?

Une flaque de sueur naît entre mes omoplates, sous le ventre velu de Paresseux. J'aimerais le poser par terre, mais je comprends à la façon dont il s'agrippe qu'il ne bougera pas.

– J'ai arrêté de résister, dit Dumisani en haussant les épaules. Ce n'est pas tellement différent des analyses statistiques, des calculs. C'est pareil avec les os. Il suffit de savoir les lire. Comme ici, tu vois.

Il retourne un coquillage blanc qui a atterri sur un domino. C'est le domino cassé, un côté vide et un trois, avec un point coupé en deux par la cassure.

– Ça, c'est le mauvais sort. Et là aussi, dit-il en indiquant le triangle formé par le troll, la balle et le domino cassé. Très mauvais. Il y a une ombre sur toi.

– Croyez-moi, j'avais remarqué.

Paresseux souffle, son haleine est chaude contre mon oreille. En fait, je faisais référence au Contre-courant. Son inévitabilité me broie. Parfois, je me réveille au milieu de la nuit, j'étouffe, ma poitrine me fait l'effet d'être une compression de ferraille. Finalement, peut-être que le talent qui va avec n'est qu'une distraction pour vous occuper en attendant que les ténèbres vous rattrapent.

– Et là ?

Le *sangoma* pousse du doigt un coquillage en forme d'éventail strié de rouge. Il semble impressionné.

– Waouh, fille, tu as fricoté avec un très mauvais *umthakati*, ou alors tu es un véritable aimant à *imoya emibi*. Je ne sais pas si un poulet suffira. On va peut-être avoir besoin d'un taureau pour *ça*.

– Le sacrifice de poulet, de vache, les mauvais esprits et les ombres ne m'intéressent pas vraiment. C'est très simple. Je cherche quelque chose, et Vuyo a dit que vous pourriez m'aider.

– Quelque chose ? Ou quelqu'un ? demande-t-il d'un air perspicace. Parce que cette petite pierre, là…

Il remue du pouce le petit morceau de quartz.

– … me dit que tu n'es pas très honnête avec moi.

– Quelqu'un, admets-je à contrecœur.

– Deux personnes, dit-il, son doigt allant et venant entre deux morceaux d'ambre pratiquement identiques. Des jumeaux ? Les jumeaux sont très puissants. Dans la culture zouloue, on tue l'un des deux pour tuer le mauvais sort.

– Puis-je ajouter les humains à la liste des choses que je ne veux pas sacrifier ?

Malgré tout, je suis impressionnée, un peu secouée, et il le sait. Je cède :

– Désolée, *baba*, je ne voulais pas manquer de respect envers vous ou les *amadlozi*.

Il repousse mon excuse d'un geste de la main.

– Peu importe ce que tu veux ou ne veux pas. As-tu quelque chose qui appartient à ces personnes ?

– C'est précisément mon problème.

Il lève l'index d'un mouvement vif et saccadé.

– Un instant.

Il prend son téléphone, comme s'il avait sonné, et fait semblant de répondre.

– Oui, je sais, foutrement insolente. Dans son sac ? *Ngiyabonga.*

Il coince le mobile entre l'épaule et l'oreille, fait mine de continuer d'écouter, et agite le doigt en direction de ma besace.

– Tu as là-dedans quelque chose qui nous aidera.

– Mon porte-monnaie, peut-être ?

– *Hei.* Si tu ne veux pas de mon aide, *vaya.* Pars.

– D'accord.

Je remue les entrailles de mon sac, ma constellation personnelle d'objets insignifiants. Clés de voiture. Mon carnet, plein de coupures de presse sur iJusi, prises dans des magazines de musique, et une brochure des autobus Greyhound contenant les horaires pour le Zimbabwe et le Botswana, deux destinations sur la route de Kinshasa. Quatre stylos bon marché, dont un seul fonctionne. Mon portefeuille, qui contient 1 800 rands, soit 1 300 de plus que ce que j'ai vu depuis longtemps. Un bâton de rouge à lèvres (garance, mat, à moitié fondu), des Tic Tac à la menthe, le cahier de paroles de S'bu, une carte de visite neuve, blanche (qui appartient à Maltais & Marabout), une pile de cartes de visite retenues par un chouchou (les miennes), une cigarette amochée qui perd ses brins de tabac, des sachets d'aspartame écrasés, de la petite monnaie.

– Voyons.

Sous l'effet de la concentration, le front luisant du *sangoma* se plisse comme un accordéon. Il semble suivre des indications venues de son téléphone et finit par prendre mon carnet et le cahier de paroles.

– Bien, dit-il.

Il secoue les coupures de presse et jette le carnet de côté. Il glisse le portable dans sa poche puis, tenant les coupures et le cahier dans une main, il sort un Zippo de l'autre et l'ouvre.

– Qu'est-ce que vous foutez ?

J'essaie de reprendre le cahier, mais il l'éloigne, le tient au-dessus de sa tête tandis que les pages commencent à brunir et à se recroqueviller dans la flamme qui les lèche.

– Je t'aide.

Le feu dans sa main droite a atteint sa taille adulte, chaud, vif, jaune. Des confettis de papier brûlé tombent, comme des flocons de neige aux bords calcinés.

– Vous, les jeunes, vous n'avez aucun respect pour votre culture.

Un morceau de page se détache : « Faisons la fête, tous ensemble, *siyagruva*, chérie, soyons libres ». Puis, une photo brûlée tirée des pages people, montrant Song et S'bu aux SAMA awards, prenant la pose dans des costumes à rayures identiques, avec des bretelles 80's et des trilbies assortis.

Dumisani pousse un petit cri et agite les doigts que le feu vient de roussir. Les morceaux de papier tombent au sol, sur le tapis de roseau, parmi le contenu de mon sac. Il étouffe les flammes de la main, puis réunit les débris.

Son initiée entre, chargée d'un mortier et d'un pilon en bois déjà plein d'herbes broyées, puantes, d'une tasse en fer, d'une seringue scellée dans son emballage et d'une bouteille de Coca de deux litres pleine d'un liquide jaune visqueux. Elle s'incline et repart, et le *sangoma* fait glisser les restes calcinés dans le mortier en formant un entonnoir de ses mains. Il broie le tout avec beaucoup d'emphase, puis me tend la seringue.

– Il me faut un peu de sang, je te prie. Ne t'inquiète pas, elle est parfaitement stérile. Une goutte suffira.

Je défais l'emballage et suis sur le point de me piquer quand il me fait signe d'arrêter.

– Pas toi. L'animal.

Paresseux se tasse dans mon dos en gémissant.

– Je peux m'en charger, si tu n'oses pas, propose le *sangoma* avec un soupçon d'impatience.

– Non, ça ira. Viens, mon pote, juste une petite piqûre.

Paresseux tend la patte et détourne la tête lorsque j'enfonce l'aiguille dans l'épaisse peau de son avant-bras. Une seconde après, une perle rouge vif apparaît entre ses poils. Le *sangoma* me donne une feuille séchée, avec laquelle j'essuie le sang avant de la lui rendre. Il la broie à son tour dans le mortier. Enfin, il ajoute une grosse mesure du liquide jaune visqueux, qui peut être du pus, du mucus ou du lait caillé non pasteurisé ; je ne sais pas quelle est l'hypothèse la plus répugnante. Je suppose que tout dépend de sa provenance. Il verse le mélange dans la tasse.

– *Muti* ?

– Pas pour le traitement. Ça fait partie du diagnostic. Bois.

J'ai bu ma part de liquides douteux en mon temps, mais c'étaient essentiellement des alcools louches. Et il y a eu cette fois, à l'âge de quinze ans, où j'ai bu une gorgée d'alcool de méthylène, volé dans les fournitures artistiques du lycée, mais nous n'en parlerons pas, pas plus que des vomissements qui ont suivi.

– Si vous pensez que je vais boire *ça*, vous êtes taré.

– Tu dois arrêter de lutter, dit-il en me collant la tasse contre la bouche si violemment que je m'ouvre la lèvre sur une dent.

Alors que je hoquette de surprise, un peu de l'horrible liquide entre dans ma bouche. C'est chaud, gluant, amer et sucré, comme des asticots broyés qui se seraient nourris de rats d'égout pourris. Comme la merde, la mort, la putréfaction. Paresseux glisse de mon dos, soudainement aussi mou qu'un sac de chatons noyés. Je tombe à quatre pattes, halète et suffoque, mais je ne vomis que de longs filets de salive. Puis, les convulsions commencent.

J'ai trois ans, je suis assise dans le parc et je mange ces petites fleurs roses qui poussent dans le trèfle. Le goût est incroyablement âcre et je frémis à chaque fois que j'en écrase une entre mes dents. Mais j'en prends une autre et recommence. Thando est tombé du toboggan. Je n'en suis que distraitement consciente, tant je suis concentrée sur la mastication de ces fleurs amères. Il court vers moi pour me montrer fièrement son genou écorché. Le sang coule le long de sa jambe, épais comme du miel.

Un homme avec des gants en plastique et un masque ôte soigneusement du massif de pâquerettes les morceaux du crâne et de la cervelle de Thando.

L'absence de mes parents lors du procès. Lorsque j'essaie de les appeler depuis le téléphone payant de la prison, les bips électroniques indiquant le nombre de secondes dont je dispose avant de tomber à court d'argent mesurent également le silence qui s'étire entre nous.

Je fais les cent pas devant l'entrée des ambulances des urgences de Charlotte Maxeke, en fumant férocement, en mastiquant pratiquement mes clopes. Je suis tellement absorbée par cette phrase qui passe en boucle dans ma tête (pitié ne meurs pas pitié ne meurs pas), encore tellement défoncée, que je ne remarque pas les ombres qui commencent à dégouliner des arbres, des poteaux et des recoins noirs puis se coagulent. Les moisissures font la même chose, dans les conditions adéquates : elles se regroupent pour for-

mer une communauté géante animée par une volonté unique. Seulement, la moisissure n'est pas accompagnée d'un son d'aspiration, violent, hurlant, comme le ciel qui essaie de balayer un avion. La moisissure ne vient pas vous chercher pour vous emporter dans les ténèbres.

Je ris et jure tandis que Thando, qui joue toujours au chevalier blanc, me fait descendre les escaliers des Appartements de Luxe Belham, qui n'ont jamais été luxueux et peuvent tout juste être qualifiés d'appartements. D'autres junkies nous regardent, amorphes, depuis les portes, mais ils n'interviennent pas. Beaucoup ne regardent même pas. Tout comme mes parents n'interviendront pas, pas après tout ce que j'ai fait.

— Fous-moi la paix !

Je ris et crie et rue et bats des bras alors que mon frère me pousse dans la VW Polo flambant neuve qui va avec sa promotion flambant neuve.

— Tu peux pas me foutre la p...

Songweza peint ses ongles en violet dans une chambre anonyme. Lorsqu'elle a terminé, elle écarte les jambes et peint des lignes étroites, comme des coupures, à l'intérieur de ses cuisses.

Le World Trade Center. A la différence près que les avions qui tournent autour des tours jumelles ont des plumes noires parsemées de blanc et de longs becs acérés.

Après coup, le massif de pâquerettes garde la forme du corps de Thando. On pourrait s'attendre à un effet de cartoon : la silhouette exacte de Vil Coyote, les bras levés sous l'effet de la surprise. Mais ce n'est qu'un massif écrasé. Branches cassées. Feuilles malmenées, déchirées. Les fleurs blanches tachées comme par une pluie de rouille.

Où sont tes parents ? demande la dame du supermarché en se penchant pour me parler. Ses yeux sont doux, mais son badge dit : « Meurtrière ! Meurtrière ! Meurtrière ! »

Lorsque mes parents sortent des urgences pour me retrouver, pour me dire, s'accrochant l'un à l'autre comme si la gravité avait cessé de s'appliquer et qu'ils cherchaient une nouvelle manière d'évoluer dans l'espace, ils voient que je sais déjà. Je suis assise sur le trottoir, dans le stroboscope rouge et bleu d'une ambulance. Je tremble, je suffoque, je pousse des sanglots terrifiés. Paresseux s'accroche à ma poitrine, les bras autour de mes épaules, comme l'étreinte de Judas. Le Contre-courant n'est pas pour tout de suite. Mais j'ai eu le temps de sentir la chaleur sèche de son souffle.

Les Tsotsis sont sur scène, avec leurs masques de ski à la Mzekezeke. Ils les enlèvent. Ils ont tous le visage de Songweza. Puis ils retirent leurs visages.

Un e-mail. Année, fabricant et modèle. Permis et immatriculation. Heure et adresse. Je ne me sens pas coupable. L'assurance paiera pour la bagnole et j'aurai réglé ma dette envers mon dealer. On vole des voitures tous les jours. Mais je n'ai pas pris en compte l'intervention du chevalier blanc.

Je trépigne dans les flaques d'eau du jardin, chaussée de mes galoches coccinelle rouge et noire, le visage souriant de l'insecte plaqué sur les orteils. Il y a des flamants roses dans les flaques, comme dans ce documentaire que j'avais vu, autrefois, sur le pan d'Etosha. Ou Okavango ? Je cours vers eux avec joie, remuant les bras comme un moulin et criant pour les faire s'envoler/les effrayer. Mais la flaque suivante n'est pas une flaque, et elle m'avale en entier. Tandis que je coule, je lève les yeux et me rends compte que ce n'étaient pas des flamants roses du tout. Et quelque chose me tire vers le bas.

19

BIBLIOZOOLOGIKA : ÉTYMOLOGIE DES TERMES ANIMALES

M

***Mashavi* : Mot sud-africain (spéc. Shona) utilisé pour désigner à la fois le talent surnaturel conféré par un aposymbiote et l'animal aposymbiote lui-même.**

Ce terme est apparu sous forme imprimée pour la première fois en 1979, orthographié « mashave », dans un texte sans rapport avec le sujet (*Mythes et Légendes d'Afrique du Sud*, par Penny Miller, publié par TV Bulpuin, Cape Town) qui reflète néanmoins l'usage et le sens commun du mot dans l'Afrique du Sud de notre époque.

« Les *mashave* sont l'esprit des étrangers, ou des vagabonds qui sont morts loin de leur famille ou de leur clan et n'ont pas été convenablement ensevelis. Pour ces raisons, ils ne sont jamais "rentrés chez eux" et ont continué à errer sans fin dans le bush. Les esprits déracinés comme ceux-là sont redoutés car ils sont perpétuellement en quête d'un hôte vivant dans lequel s'établir ; dans la mesure où l'esprit d'un vagabond ne peut pas retourner à la terre de ses ancêtres, il cherche le corps de quelqu'un qui acceptera de l'abriter.

Si l'humain n'est pas consentant, il se met à souffrir d'une maladie que la médecine européenne ne peut guérir, et qui doit par conséquent être traitée par un devin. Si le diagnostic révèle un cas de possession par un *mashave*, le patient doit décider s'il accepte ou rejette l'esprit. S'il ne l'accepte pas, le devin transfère le *mashave* dans le corps d'un animal (de préférence une poule ou une chèvre noire) en lui imposant les mains. Ensuite, il conduit l'animal dans les étendues sauvages, de même que les anciens prêtres israélites emmenaient le bouc émissaire dans le désert après en avoir fait le dépositaire des péchés de leur peuple.

Quiconque a le malheur de recueillir l'animal maudit deviendra à son tour l'hôte du *mashave*.

Si le malade accepte son *mashave*, la maladie le quitte sur-le-champ. On organise une cérémonie particulière au cours de laquelle il est initié dans une secte formée de groupes de personnes qui possèdent toutes des *mashave* similaires. Certaines sont sages-femmes, d'autres s'adonnent à la divination ou à l'herboristerie. On pense même que certains individus possédés par des *mashave* gagnent des capacités plus insolites, comme une grande adresse au football, à la course à cheval ou tout simplement d'excellents résultats scolaires ! »

20

J'ouvre les yeux. Je suis assise sur le banc étroit, dans la salle d'attente. Paresseux est recroquevillé sur mes genoux. J'ai dans la main une bouteille de sirop pour la toux sans étiquette. L'initiée est debout à côté de moi et me tend mon sac.

– Qu'est-ce que c'est ? je demande en examinant la bouteille de verre dans ma main.

Le liquide visqueux qu'elle contient est d'une couleur soufrée toxique.

– *Muti.* Pour vous purifier des mauvaises énergies.

– Comme le poison que vous m'avez donné à boire ?

– Ça soulagera les maux de tête. La magie animale est très puissante. Il y aura peut-être des effets secondaires. Utilisez-le selon vos besoins.

– Merci, dis-je avec tout le sarcasme que je peux mobiliser. Je laisse tomber la bouteille dans mon sac avec la ferme intention de la vider dans le lavabo une fois rentrée.

Le tonnerre grommelle, fait frémir le volet, le toit de tôle. La clarté diurne a diminué. Je titube jusqu'à la porte, serrant Paresseux contre ma poitrine. Tout a l'air *plat.* Ou peut-être est-ce simplement que je souffre encore des effets du poison du *sangoma.* Paresseux grogne et s'étire. J'ôte le foulard de mes cheveux et en fais une sorte d'écharpe pour le porter.

Du verre scintille sur le béton, à côté de ma voiture ; la vitre du conducteur a été brisée. Je prends soudain conscience que mon mobile ne faisait pas partie des objets que j'ai sortis de mon sac sur le tapis de roseau ; j'ai dû le laisser sur le siège passager après mon coup de fil à Gio.

Mon mal de crâne serait capable de dévisser la tête à une gueule de bois ordinaire et de lui chier dans le cou. Les cigales grincent. La circulation vrombit et bourdonne. De grosses gouttes de pluie tombent en éclatant comme des gouttes d'huile. Je me dirige vers l'homme occupé à tailler de la gomme. Même les touristes ont battu en retraite devant l'orage, et le parking est désert.

– Excusez-moi, avez-vous vu qui a cassé ma vitre ?

Il détourne les yeux.

– Vous étiez juste là. Vous l'avez forcément vu.

Il jette une tranche de gomme à mes pieds, un geste aussi éloquemment méprisant que s'il avait craché.

– Casse-toi, apo.

Je regarde autour de moi, à la recherche de mon garde-voiture aux yeux jaunes. Il n'est nulle part. La pluie redouble. Une odeur agréable monte à mes narines et m'attire vers la bâche pendue à l'arbre. Je baisse la tête pour m'y engager et, comme mes yeux s'habituent à la pénombre, je me rends compte que l'abri est beaucoup plus vaste que prévu, que quiconque vit ici a creusé un véritable terrier dans les débris. Je m'accroupis et avance à croupetons dans une brume de fumée, plus lourde que le mandrax ou le *tik*, avec des effluves aigres, mais peut-être qu'il s'agit seulement d'odeurs corporelles. Il y a aussi un autre relent, trop familier : le réseau de drainage. Je distingue trois silhouettes assises sur leurs talons, occupées à faire tourner une pipe.

– *Eh, fokkof ! Wat doen jy ?* crie une fille en serrant jalousement la pipe contre elle tandis que je rampe dans sa direction.

Elle est jeune, pas loin de la vingtaine, peut-être un peu plus, mais son mode de vie a eu raison de son apparence, et son visage est constellé de cicatrices et d'ecchymoses. Une bosse déforme sa mâchoire, et ses cheveux épars sont parsemés de plaques imberbes, comme si on les lui arrachait par poignées.

– Je veux seulement mon téléphone.

– *Jussis.* Je te l'avais dit, *mos,* je te l'avais dit, fait Yeux Jaunes, nerveux et effrayé.

Un garçon plus âgé s'approche, tout en agressivité. Si Yeux Jaunes est un junkie faiblard, celui-là promet du vilain. Derrière lui, quelqu'un d'autre remue dans le noir en émettant une sorte de bruit de crécelle. J'ai mal estimé la situation.

– Y a pas de téléphone, m'dame, alors *fokkof,* dit Yeux Jaunes.

– Juste ma carte Sim. Elle vaut beaucoup, pour moi.

– Combien ? demande la fille.

– *Thula,* Busi ! siffle le plus âgé, faisant frémir Busi comme s'il l'avait déjà frappée.

– 200 rands pour la carte Sim, 300 si elle me revient avec le téléphone.

– 400 rands.

– D'accord.

J'ouvre mon portefeuille en veillant à ne pas les laisser voir tout ce qu'il contient, en sors quatre billets de 100 rands et les leur montre.

– Et qu'est-ce qui va nous empêcher de tout prendre, hein ? sourit Busi tout en rampant vers moi.

– Moi.

Mon passage à Sun City m'a appris autre chose que l'art de savoir attendre. Comme, par exemple, dissuader quelqu'un du regard. Ma vue s'est adaptée à la pénombre et je distingue, au fond, une fosse qui descend dans une sorte de caverne. Les gamins ont creusé un drain pour l'eau de pluie, ou peut-être le trou était-il déjà là quand ils ont posé leur bâche. Ils dorment sans doute ici, pelotonnés comme des rats. Mais il y a quelqu'un, en bas, qui remue en tous sens. Le mouvement donne un son sec, râpeux.

– T'es une sorte de ninja ? demande Promet du Vilain en ricanant à l'adresse de ses compagnons.

– Tu veux le découvrir ? Tu veux savoir quel est mon *shavi* ? La *muti* que je viens d'acheter ?

– 500 rands, dit Busi.

Cette fois, Vilain la frappe, du dos de la main. Elle sanglote et me foudroie du regard, comme si c'était ma faute. C'est peut-être le cas. Ce qui remue au fond de l'abri hésite un instant, puis recommence à s'agiter. La pluie martèle la bâche.

– Voilà ce que j'offre. A prendre ou à laisser. C'est du bon fric.

J'agite les billets bleus. Yeux Jaunes tente de les attraper et rate.

– Non-non. Le téléphone, d'abord. Et dites à celui qui remue là derrière de s'avancer pour que je puisse le voir.

Vilain a l'air amusé. Il se tapote la jambe, comme pour appeler un chien ; un Porc-épic s'extirpe de la pénombre et s'approche en boitant sur trois pattes, ses épines frottant les unes contre les autres. Il appuie son museau courtaud contre le genou de Vilain pour lui signifier prudemment son affection. D'épais fils de salive pendent de ses babines. Ses yeux sont mornes. Il a perdu une patte arrière. Le moignon a mal cicatrisé ; la chair est grise, les poils poissés de sang caillé et de pus. L'animal sent l'humidité et la putréfaction, comme le ciment brisé du trou dont il est sorti.

– Merde, qu'est-ce que vous avez fait à cet animal ?

– C'est du bon fric, m'imite Vilain. Tu en veux ? On peut avoir un bon prix de ce Paresseux. Un animal rare, hein ? On peut commencer par un doigt. Ou une patte.

– Le bras entier, même, dit Busi, qui s'est enhardie et s'approche. Ça te manquera pas. Tu t'en rendras même pas compte.

Le Porc-épic me regarde avec ses petits yeux porcins et malgré moi, malgré les règles de Sun City, je commence à reculer, lentement. Merde pour le téléphone. Odi peut se permettre de m'en payer un autre. Mais Vilain a réussi à se faufiler derrière moi et me bloque le passage.

La pluie tombe par seaux, dans un rugissement de stade en délire. Dehors, des grêlons ricochent contre le béton. Vilain sort de sa poche un tournevis dont l'extrémité a été affûtée pour former une pointe. Il est crasseux, mais si vous vous faites poignarder par ce truc, le tétanos sera le cadet de vos soucis. J'ai déjà vu de sales blessures de ce genre. Une fille des gangs, en prison, s'était fait planter dans les reins par une amoureuse déçue. L'infection a mis des semaines à la tuer.

– Pars pas tout de suite, trésor, dit Vilain en élevant la voix pour couvrir la pluie.

– Si vous m'aviez dit qu'il y avait une fête, j'aurais préparé des cookies.

J'ouvre la main pour laisser tomber les billets ; la fille plonge pour les ramasser, comme prévu. Je gagne une seconde.

J'attrape le bras de Paresseux et envoie ses griffes au visage de Vilain avant qu'il ne puisse lever le tournevis. Il hurle et tombe à la renverse en se plaquant les mains sur le nez et les yeux. Je ne m'attarde pas pour évaluer les dégâts. Je me retourne et me jette sur Yeux Jaunes de tout mon poids, le renversant sur la fille, qui est encore à genoux, occupée à ramasser les billets. Sa tête touche le sol dans un choc douloureux. Je n'ai pas le temps de me sentir coupable. Règle de Sun City : descendre le chef et s'esquiver d'une façon ou d'une autre. Je contourne le Porc-épic, dont les épines acérées m'égratignent et s'accrochent à mon jean, et pars dans la direction opposée à celle que Vilain s'attend à me voir prendre. Je plonge dans le trou déchiqueté et les ténèbres du drain.

A quatre pattes, je progresse le long du tunnel, dépasse un tas de couvertures qui sentent la fumée, la sueur et l'urine, une main contre le béton pour me guider. Mes baskets couinent dans le ruisseau de boue pourrie. Je ne vois rien, mais je sens l'eau qui coule autour de moi.

– J'espère que tu regardes où on met les pieds, dis-je à Paresseux qui, encore sous le choc, réussit à couiner faiblement.

Le tunnel devrait bientôt déboucher sur un déversoir central. Il y aura des bouches qui me permettront de regagner la rue. Il me suffit de les atteindre avant qu'ils ne me rattrapent.

J'entends, derrière moi, les échos distordus de voix hargneuses. Avec un peu de chance, ils en sont encore à se demander si j'ai filé vers la gauche ou la droite. Avec un peu de chance, ils vont se séparer. Ça sera plus facile pour moi. Je continue d'avancer dans le noir, debout mais courbée en deux. L'eau traverse maintenant mes chaussures et, au début, je crois que c'est parce que le tunnel s'est élargi, mais c'est tout simplement la pluie qui fait monter le niveau. Une autre bonne raison de presser le pas.

Paresseux grogne un avertissement une seconde trop tard ; le tunnel s'ouvre sur un large et glissant plateau ; je dérape, tombe et atterris deux mètres plus bas, sur le coccyx, contre l'arête d'une marche. La douleur est comme un clou de chemin de fer qu'on m'aurait enfoncé dans la colonne vertébrale. Elle me coupe le souffle. Je gis un instant, sonnée, tandis que Paresseux gémit et sanglote pour me pousser à me relever.

Je me retrouve au bord d'une grande cage d'escalier plongeante, dont les marches s'inclinent d'environ trente degrés. En relevant la tête, je vois que plusieurs canaux affluent au sommet des escaliers, et chacun crache une cataracte sombre. Au-delà, le plafond voûté s'élève comme celui d'une cathédrale. Je ne peux voir tout cela que grâce au cercle lumineux, véritable oculus, vers lequel monte une étroite échelle métallique, un niveau plus haut, ironiquement hors d'atteinte.

Les voix se rapprochent. Yeux Jaunes passe la tête hors de l'un des tunnels tributaires, un mètre ou deux au-dessus de ma tête, et m'éclaire au moyen d'une lampe torche.

– Là ! Elle est là ! crie-t-il d'une voix que l'excitation rend aiguë.

Il reçoit une réponse étouffée, comme venant de quelqu'un qui parle sous l'eau.

– Aidez-moi ! Aidez-moi à descendre ! hurle Yeux Jaunes.

Paresseux cliquette dans mon oreille, me tâte les épaules pour me faire me relever. Je réussis péniblement à me mettre à quatre pattes, puis descends sur la marche suivante, et celle d'après.

Cette sorte d'escalier s'aplatit pour former une artère principale d'un mètre de large. J'essaie d'avancer le long de la rive étroite du canal, mais le béton est en miettes et gluant. Je n'ai pas le temps de jouer à l'équilibriste. Je me glisse dans l'eau. Elle monte jusqu'à ma taille, horriblement chaude, comme si quelqu'un avait pissé dedans. J'entends une éclaboussure, quelque part derrière moi. Le son est déformé par le tunnel, si bien que je n'ai aucune idée de sa proximité. Je risque un coup d'œil par-dessus mon épaule, mais il n'y a que le noir.

L'eau coule dans une alcôve, où elle peut s'accumuler tandis que le canal décrit un virage. Le décor a changé. Le ciment moderne laisse la place à de vieilles briques, une relique victorienne de l'âge d'or de la ville. Je m'extirpe du courant et me mets à couvert, le dos contre le mur de l'alcôve, et m'accroupis parmi les débris en m'efforçant de me faire aussi petite que possible, tout en restant prête à bondir. Paresseux est recroquevillé contre ma poitrine, toujours en écharpe. Il frissonne violemment. Des choses rampent dans mon dos. J'essaie de ne pas y penser. *J'espère* que ce sont des cafards.

– Ici, pou-pou-poulet ! appelle Vilain depuis plus bas dans le tunnel.

Il a l'air en colère. Le gloussement nerveux de la fille lui répond. Ce qui signifie qu'Yeux Jaunes préfère rester discret, ou qu'ils connaissent les tunnels mieux que moi et que ce dernier s'est séparé des autres pour m'attendre quelque part devant. Je dois retourner à cette échelle.

Les éclaboussures finissent par annoncer Yeux Jaunes et sa torche, suivis à une distance prudente par Vilain, qui patauge au centre du canal, le tournevis maintenu au-dessus de l'eau. Son visage est embelli de deux nouvelles balafres. J'espère qu'elles vont s'infecter. Les blessures infligées par des animaux se putréfient parfois de manière étrange et horrible.

Je me tasse contre le mur, Paresseux se recroqueville de plus belle pour paraître plus petit, glisse la tête sous la mienne, et nous retenons tous deux notre souffle. Les gamins passent à côté de nous. Yeux Jaunes marmonne une mélodie atone. S'ils continuent à avancer, je vais pouvoir revenir sur mes pas.

Quelque part dans leur sillage, la fille couine de surprise.

– Arrête de faire la conne ! crie Vilain par-dessus l'épaule sans se soucier de se retourner complètement.

Busi apparaît un instant plus tard, longeant la rive, utilisant mon téléphone pour éclairer ses pas. Elle secoue les pieds comme un chaton et lève une basket trempée, dont les lacets pendouillent, noirs de crasse.

– Tumiiiiii, glapit-elle en essayant de se débarrasser de la chaussure. Ça glisse.

– Alors marche au milieu, rétorque Vilain.

Elle se penche pour ôter la godasse humide de son pied nu. Puis, elle lève la tête et nous voit. Je pose le doigt sur mes lèvres, implorante. Elle me fixe. Un alligator. Deux alligators. Quatre alligators. Cinq alligators. Six alligators. Et elle glapit enfin :

– Ici ! Tumi ! Elle est là, elle est là, elle est là !

Merde. Au temps pour la solidarité entre victimes. Je la pousse dans le canal. Elle crie, un son faiblard abruptement coupé par son plongeon. Elle émerge une seconde après en ruant et en hoquetant, sans sa chaussure ni mon téléphone.

— Debout ! je crie à cette idiote, qui ne se rend pas compte que l'eau ne monte que jusqu'à sa taille, voire à sa poitrine.

Le Vilain Tumi revient en pataugeant vers moi, tout sourire. Yeux Jaunes le suit de près.

— Faudrait peut-être que tu aides ta copine, lui dis-je tout en tâtonnant d'une main parmi les débris à mes pieds. L'eau monte.

— Elle peut se démerder toute seule, il répond, mais Yeux Jaunes s'arrête pour l'aider à se relever.

Elle s'effondre contre lui en sanglotant et manque de le faire tomber à son tour.

— Et toi ? je lance à Tumi.

Je temporise pour le plaisir. J'ai trouvé ce que je cherchais. Je referme l'autre poing sur une brique cassée, me redresse et la jette de toutes mes forces, non pas vers sa tête, mais vers sa main. Il hurle et lâche le tournevis. L'arme tombe dans l'eau et disparaît, emportée par le courant avec les autres détritus. Busi pousse un cri de détresse.

Tumi se hisse hors de l'eau et me bondit dessus. Mais c'est le bras de Paresseux qu'il attrape, il l'arrache de son écharpe et le jette dans le canal. Paresseux coule, trop surpris pour faire le moindre bruit.

— Et maintenant ? fait Tumi avec un rictus joyeux.

Il n'a pas vu que Paresseux a émergé et commence à nager vers la rive, ses longs membres battant élégamment l'eau. Mais le courant est plus fort que lui et l'angle de sa trajectoire vers la rive se fait de plus en plus aigu tandis qu'il est emporté.

— Va te faire mettre.

Je lui plante l'épine de porc-épic cassée dans le cou, attrape mon sac et plonge dans le canal à la suite de Paresseux, sans attendre de voir les conséquences.

Nous sommes entraînés sur des kilomètres, accrochés l'un à l'autre, battus par les parois de ciment sur lesquelles nous rebondissons. A un moment, nous percutons une branche coincée au fond de l'eau qui nous laisse des égratignures sur les bras et les jambes.

Il nous faut du temps pour trouver la force de nous relever et de poursuivre, et lorsque je passe Paresseux sur mes épaules, il est tellement trempé que j'ai l'impression qu'il a pris cinq kilos. Il reste terriblement silencieux. Ce qui indique que nous sommes vraiment dans la merde, puisqu'en général il est le premier à se plaindre en braillant dans mon oreille.

Le pire, c'est que je ne sais pas où nous sommes. Je ne suis pas vraiment une sorte d'autorité sur les canaux de drainage de Joburg, mais je les ai si souvent parcourus en cherchant des objets perdus que j'ai une assez bonne idée de leur géographie. Or, je ne reconnais rien. Les tunnels sont un fouillis de trous de termites noirs comme le charbon. Certains s'étrécissent au point de disparaître, comme si celui qui les avait percés s'était lassé en cours de route et avait laissé tomber. Peut-être s'agit-il des premières excavations minières, lorsque Johannesburg se réduisait à un camp de prospecteurs hirsutes fouillant la poussière. Peut-être qu'on va trouver une pépite grosse comme la tête de Paresseux.

Celui-ci me guide dans le noir, serrant mes épaules comme si c'était un guidon. Si nous pouvions trouver un objet perdu, je suivrais la connexion jusqu'à la surface, comme une piste de miettes de pain.

Mais, des heures plus tard, nous n'avons toujours rien trouvé, ni objet perdu, ni passage menant où que ce soit, juste une succession de culs-de-sac dans ces ténèbres humides. Paresseux émet un unique couinement, un pauvre petit bruit, tandis que je m'affale contre un mur. Mes pieds me font mal, j'ai l'estomac serré comme si la faim était un bonbon qu'il pouvait essorer.

– Te bile pas, mon pote, on va sortir d'ici, je dis. Pas d'inquiétude.

Mais il sait que je n'y crois pas. Il fait si sombre, ici, que mes yeux s'inventent des fantômes pour compenser la privation sensorielle ; des remous de noirceur dans le noir. Le silence est celui du purgatoire.

Soudain, Paresseux pépie et lève la tête. La nage n'est pas le seul domaine dans lequel il est plus doué que moi. Je tends l'oreille. Mon cœur tombe dans mes tripes.

– Ce sont eux ?

Il y a un ronflement bas, presque inaudible, mais il gagne en puissance, comme de la house qui atteint son crescendo quand on approche de la piste de danse. Je me lève précipitamment.

– De l'eau ?

Chaque année, on entend parler de gamins qui se sont noyés dans le réseau de drainage, pris dans des montées d'eau venues de nulle part alors qu'ils sont dans les tunnels, occupés à fumer de la came ou à jouer aux Tortues Ninja.

Mais Paresseux fait claquer sa langue, irrité. C'est quelque chose d'autre. Il me tapote le visage d'une patte empressée, comme lorsque je n'entends pas le réveil.

– D'accord, d'accord, je lui dis en me relevant maladroitement.

Je me mets en marche vers la source du bruit. J'espère que ça ne sera pas une muraille d'eau.

Le son résonne dans les tunnels, monte pour devenir un tremblement de terre à vous faire frémir les dents. Il y a une lueur droit devant, la lumière de la civilisation. Une étincelle d'espoir naît dans mon ventre. J'avance en chancelant, passe un virage et débouche dans une lumière artificielle aveuglante. Je distingue d'énormes côtes métalliques longeant le tunnel, comme le ventre d'une baleine robot. Puis, un coup de fouet de verre et de métal cingle l'air à côté de ma tête.

Un visage rose, flou, surpris, regardant à travers la vitre, la bouche ouverte en un O parfait, est le seul témoin de la presque mort de Zinzi December sous un Gautrain.

21

Brixton n'est pas tout à fait le nouveau Melville, mais depuis House of Nasko, et à présent Counter Rev, le quartier s'est animé et retentit de l'inévitable cortège de voisins irrités qui se plaignent du niveau sonore et des voitures qui bloquent leurs allées. Je marche jusqu'à l'entrée en ne boitant que légèrement. Il m'a fallu des heures pour faire disparaître l'odeur d'eaux usées qui imprégnait la fourrure de Paresseux. Je porte un haut à manches longues sous ma robe chasuble 60's afin de dissimuler l'essentiel de mes dernières écorchures. Hormis cela, nous avons plutôt bonne mine malgré les événements les plus récents de la journée, à savoir notre traversée furtive du réseau de sécurité du Gautrain et notre quête d'un taxi, dans Sandton, qui accepterait d'emmener une zoo mouillée et puante en ville pour récupérer sa voiture.

Le numéro à coût partagé que m'a donné Vuyo est celui d'une société de taxis, Quick-quick. L'opératrice vérifie le registre du samedi matin, 2 h 46.

– Oui, nous avons reçu un appel, dit-elle avec rudesse. On devait retrouver le client au 14 Highbury Road, Brixton. Une sorte de boîte. Counter Revolutionary, vous connaissez ? Direction Morningside. Vous allez payer, alors ?

— Payer ?

— Le client ne s'est jamais pointé. Notre chauffeur a attendu vingt minutes. Il aurait eu le temps de faire deux courses. C'est un manque à gagner. Ça fera…

Je raccroche.

Les portes de Counter Rev sont majestueusement hautes, noires, vernies, avec des poignées argentées coulées en forme de C et de R inversés se faisant face. De l'intérieur provient du hip-hop aux paroles vives posées sur une mélodie épaisse, teigneuse. Le videur porte des lunettes de soleil, une veste rouge et noire frappée au revers d'un insigne en forme de casque doré, le tout rehaussé d'épaules de déménageur et d'une bonne dose d'agressivité. Mais, lorsqu'il me voit hésiter, il laisse tomber son numéro et soulève le cordon de velours.

— Vous entrez ?

— J'attends quelqu'un. Merci.

Ledit quelqu'un n'arrivera que dans une heure, au moins. Je suis diablement en avance, mais je ne suis pas là pour voir Gio.

— Il fait meilleur dedans, insiste le videur. Juste pour dire.

— Oui, mais on n'a pas le droit de fumer, dedans…

Je tapote le paquet de lights acheté spécialement pour l'occasion.

— Comme dans la chanson : *I fought the law…*

— … *and law won,* acquiesce-t-il en glissant un briquet en plastique bon marché sous le bout de ma cigarette.

Fumer reste la meilleure manière de briser la glace que connaisse le genre humain. Ses yeux passent rapidement sur les bleus de mes poignets.

— Le Paresseux va poser problème ? je demande.

— A vous de me le dire.

— Vous n'avez pas de règlement ?

— L'admission est à la discrétion de l'établissement.

— Qui décide ?

— Moi.

— Vous n'êtes pas très loquace.

— Je ne suis pas payé pour.

— Alors, vous refusez quel genre de clients ?

Il énumère les catégories en tendant les doigts un par un. Il en a deux en attelle et ses phalanges sont sillonnées de fines cicatrices : de la boxe amateur, j'imagine. Un videur ne voit pas tant d'action que cela dans un aussi joli quartier.

— Ceux qui ne correspondent pas au dress code. Ceux qui sont déjà ivres. Les dealers connus. Les gens dont l'attitude me déplaît.

— Je corresponds au dress code ?

— Oui.

— Et vous aimez mon attitude ?

Je laisse tomber mon mégot et l'écrase du bout de ma botte.

Il change brusquement de comportement.

— Eh, vous êtes une des nouvelles ? demande-t-il abruptement.

— Peut-être que j'aimerais en être.

Je ne m'attendais pas à ce genre de retournement.

— Parce que l'entrée du personnel est derrière. Joey sait que vous êtes là ?

— Je ne sais pas.

— Allez voir. Et prenez votre mégot avec vous.

— Merci. Je n'ai pas saisi votre nom ? dis-je en ramassant le *stompie* pour le fourrer dans ma poche.

— Ronaldo.

L'entrée du personnel donne sur les cuisines. Un homme sortant un rouleau de maki tout fait du frigo m'aiguille vers un escalier. Je note mentalement d'éviter les sushis. J'emprunte un couloir décoré d'une série de casiers, dépasse la porte ouverte d'une salle de bains où un troupeau de serveuses sublimes et terriblement jeunes retouchent leur maquillage, et monte les marches qui conduisent à une porte frappée d'un écriteau MANAGER. Je tape et m'exécute lorsqu'un brusque « Entrez ! » me répond.

La porte s'ouvre sur un bureau austère surplombant la piste de danse. La vue est agrémentée de plusieurs moniteurs reliés aux caméras de surveillance, lesquels affichent une vue différente toutes les vingt secondes, dont un aperçu du dessus des lavabos, dans les toilettes. Une femme gigantesque parcourt des yeux un tableur, si j'en crois le reflet dans la vitre derrière elle. Elle lève sur moi un regard fatigué et se débarrasse de ses lunettes comme si elle n'avait pas l'habitude de les porter. Ou d'être vue avec.

– *Ag*, non. Non, non, non, dit Joey en me voyant.

Ses cheveux blond cendré sont aussi raides que des draps militaires, et du fard à paupières pailleté souligne la différence de couleurs de ses yeux : l'un bleu, l'autre noisette. Elle porte un smoking par-dessus un corset qui comprime ses formes généreuses, mais pas ses nichons, qui font tout leur possible pour s'échapper et lui voler la vedette. Elle a dû faire fortune au cours de son Ancienne Vie qui, je le soupçonne, consistait à polir une barre chromée et à danser sur diverses paires de genoux.

– Je ne sais pas qui t'a dit de venir me voir, ma chérie, mais tu es beaucoup trop vieille. Désolée.

– Je ne peux même pas… être serveuse ? hasardé-je.

– Désolée, *engel*. Ça ferait un peu trop d'exotisme d'un coup, même pour notre clientèle. On ne cherche que des danseuses. Mais peut-être qu'un rade comme le Foxhole engagera une fille aussi âgée que toi.

– Mais j'avais vraiment envie de travailler ici, dis-je en geignant comme une gamine gâtée. Odi a dit que je pourrais.

– Oh, vraiment ? Eh bien, dommage pour toi, *skattebol*, tu n'es pas la petite Carmen. Tu diras à Odi qu'il pourra se mêler du recrutement quand il daignera se pointer ici, et pas avant.

Elle reporte son attention sur l'écran comme si c'était un aimant.

– Tu es toujours là ? demande-t-elle sans relever les yeux.

Je saisis et file vers le bar.

Côté scène, Counter Rev est un mélange de décadence années folles et d'électro-glam. Gatsby le Magnifique rencontre Lady Gaga, tout en argent et blanc. Un énorme lustre aux formes abstraites, découpé dans du plexi transparent, pend au-dessus du bar ovale, dont le comptoir est illuminé d'en dessous par des néons blancs. Odi n'a pas regardé à la dépense ; on est loin de la salle de concert grunge de Bass Station. La piste de danse est cernée par un troupeau de cabines tendues de cuir crème, orientées de manière à laisser un minimum de privauté à leurs occupants, tout en leur permettant de voir et d'être vus sans gêne. Face à ces cabines, celles des DJ forment trois grandes arches aux plates-formes surélevées, ceintes de barreaux de bambou blanc décorés de rubans.

– Vous êtes la nouvelle ? demande le barman en donnant un coup de menton en direction des cages des danseuses.

Il est mignon, dans le genre *schmodelly,* si l'on omet son nez trop long et sa peau trop pâle pour avoir l'air vraiment blanche à la lueur des néons.

– Juste une cliente. Donnez-moi un gin tonic, mais sans gin.

– Ça roule, fait-il en s'exécutant.

– Vous savez quoi, donnez-moi la totale, dis-je en ignorant le sifflement de Paresseux dans mon oreille. Je crois que je l'ai mérité.

– Comme vous voulez, répond-il en me versant un double.

Paresseux tend le bras et essaie de faire tomber le verre du comptoir.

– Petit plaisantin, dis-je en interrompant son geste. Désolée, il ne tient pas l'alcool.

– Ouais, j'en ai entendu parler. Vous buvez et l'animal trinque, c'est ça ?

– C'est un problème, admets-je. Vous avez un endroit où je peux le laisser ? Un portemanteau, peut-être ?

Le barman secoue la tête, amusé, mais la question n'était pas formulée spécialement pour lui. Pas de réprimandes du côté de mon cache-col en fourrure. Je me sens intrépide. Ça fait du bien.

– Je suis en avance, n'est-ce pas ? dis-je en regardant autour de moi.

– Ça commence vraiment vers 11 heures, parfois minuit. Même en semaine.

– A quoi ressemblent les clients ?

– Riches. Branchés. Beaux. Pas mal de gens puissants.

– Je parie que vous baisez beaucoup. Comment vous appelez-vous ?

Il rougit.

– J'ai une copine. Et je m'appelle Michael.

– Qu'est-ce que vous faites quand vous n'êtes pas derrière ce bar, Michael ?

– Je suis étudiant. En biologie marine, à l'université de Johannesburg.

– La biologie marine ? Vous ne vous êtes pas gouré de ville ?

– Sans blague.

– Puis-je contribuer à votre transfert dans une cité côtière ?

Je glisse un billet de 500 rands sous mon dessous de verre.

– En échange de... ?

– Simplement du nom du videur qui était pote avec Songweza Radebe.

– Vous êtes de *Heat* ?

– Quelque chose dans ce style.

– Ça ne va pas me revenir en pleine figure ?

– Michael, s'il vous plaît. Je ne connais même pas votre nom de famille.

Il ôte le dessous de verre du bar, escamotant de manière très professionnelle le billet.

– Ronaldo. Ro. Mais je ne crois pas que ça soit allé plus loin.

– Ro est du genre jaloux ?

– Non, c'est vraiment un type sympa. Il la cherchait tout le temps. Il n'aimait pas qu'elle vienne ici, vu son âge. A cause des mauvaises influences, vous voyez ?

– Oh, je vois.

– Il a flanqué une raclée à un mec qui essayait de glisser de la dope dans son verre, il y a quelques mois. Ça arrive, parfois. On a trouvé une fille évanouie dans les toilettes, vendredi dernier. Il a fallu enfoncer la porte. Joey était en colère. Vous avez vu les toilettes ?

– Pas encore.

– Vous devriez y aller. C'est le joyau de la boîte. Les portes coûtent au moins dix briques.

– Il y a beaucoup de came, qui circule ?

– Pas si l'on en croit le règlement intérieur.

Soudain, il devient très froid et se concentre sur la glace qu'il pile pour ses cocktails. J'imagine que les *skinders* sur la dope ne sont pas inclus dans le tarif. La plupart des « règlements internes » des boîtes sont une façade ou, dans le meilleur des cas, une manière d'éloigner les dealers non assermentés, ceux qui vendent des produits louches ou qui refusent de laisser l'établissement toucher un pourcentage. La plupart des night-clubs ont leurs fournisseurs maison ; ils ne sont pas difficiles à trouver lorsqu'on sait où chercher.

Je sirote mon gin tonic et regarde les lieux se remplir. Par « gens puissants », le barman entendait des mecs âgés accompagnés de jeunettes, en un défilé varié de costumes et de petites robes noires. Ils s'installent dans les cabines et commandent du champagne et du single malt haut de gamme. La clientèle plus jeune, les habitués, s'habille avec moins d'efforts, jeans de couturier et baskets, et a tendance à filer directement au bar. Rien d'intéressant.

Je repère le dealer maison, ou plutôt il me repère. Mes phéromones de junkie l'attirent aussi sûrement qu'une crèche attire un pédophile. Il vient s'asseoir à côté de moi, comme un simple gamin voulant tenter le coup avec la fille au Paresseux toute seule au bar. Il est mignon, boucles dorées, chemise impeccable et pantalon de grosse toile. Le genre que votre père serait content de vous voir ramener à la maison.

– Salut, trésor, dit-il, je ne t'ai jamais vue ici.

– C'est la première fois.

– Ça te plaît ?

– Sûr.

– Mike dit qu'il se pourrait que tu cherches quelque chose.

Michael est occupé, de l'autre côté de l'ovale, à servir une bande de filles chics en hauts à paillettes et jupes de tailleur. Elles commencent à se lâcher au fur et à mesure que leurs verres d'après le boulot se transforment en verres de début de soirée.

– Vraiment ?

Paresseux rentre la tête dans les épaules et souffle sur le dealer.

– Eh, c'est ce qu'il m'a dit. Si je dérange, je pars.

– Je me contenterai de ça, ce soir, merci.

Son sourire engageant ne vacille même pas.

– Peut-être à plus tard, alors, chérie.

Il m'adresse un clin d'œil et va se fondre dans la foule. Lorsqu'il réapparaît, il danse à côté d'une fille en haut strass et jean taille basse, trop basse, qui révèle des dessous à paillettes et une bonne partie de son cul.

– Te voilà ! lance Gio en s'affalant sur un tabouret à côté de moi.

Il a toujours l'air de m'en vouloir, mais il a fait des efforts. Il porte une eau de Cologne très subtile, très chère.

– Pourquoi ne réponds-tu pas au téléphone ? J'ai essayé de t'appeler toute la soirée.

– Mon téléphone et moi-même avons emprunté des chemins différents. Ou plutôt, il a opéré un retrait tactique.

Mais Gio n'écoute pas vraiment.

– Ce type t'emmerdait ? C'est un vrai marché à viande, ici.

– J'ai besoin d'un service.

– Holà, m'dame. Je crois que ton compteur des Faveurs Officielles est déjà dans le rouge.

– Viens te disputer avec moi. Dehors.

– On s'y dirige, crois-moi. Et pourquoi ferait-on une chose pareille ?

– Nous avions de si belles disputes, tu te rappelles ?

– Les voisins à trois blocs à la ronde se le rappellent, Zee. *Idem* pour nos afters.

– Je n'ai pas souvenir que tu te sois plaint de nos séances de réconciliation sur l'oreiller.

– J'avais trop peur, sourit-il.

Ça l'amuse. Au lit, nous aimions jouer, et nos séances de gueulantes étaient de petits jeux de pouvoir.

– Viens. Dehors. Il te faudra peut-être me bousculer un peu.

– C'est ton nouveau trip. Tu as appris ça en taule ?

Il m'emboîte le pas tandis que je me dirige vers l'entrée. J'espère que Ro ne va pas le démolir.

Juste avant d'atteindre les portes, je le pousse, fort, en pleine poitrine, en criant :

– J'ai dit : *fous-moi la paix* !

Et je déboule dans la rue en exagérant ma claudication.

Il m'attrape par le bras, abasourdi :

– Hein ?

– Enfonce-toi ça dans le crâne, Giovanni : c'est fini !

J'en fais sans doute trop. Le gin chante dans ma tête.

– Il n'y a jamais rien eu entre nous ! Et j'en ai marre que tu me traques !

– Ah ouais ? rétorque Gio, qui commence à entrer dans le jeu. Et... le bébé ?

– Ce n'est pas le tien ! je riposte en improvisant.

– Salope !

Il lève la main pour faire semblant de me gifler, mais son bras est intercepté à mi-course par un poing qui fait la taille de sa tête.

– Votre petite fiesta s'arrête ici, mon ami, intervient l'homme qui se trouve au bout du poing. Et si vous décampiez ?

Ronaldo tord le bras de Giovanni, ce qui l'oblige à se casser en deux pour suivre le mouvement de son membre.

– Aïe. Ce n'est pas ce que vous croyez. Aïe.

– C'est ce que je me tue à te dire, pauvre taré ! dis-je, la voix pleine de sanglots. C'est fini ! Laisse-moi tranquille !

– Vous l'avez entendue. Vous avez récupéré toutes vos affaires ?

Ronaldo continue de tordre jusqu'à ce que Gio soit à genoux. Ce dernier hoche la tête.

– Alors, je vous souhaite une bonne soirée, monsieur, fait Ronaldo en le lâchant. Et que je ne vous revoie pas de sitôt.

Gio se relève en vacillant et me lance un regard noir et moche, à faire pâlir les égouts.

– Jésus. J'espère que tu es contente.

Il s'éloigne en se massant le poignet et en me maudissant à voix basse.

– Merci. Vous ne croirez pas…

– Et vous, coupe Ro à voix basse en m'empoignant le bras, je ne veux pas vous revoir de sitôt non plus. Je ne sais pas à quoi vous jouez, mais je ne suis pas dans le coup.

– OK, je suis désolée.

Je bafouille, puis décide de la jouer réglo.

– Je voulais seulement attirer votre attention. Je sais que vous avez aidé Song Radebe et…

– Et regardez ce que ça m'a apporté, coupe-t-il.

Il ôte ses lunettes et se penche, tout près, pour que je puisse voir en détail. Quelqu'un l'a salement amoché. Son visage est tuméfié, son œil droit est une fente humide au milieu d'une boursouflure violacée. Le poignet qui me maintient est constellé de brûlures de cigarette. Peut-être que ses doigts en attelle ne sont pas dus à des matchs de boxe clandestins, finalement.

– Je dois savoir où elle est.

– Je ne leur ai pas dit, dit-il en m'escortant jusqu'au coin du bloc. Alors, pourquoi je vous le dirais ?

– Parce que j'essaie de l'aider.

– Qu'est-ce que j'en sais ? Qu'est-ce que vous en savez ?

– Dites-moi au moins qui *ils* étaient.

– J'en ai marre de vous, putains de zoos.

– Attendez, vous voulez dire que c'était Marabout ? Maltais ?

– Je veux dire : ne revenez pas.

Il me pousse vers le coin du bloc si fort que je me tords la cheville et qu'un de mes talons se casse. Il fait demi-tour et retourne vers l'entrée d'où se déversent de la lumière et des basses, me laissant plantée, sous un réverbère, moins bien chaussée qu'à mon arrivée. Et beaucoup moins digne, aussi.

Paresseux ouvre la bouche pour soupirer, sur l'air de « je t'avais prévenue ».

– N'y songe même pas, dis-je en gobant un bonbon à la menthe pour camoufler le gin.

22

— On ne peut pas continuer, dit Benoît en soulevant mes bras de la masse de couvertures humides de sueur.

Il retourne mes mains et frôle de sa bouche le bout de mes doigts, l'un après l'autre, le plus léger des baisers.

— Continuer à quoi ? A dire des évidences ? Quelle différence ça peut faire, une fois de plus, pour ta femme ? Elle t'aura pour le reste de tes jours. Ou jusqu'à ce que vous divorciez pour une broutille, parce que tu as mal rebouché le tube de dentifrice. Ou, par exemple, parce que vous êtes devenus des étrangers l'un pour l'autre après cinq ans de séparation.

— Ça en fait une pour moi.

— Eh bien, tu t'auras pour le restant de tes jours, toi aussi, dis-je en roulant sur moi-même pour l'enfourcher. Alors, tu survivras, non ?

— Arrière, femme.

— Tu n'en penses rien.

Je me penche pour l'embrasser, m'appuie sur le doux tissu cicatriciel, insensible, de son cou.

— Je mérite un peu de temps pour me remettre, non ? demande-t-il en m'attrapant les poignets comme s'il voulait lutter.

Mais il n'a aucune intention de le faire.

– Je vais te montrer ce que tu mérites, dis-je en me penchant davantage.

Après, je m'assieds au bord du lit, les pieds glissés sous les genoux, et je me bats avec le briquet en plastique que j'ai volé à Ronaldo, lequel cliquette comme la bande-son de la partie de roulette russe la plus ennuyeuse du monde.

– Tu sais où tu vas ?

– Au Burundi. Il y a un camp appelé Bwagiriza, à l'est, à Ruyigi. Loin des combats, à ce qu'on dit. Ils consolident : ils déplacent tout le monde au même endroit. C'est mieux.

– Mais ce n'est pas exactement un camp de vacances.

– Le toboggan géant a fermé, c'est vrai.

Il sourit, d'un sourire aussi faux que les articles de luxe qu'on trouve aux puces de Bruma Lake.

– Les machines à barbe à papa sont en panne. Les ballons se sont envolés. Les rebelles ont emporté tous les animaux en peluche lorsqu'ils sont partis. Tu lui as parlé ?

– Il n'y a qu'un seul téléphone, par satellite.

– Alors, tu n'es pas sûr que ce soit bien eux.

J'obtiens une flammèche, mais elle ne dure pas assez longtemps pour que je puisse allumer ma clope. Merde. Flick-flick.

– Le volontaire de l'ONU m'a envoyé un scan de sa carte d'identité*.

– Elle est peut-être volée. Usurpation d'identité. Au Royaume-Uni, ils font des tests génétiques dans les centres de réfugiés, pour vérifier que vous venez bien de là où vous prétendez venir. Tu as demandé une comparaison avec l'ADN de ta femme ? Tu as ses empreintes dentaires ?

Flick, flick.

– Ce n'est pas facile pour moi non plus, dit-il.

– Oh, va chier, Benoît, dis-je en flick-flickant le briquet.

– Je suis content que tu aies trouvé quelqu'un d'autre.

– Cette fouine sournoise de D'Nice peut aller chier lui aussi.

Flick, flick, flick.

– C'est bien, Zinzi, c'est ce qu'il te faut.

Je balance ce foutu bordel de putain de briquet inutile contre le putain de mur de merde. Et le regrette instantanément. Maintenant je vais devoir descendre ces putains d'escaliers pour aller acheter un putain de briquet à ce putain de *spaza*, qui sera sûrement putain de fermé à cette putain d'heure de la nuit. Je rampe vers le mur et ramasse le briquet. Le truc en plastique s'est cassé. Il est foutu.

– Quoi qu'il y ait ou pas entre Giovanni et moi, tu n'as plus ton mot à dire sur ma vie, Benoît.

– Je ne savais pas que je l'avais eu un jour.

Il me regarde comme si c'était *moi* la méchante de l'histoire.

– Tu veux voir leurs photos ? demande-t-il.

– Pourquoi je voudrais voir les photos des gens pour qui tu vas me quitter ?

– Parce que j'aimerais te les montrer.

– Oh, pour l'amour du ciel… Bon, d'accord.

Il lui faut quelques minutes pour aller récupérer les photos dans son appart, à l'étage au-dessus. Pendant ce temps, je réussis à emprunter une boîte d'allumettes à une femme qui monte les escaliers avec un seau d'eau sur la tête.

De retour dans ma chambre, Benoît arrache la cigarette de mes lèvres et tire dessus. Je ne l'ai jamais vu fumer jusque-là. Puis, il s'assied sur le lit, à côté de moi, un sac plastique serré par des élastiques sur les genoux. Il commence à faire glisser les élastiques et les pose méticuleusement à côté de lui. Certains sont presque cuits. Je suis curieuse, en dépit de la fleur vénéneuse qui pousse dans ma poitrine.

– Quand est-ce que tu les as regardées, pour la dernière fois ?

– Hier. Avant cela, je ne sais pas. Un an ? Deux ans ? Je les regardais tous les jours, à une époque.

Il ouvre un sac de supermarché Checkers. A l'intérieur, il y en a un autre, qui en contient encore un autre, lequel renferme une liasse de papiers emballés dans un morceau de tissu imperméable militaire vert, retenu par de la ficelle.

C'est un mélange de photos et de tirages numériques, délavés, le papier rendu mou par de multiples manipulations et les rigueurs du voyage à travers le continent. Benoît, une femme et trois enfants âgés de deux à sept ans, je crois, qui posent de manière formelle, sans le sourire, devant un muret. Leurs traits sont indistincts. Effacés. Ils ressemblent déjà à des fantômes.

La même femme, l'air épuisée, enroulée dans des draps jaune vif, tenant un nourrisson au visage froissé, les yeux fermés à cause de la lumière, avec une petite fille qui apparaît juste au bord du cadre, comme si elle refusait de rester hors champ.

La petite fille, tenant le bébé par les aisselles en le promenant.

Le petit garçon, assis dans une boîte en carton, souriant pour révéler une unique dent.

La famille au complet, autre pose formelle devant une fontaine au milieu d'une ville.

La même fontaine, cette fois Benoît tient le garçonnet tête en bas, comme s'il allait le lâcher dans l'eau, pendant que le reste de la famille s'esclaffe.

Mais le cliché qui me fait tomber le cœur dans l'estomac est celui d'une femme se cachant à demi le visage dans son tablier, souriant timidement, jouant avec l'objectif.

Ou plutôt, l'homme qui le tient.

– Celvie, dit Benoît. Armand. Ginelle. Célestin. C'est le plus petit. Deux ans et demi. Il a tellement d'énergie. Il faudrait rien de moins qu'une laisse pour le tenir.

Je fais le calcul.

– Il a six ou sept ans, maintenant.

– Sept. Son anniversaire est en avril. La semaine prochaine. Sept ans. Presque un adulte. Je vais devoir mettre de côté pour l'envoyer à l'université.

Le coin de sa bouche tressaille sombrement ; ce n'est même pas un sourire bidon. Nous considérons tous deux les frais d'université, les universités en général, jusqu'où un diplôme universitaire peut vous amener, et l'impossibilité de tout cela. Mon BA. Les trois années d'ingénierie mécanique de Benoît.

Il commence à ranger les photos, les remet dans leur emballage et repasse les élastiques autour.

– Qu'est-ce que tu vas leur dire ?

– Que papa s'est perdu pendant un certain temps.

– Et la Mangouste ?

– Ah.

Il agite la main.

– Elle s'habituera. Ils lui tireront peut-être la queue, mais tout ira bien. Elle n'est méchante qu'avec les vilaines filles à Paresseux, dit-il en me poussant gentiment.

– Ouf. Tu ne vas pas me manquer *du tout.*

– Je ne penserai pas à toi.

– Je ne me souviendrai même pas de toi tellement je serai occupée à me taper d'autres mecs. Je ferai, genre : Benoît *qui* ?

– Tu te rappelleras la Mangouste quand les puces écloront.

– Non. Je ne me souviendrai pas de toi. Tu ne me manqueras pas. Je ne t'ai jamais aimé. Je ne t'ai même jamais apprécié. Tu sens bizarre. Et tes pieds ? Tes affreux pieds calleux ? Ils sont répugnants. Je suis contente d'en être débarrassée.

– Toi aussi, tu sens bizarre.

Il m'embrasse sur le haut de la joue, près de mon oreille en charpie. Je pose la tête sur son épaule. Nous restons comme ça, sans rien dire, un long moment.

Je fais des longueurs de bassin à la piscine du club de sport d'Old Ed. Aller-retour, demi-tour parfait – ce dont je n'ai jamais été capable – à une extrémité, puis l'autre, et rebelote.

Je suis seule dans la piscine. Seule dans le club, j'ai l'impression. Je remue l'eau, ça fait de petites vagues acérées. Un sifflet marque un rythme que je dois suivre, mais je suis à la traîne, je n'y arrive pas.

Et, loin en dessous de moi, si profondément que le bassin donne l'impression d'être suspendu au-dessus d'une faille entre les continents, quelque chose monte, quelque chose nage vers moi. Quelque chose qui a des dents.

23

Je me réveille en sursaut, un martèlement dans le crâne. Benoît dort à poings fermés, couché derrière moi, contre moi, si bien que nous ressemblons à une paire de guillemets. Son érection presse contre mon dos avec une insistance innocente, comme si elle ignorait que nous avons décidé de renoncer aux délices l'un de l'autre. Ce n'était pas un rêve. Il y a bel et bien un bruit.

Je m'assieds et tend l'oreille attentivement. Un bruit de course. Un cri qui monte de la rue. Une porte qui se ferme brutalement. D'autres cris. Des coups de feu. Sans raison particulière, je pense immédiatement à Songweza. A la manière dont les sons sont étouffés, ils doivent venir du côté de Twist Street, et je regarde par la fenêtre pour m'en assurer. La rue est calme. Pas même un sac plastique qui claque dans les branches d'un arbre.

La tête de la Mangouste apparaît au bout du lit. Elle remue le museau en se dressant sur ses pattes arrière pour me regarder.

– On dirait qu'il n'y a que toi et moi.

Je me glisse hors du lit, m'habille et passe une paire de tongs.

– L'alliance impie.

Benoît ne remue même pas.

La lumière est allumée au 608. Je gratte doucement à la porte et M. Khan, le petit tailleur dont la femme a le don de tisser des charmes antivol, m'ouvre une seconde après. Il avait jadis une petite boutique dans Plein Street, mais à présent il fait des affaires comme il peut dans Elysium Heights. Sa femme, Mme Khan, complète ses revenus en conseillant les résidents sur la meilleure façon d'obtenir des allocs. Elle cache son Scorpion Noir dans son sac à main lorsqu'elle se rend à l'assistance sociale avec ses formulaires et ses pièces d'identité.

M. Khan me fait signe de le suivre tandis qu'il trotte jusqu'à la fenêtre pour assister au drame qui se noue. J'enjambe des rouleaux de tissu et me glisse à côté de la machine à coudre, sur le bureau, pour atteindre la fenêtre où ont déjà pris place Mme Khan, sa fille de douze ans, la prostituée de l'appartement d'en face et quelqu'un que je suppose être son client de l'heure. Tout le monde regarde la rue. Nous ne sommes pas les seuls locataires à assister au petit spectacle de 4 heures du matin. De part et d'autre, des gens se penchent à leur fenêtre, fumant et bavardant.

– C'est tous ces gangs, siffle Mme Khan en changeant de position pour accommoder le poids du bébé endormi sur sa hanche. Et cette foutue sécurité privée.

La police est une blague dont la chute est archiconnue. Les sociétés de sécurité gèrent Zoo City et le centre-ville comme un chien qui pisserait sur son territoire. Seule la protection de leurs bâtiments les intéresse. Si un crime est perpétré de l'autre côté de la rue, c'est comme s'il n'existait pas. Elles perdent tout intérêt dès que ça se passe hors de leur juridiction. Malheureusement, Elysium et Aurum sont hors des frontières de la loi privatisée. Notre proprio est trop *snoep* pour financer la sécurité de ses locataires.

Un autre coup de feu. Le flash du tir est reflété par les vitres brisées du bâtiment d'angle. Puis, un homme bondit du couvert des arbres qui bordent l'avenue, en tirant par-dessus son épaule. Ses baskets couinent comme sur un court de tennis tandis qu'il dérape sur le tarmac humide. Un Ours lui emboîte pesamment le pas, regarde à gauche et à droite, comme s'il s'apprêtait à prendre un passage piéton.

Ce n'est pas la chose la plus étrange que j'aie vue dans notre rue. Il y a eu cette tentative de viol avortée ; Mme Khan a réussi à haranguer les hommes les plus costauds de l'étage, qui ont laissé l'aspirant violeur dans le coma. Il y a eu la nuit où D'Nice s'est fait poignarder, hélas pas fatalement. Il y a eu le meurtre dans la cage d'escalier, voilà quelques semaines. Mais le plus étrange reste cette nuit où le propriétaire d'un bordel local a fait parader ses filles et sa ménagerie, à poil, dans la rue, afin de rameuter de nouveaux clients.

– Un combat de chiens qui a mal tourné, fait l'un des hommes penchés à la fenêtre du 610, l'air sûr de lui.

– C'est pas trop tard pour parier, dit son pote à barbichette.

Ils se bidonnent, mais leur rire est creux.

– Non, gars, coupe Mme Khan, tu sais pas de quoi tu parles. C'est la guerre des gangs, sûr. Les 207 ont attaqué les Camerounais il y a deux semaines. C'est un règlement de comptes, tu vas voir.

M. Khan essaie de pousser sa fille à aller se coucher.

– Allez, chérie, tu dois te reposer. Demain, il y a école.

Mais la fillette ne bouge pas. C'est mieux que la télé. Et probablement mieux que l'école, en termes de science de la vie.

Dans la rue, un autre tir. Touché à l'épaule, l'animal tressaille violemment et rugit de douleur, se dresse de toute sa hauteur, puis semble hésiter. L'homme le tire, tente de le faire bouger. L'Ours rugit de nouveau et retombe sur ses quatre pattes. Le type recommence à courir en faisant signe à l'animal de le suivre. Celui-ci l'imite. Mais c'est trop tard.

De nouvelles balles, des rafales d'AK-47 cette fois, fauchent l'animal et le renversent sur le flanc. L'homme hurle et fait demi-tour vers l'Ours. Celui-ci réussit à se relever, à faire un pas, puis s'effondre sur le dos en poussant un soupir surpris. Il se retourne péniblement. L'AK-47 aboie de nouveau. Les pattes avant de l'animal se dérobent sous lui. Sa mâchoire heurte le ciment avec un craquement sonore. Les gens aux fenêtres sursautent. Très lentement, la tête de l'Ours s'affaisse sur le côté. L'homme pivote sur ses talons et se met à courir à toutes jambes, comme s'il avait l'enfer aux trousses.

C'est le cas.

Nous retenons collectivement notre souffle. Un *tsotsi* tenant l'arme préférée des révolutionnaires, des criminels et des révolutionnaires devenus criminels sort prudemment de l'entrelacs des branches, l'AK-47 à la hanche, prête à donner encore de la voix. Une forme ailée volette près de son épaule. Un Souïmanga. L'humain marche vers l'Ours et le tâte du bout du pied. L'animal ne bouge pas. L'homme vide un nouveau chargeur sur le cadavre, juste pour être sûr. L'Oiseau s'élance pour voir le spectacle, puis repart.

Il y a des sirènes, au loin. Une boîte de sécurité privée, pas la police. On la reconnaît à la tonalité de la sirène. Le *tsotsi* lève les yeux et voit la moitié de l'immeuble aux fenêtres. Il lance un salut joyeux et retourne sous les arbres, son Oiseau tournoyant autour de sa tête.

Nous savons ce qui va arriver. Personne ne dit rien. La Mangouste fait les cent pas sur le rebord de la fenêtre, les moustaches tremblantes. Les sirènes gagnent en volume. L'Ours repose, inerte, sur le trottoir, à côté d'un étal métallique renversé.

La pression de l'air chute, comme avant une tempête. Un sifflement bas et doux enfle, comme s'il avait toujours été là, à la limite de l'audible. Il devient hurlement. Et les ombres commencent à dégouliner des arbres, comme des gouttes de pluie après un orage. Les ténèbres gonflent, s'agglutinent, débordent.

Les Japonais pensent qu'il s'agit de fantômes affamés ; les scientologues, que c'est la manifestation physique des engrammes inhibiteurs. Certains témoins oculaires rapportent avoir vu des dents qui grinçaient dans les ombres. Les enregistrements vidéo ne montrent qu'une noirceur impénétrable. Je préfère penser que c'est une sorte de trou noir, aussi froid et impersonnel que l'espace. Peut-être qu'une fois de l'autre côté on se change en étoile.

Je détourne les yeux lorsque les ténèbres se ruent en direction de l'homme en fuite. M. Khan couvre les yeux de sa fille, mais ce sont ses oreilles qu'il devrait protéger. Les hurlements ne durent que quelques horribles secondes, puis se taisent définitivement.

– Tsk, fait Mme Khan pour rompre le silence qui nous écrase, comme si la gravité s'était décuplée. Cette ville…

Mais c'est à tout autre chose que j'ai pensé.

– Où sont tes parents ? je murmure en me souvenant de l'hallucination due au poison, de la vendeuse au badge « Meurtrière ! Meurtrière ! Meurtrière ! » qui se penche sur mon moi astral âgé de cinq ans.

– Les parents ? Quelqu'un devra les prévenir, acquiesce Mme Khan. Viens, ajoute-t-elle pour sa fille en l'éloignant de la fenêtre et des voyeurs que nous sommes.

24

Je me réveille, grincheuse et groggy faute de sommeil. Les nettoyeurs municipaux ont déjà accompli leur œuvre. Le sang a été lavé à grands jets, le cadavre de l'Ours emporté. La seule preuve des événements de la nuit est une sorte de tache noire sur le tarmac, qui ressemble à la trace laissée par une explosion, et les cordons de police jaunes qui ferment la rue.

Si seulement les agents d'entretien pouvaient s'occuper de ma voiture. Benoît la regarde sans rien dire. Je ne suis pas la seule à avoir été amochée par les événements de la veille : la Capri en a pris pour son grade. Les portières ont été enfoncées à coups de pied, les phares cassés, et un mot plus ou moins illisible, qui ressemble un peu à « FUK » quand on le regarde en plissant les yeux, a été gravé dans la peinture du capot en lettres de dix centimètres de haut. Le pare-brise s'affaisse sous un réseau de toiles d'araignée fractales, causé par les coups répétés d'un outil métallique comme, au pif, le pied-de-biche que je retrouve sur la banquette arrière. Lequel a aussi servi à éventrer les sièges. La cerise sur le gâteau est la merde étalée sur le capot. Provenance humaine, à en juger par l'odeur. Je devrais sans doute être heureuse que l'auteur du dépôt soit sorti avant de déféquer.

— Les risques du métier, je dis à Benoît.

Facile d'être nonchalante, maintenant. Hier, lorsque le taxi qui nous a ramenées dans le centre, mon *eau de drain** et moi, s'est arrêté à Mai Mai, le marché était déjà fermé et les ombres du soir s'étiraient sur le parking. Parking désert, à l'exception des ruines de la Capri. J'ai insisté pour que le chauffeur attende que j'aie réussi à la faire démarrer. Je ne savais pas s'ils étaient encore là, recroquevillés sous leur bâche à m'observer ou s'ils s'étaient égaillés en ville, mais je leur ai adressé un doigt à tout hasard. J'aurais dû laisser la bagnole sur place, mais je suis têtue quand je m'y mets. Et, aussi, je ne vais pas me laisser intimider outre mesure par une meute de rats d'égout junkies.

Benoît observe les bleus et les égratignures de mes bras pendant que je conduis. Ça a l'air pire que la veille. Si je m'en étais rendu compte plus tôt, je n'aurais pas mis une robe sans manches.

— Tu aurais dû appeler la police, dit-il.

— La police s'en fout, Benoît.

— Alors tu devrais me laisser t'accompagner.

— Tu as déjà un travail, non ?

— Je vais démissionner, de toute façon.

— Et tu dois préparer ton voyage.

— Tu n'as qu'à dire : « non, merci », chérie*.

— Tu pourrais me rendre un service. Un truc pas forcément légal.

Il soupire.

— Je n'en attendais pas moins de ta part.

— Eh, D'Nice est largement pire que moi.

— Mais pas aussi mignon.

— Je vais tout répéter à ta femme, riposté-je automatiquement.

Nos papotages sont désormais parsemés d'écueils acérés.

— Mon offre de polygamie* tient toujours, dit-il en faisant fièrement front.

– J'y réfléchirai si tu arrives à me trouver l'adresse d'un certain Ronaldo, videur au Counter Revolutionary, nom de famille inconnu. Il travaille pour Sentinel. Il a le même insigne débile sur son badge.

Je touche du bout des doigts le casque figurant sur l'écusson d'Elias.

– Je verrai ce que je peux faire, dit-il tandis que je me gare devant l'usine de mise en bouteille que Benoît est chargé de surveiller aujourd'hui.

Sentinel aime faire tourner ses employés, afin qu'ils ne se sentent pas trop à l'aise, ne glanent pas trop d'informations sur les allées et venues dans les lieux qu'ils gardent et revendent ces infos à quelqu'un comme D'Nice. Qui les transmettra immédiatement à un gang de braqueurs.

– Je ne suis pas obligé d'y aller, dit Benoît sans descendre de la voiture. Ils peuvent passer une journée sans vigile.

– Quoi ? Et mettre en péril le job d'Elias ?

Je garde les mains sur le volant pour mieux résister à la tentation de le toucher.

– Prends mon téléphone, au moins.

– Tout ira bien. Je passerai au large des drains et des junkies à tournevis. Promis.

Il prend un air souffreteux.

– A plus tard, chérie*.

Il se penche pour m'embrasser chastement sur la joue.

Ce n'est qu'en me garant à Mayfields, une demi-heure plus tard, que je me rends compte qu'il a profité de l'occasion pour glisser son téléphone dans le vide-poches, sous le frein à main. Le sournois.

Hélas, l'odeur des drains rôde encore dans ma voiture et me colle à la peau lorsque j'entre chez Mme Luthuli. Celle-ci est assez polie pour ne pas le relever, et me sert un thé fort, rehaussé de lait et de sucre (sans m'avoir demandé mon avis). Je le sirote pendant qu'elle furète à l'étage.

Environ dix minutes plus tard, elle revient avec une boîte à chaussures. Elle met ses lunettes et commence à en sortir des photos, une par une.

– Que cherchez-vous, exactement ?

– Je ne pourrai vous le dire que quand je le verrai. Puis-je ?

Je retourne le carton pour en répandre le contenu sur le comptoir, et passe les photos en revue. La plupart ne sont que des choses froides et mortes.

J'en attrape une et la retourne. Un mariage tout en blanc. Un homme et une femme, les parents de S'bu et Song, plissent les yeux dans la lumière au bas du perron d'une mairie ou d'une église. Le costume blanc de l'homme a de gros revers, et la dame tient maladroitement un bouquet de roses pâles et de cosmos. Je sens une vague trace de lien. Diminuée, fragile, difficile à voir en plein jour, mais présente. Je n'ai jamais travaillé avec des photos, jusque-là, hormis quand la photo était l'objet perdu en question. Passer par une image ne m'est jamais venu à l'esprit. J'ai un nouveau flash du World Trade Center, frustrant, absurde.

– Ce n'est pas juste, soupire Mme Luthuli. Ils étaient si jeunes quand ils les ont perdus.

– Puis-je vous emprunter cette photo ?

– Je ne sais pas si j'ai les négatifs…

Elle hésite. Mais je suis déjà à la porte, suivant l'ébauche de connexion, tel Thésée et sa pelote de ficelle. Espérons qu'il n'y aura pas de Minotaure sur le chemin.

Il s'avère qu'un Minotaure aurait été largement préférable à ce que je trouve, à savoir : rien. Le téléphone de Benoît sonne tandis que je tourne en rond, essayant d'attraper des fantômes de fil qui ne cessent de s'amenuiser, comme une mauvaise réception radio. C'est sans espoir. Songweza pourrait être n'importe où dans cette ville : à siroter un mokaccino dans un café de Parkhurst, ou ligotée sur une chaise dans un garage miteux de Krugersdrop. Si seulement je pouvais m'approcher suffisamment pour saisir le fil… mais par où commencer ? Je regarde le téléphone de Benoît, qui balance en boucle les premières secondes de *Oh Yeah,* de Gang of Instrumentals. L'écran indique qu'il s'agit d'un numéro privé. Je laisse la messagerie s'en charger, mais il recommence à sonner avec insistance ; ça brise ma concentration et je rate le panneau indiquant une impasse, si bien que je me retrouve dans un cul-de-sac. A la troisième fois, je préfère répondre plutôt que subir encore *Oh Yeah,* même si c'est un appel de sa foutue femme au Burundi.

– Allô, dis-je en coinçant l'appareil entre l'épaule et la joue.

J'entame mon demi-tour en regrettant amèrement l'absence de direction assistée.

– Je n'ai pas l'adresse précise, dit Benoît, mais il vit à Hillbrow.

– Tu n'as pas idée d'à quel point ça m'est précieux, dis-je en retournant vers l'autoroute.

– Même si j'ai eu le tuyau par D'Nice ?

– Peu importe comment tu l'as eu, mon amour.

– OK, bien. Il dit que tu lui dois 200 rands pour l'info.

Ça gâche un peu ma bonne humeur, mais à peine, parce que plus je me rapproche de la cité, plus j'ai l'impression de m'être enfin branchée sur le bon canal. L'ébauche de fil se solidifie ; elle est toujours fragile, mais mène quelque part au lieu de s'effilocher dans le néant.

Lorsque je le vois, c'est comme une gifle. Ce n'est pas le World Trade Center, mais High Point. Et le fil de la photo de mariage m'y conduit directement. C'est tellement près de chez moi que j'aurais pu trébucher dessus. Si seulement j'avais pris la peine de lever la tête, de prendre le rêve au sérieux.

Je trouve une place à deux blocs. Le gardien du parking écarquille les yeux en voyant l'état de ma Capri.

– *Hayibo, sisi.*

– Veillez à ce qu'elle soit encore là quand je reviens, lui lancé-je en me dirigeant vers le bloc résidentiel.

Si Hillbrow était jadis la couronne de Johannesburg, High Point était le diamant planté en son centre, avec ses appartements pour célibataires branchés et ses suites luxueuses pour jeunes loups et familles urbaines cosmopolites.

L'entrée est située dans un centre commercial à ciel ouvert, immaculé, un îlot de sainteté consumériste muni de boutiques de fringues, de fast-foods, de trottoirs si propres qu'on mangerait par terre et de clients pas assez désespérés pour le faire. Tout a l'air paisible, on se croirait en banlieue. Bientôt, je comprends pourquoi. Le périmètre est surveillé par des gars bâtis comme des bouledogues, crânes rasés, bombes lacrymo et gilets pare-balles.

C'est la vitrine fêlée de la loi et de l'ordre, de cette idée qui veut qu'étouffer les étincelles de l'entropie civile aide à piétiner les braises qui peuvent mettre le feu au crime. Pas de mendiants, pas de papiers par terre, pas de zonards. Il semble toutefois que les dealers élégants qui papotent au coin du bloc jouissent d'une immunité diplomatique, comme les sans-abri qui dorment dans des sacs de couchage loqueteux de l'autre côté de la route.

J'entre, prends un escalator et examine l'entrée des blocs résidentiels. Quatre portes de sécurité, qui laissent passer un va-et-vient important et qu'on ne peut ouvrir qu'avec une carte. Un poste de contrôle garni de barreaux trône juste à côté. Je tente ma chance.

– Bonjour, je viens voir quelqu'un. Appartement 612, dis-je à tout hasard.

– Un nom, s'il vous plaît ?

Le vigile, l'air las, est d'une autre espèce que les jeunots de dehors.

– Zinzi December.

– *Cha, sisi.* Il n'y a pas de Zinzi December sur cette liste.

– Ah, désolée, c'est *moi,* Zinzi December…

Je tente le tout pour le tout.

– … je viens voir Ronaldo.

– Ronaldo qui ?

– Ronaldo, appartement 612.

– Vous n'avez pas son nom de famille ?

— Je l'ai oublié.

— Vous devez l'appeler, alors, et lui demander de venir vous chercher.

— Je n'ai plus de forfait, dis-je sur un ton implorant, pitoyable.

Le vigile hausse les épaules et se replonge dans la lecture de son tabloïd. Le titre principal annonce : « ENCORE DES EMPLOIS AUX OUBLIETTES ». Le meurtre de l'Ours ne figure même pas en première page.

— Je vais appeler d'une cabine, dis-je.

Je redescends et me mets en quête d'une autre entrée, d'une sortie de secours, de n'importe quoi. A la place, je ne vois que l'un des jeunes bouledogues. Je marche droit sur lui en faisant de mon mieux pour ne pas avoir l'air d'une zonarde.

— Excusez-moi, pourriez-vous m'aider ?

Il se retourne vers moi, attentif. Il ne doit pas avoir plus de dix-neuf ans. Ses yeux bleus brillent d'une impatience de chiot, du genre qui pourrait aussi se traduire par des battements de queue ou de vilaines morsures.

Je songe un instant au coup de la carte de journaliste, puis le remise sur l'étagère à ruses.

— Je cherche une jeune fille qui a disparu.

— Vous vous trompez de bloc, m'dame. Cet immeuble est propre. Essayez de l'autre côté de la rue. Demandez à ces mecs, dit-il en lançant un coup de menton brusque en direction d'un groupe de *sharps*. Croyez-moi, ils connaissent des tas de filles disparues.

— Je n'en doute pas. Mais la mienne se trouve dans ce bâtiment. J'en suis absolument certaine et je dois entrer.

— Vous êtes de la police ?

— Non. Je suis une sorte de... détective privée. Je retrouve des objets perdus. Des gens, aussi. D'habitude, je n'ai qu'à les trouver, pas à jouer les détectives.

Il semble s'égayer à l'idée d'un peu d'action.

— Laissez-moi vérifier si ça ne pose pas de problème.

Il lâche quelques mots incompréhensibles dans la radio qui pend près de sa bombe lacrymo. Je tourne poliment la tête et regarde les *sharps.* J'espère que Song est bel et bien dans le bloc, et pas dans le bâtiment bas, lépreux, qui se dresse de l'autre côté de la rue, avec ses rideaux tirés en milieu de matinée. La plupart des maquereaux ne s'embarrassent même pas de faire venir des conteneurs. A la place, ils mettent des annonces. Ça ne parle jamais de prostitution, mais d'un boulot de secrétaire ou de vendeuse qui paye plutôt bien. Les gens sont aussi désespérés que naïfs. Une fois qu'ils ont mis la main sur la fille, ils la violent, la rendent accro à la came et la mettent au travail.

– *Ja,* c'est OK, dit le gamin en revenant vers moi. Mais je vous accompagne, et vous ne faites rien qui puisse déranger les locataires. C'est un immeuble bien fréquenté, ajoute-t-il avec fermeté.

– Pas de problème.

Il m'escorte jusqu'à l'escalator et me fait franchir les portes. Le vigile ne lève même pas les yeux de son journal.

– Vous connaissez quelqu'un qui s'appelle Ronaldo ? Une vraie armoire à glace. Il est videur.

– Non. Désolé. On a près de mille deux cents résidents, ici. Parfois plus, quand ils incrustent des invités, ce qui est un délit puni par l'expulsion. Ah, désolé, mais l'ascenseur est en panne. Il va falloir grimper. C'est la faute des habitants. On a des problèmes d'alimentation en eau. Les gens ouvrent grands leurs robinets, oublient, et quand l'eau revient, c'est l'inondation. Ça coule jusque dans la cage d'ascenseur. Les réparations vont coûter un million.

– Comment font les gens qui habitent au vingt-sixième étage ?

– Ils marchent. Même avec leurs sacs de courses et leurs couffins. Mais ce n'est pas grave, parce qu'on leur a dit qu'ils pouvaient jeter leurs ordures par les fenêtres tant que l'ascenseur ne serait pas réparé. On a quelqu'un qui nettoie. C'est moche, mais il faut être réglo avec les résidents. A quel étage se trouve la fille ?

– Je ne sais pas encore.

– Eh bien, j'espère que vous êtes en forme, dit-il en ouvrant une porte sur une cage d'escalier cimentée. Je prends ces escaliers huit ou dix fois par jour, quand il y a des problèmes avec des mecs qui ont trop bu ou une porte qui ne s'ouvre pas. On fait la sécurité et la maintenance. On a déjà eu une affaire comme ça, vous savez.

– Une affaire comme ça ?

– Comme votre fille disparue. Une femme a été violée. On savait que c'était quelqu'un d'ici. On l'a attendu dehors. Elle et moi, on est restés devant les portes pendant deux jours, jusqu'à ce qu'il se pointe. Puis, on l'a fait arrêter.

Il s'écarte pour laisser passer un vieil homme chargé d'une paire de sacs Checkers usés et pleins à craquer. Les étages ne sont pas numérotés, dans la cage d'escalier, mais il me semble que nous en avons grimpé dix-sept ou dix-huit lorsque Paresseux s'agrippe fermement à mes épaules.

– Je sais, mon pote.

Je sens le fil se tendre, comme tiré par un bambin enthousiaste.

C'est à ce moment-là que la porte au-dessus de nous s'ouvre à la volée pour libérer une tornade. Elle percute M. Sécurité, essaie de passer outre, mais il l'attrape et la serre contre sa poitrine.

– Whoa, whoa, whoa, dit-il en la maîtrisant. Tout va bien ?

– Lâche-moi, connard !

Je me suis trompée. Songweza n'est pas une princesse goth-punk, mais une rockeuse mod indé néo-80's. Même garde-robe colorée. Même surcharge d'eye-liner. Et c'est une peste. Une furie.

– Song Radebe ?

La question est inutile : elle ressemble exactement aux photos des magazines. Légèrement plus ébouriffée, peut-être, avec sa crinière de tresses retenue par un bandeau violet vif, et des bottes de cow-boy en peau de serpent de la même couleur. Elle me voit, ou plutôt, elle voit Paresseux, et écarquille les yeux.

– Oh, *merde* !

Elle se dégage de l'étreinte de M. Sécurité et repart sur ses pas, grimpant les marches trois par trois.

Nous émergeons de l'escalier dans un couloir inondé de soleil pour tomber sur une situation sans issue : Songweza est piégée entre nous et Marabout & Maltais. Derrière eux, la porte du 1904 est entrouverte.

– OK, les mecs, fait M. Sécurité, dont la main est descendue vers sa bombe lacrymo, prête à dégainer. On va s'expliquer.

– Eh bien, qui voilà ? renifle Maltais.

– Vous êtes en retard pour la fête, ajoute Marabout. Et vous ne répondez pas au téléphone.

– Qu'est-ce que vous faites là ?

– Oh, chérie, vous n'écoutez pas vos messages ? Nous n'avons plus besoin de vos services. Nous l'avons trouvée personnellement par nos propres moyens.

– On m'a volé mon téléphone.

– Pas très professionnel, réprimande Maltais.

Song se tourne vers moi, puis vers eux ; enfin, elle s'accroupit, se met les mains sur les oreilles et hurle assez fort pour que tout Le Cap l'entende. Je ne sais pas ce que ça donne en studio, mais ses leçons de chant ont porté leurs fruits. Le cri, une note parfaitement tenue, hérisse le Clébard, qui se met à aboyer frénétiquement, hystériquement.

M. Sécurité ouvre l'étui de sa lacrymo dans un cliquetis.

– OK, fini de jouer, qu'est-ce qui se passe ici ?

– Ne les laissez pas me prendre ! dit Song en sanglotant. Elle se jette sur lui et s'agrippe à son pantalon.

La porte du 1910, un peu plus bas dans le couloir, s'entrebâille. M. Sécurité réplique aussitôt :

– Fermez cette porte. Mêlez-vous de vos oignons !

– Vous devriez en faire autant, dit Marabout.

– Ils veulent me kidnapper ! glapit Song, à genoux, accrochée au ceinturon de M. Sécurité, en levant sur lui d'immenses yeux soulignés de khôl.

– Ça fait une semaine qu'elle ne prend plus ses médicaments, dit Maltais en déboutonnant lentement son blazer, pour bien montrer qu'il n'est pas armé. Elle est totalement flippée.

– Attendez. Attendez une minute.

M. Sécurité est complètement largué.

– J'ai une lettre de son docteur, reprend Maltais en piochant une feuille de papier dans sa veste.

Il la déplie soigneusement, révélant l'en-tête de Havre.

– Une minute ! On reprend. Qui êtes-vous ?

– Cette lettre de la clinique décrit sa maladie. Paranoïa aiguë. Elle a disparu depuis des jours. Nous venons la ramener chez elle.

– Je vous en prie. C'est une ruse. Ne les écoutez pas, pleurniche Song.

Maltais tend la lettre. Mais au moment où M. Sécurité s'apprête à la prendre, Song attrape sa bombe, la tire de son étui et lui en envoie une giclée dans les yeux. Il recule, hoquetant, les poings enfoncés dans les orbites.

Paresseux se met à beugler car nous sommes pris dans le résidu brumeux du produit. Mes yeux et mon nez commencent à me brûler, mais pas assez pour que cela m'empêche d'attraper le poignet menu de Song afin de la tirer en arrière. L'élan la fait pivoter sur elle-même, si bien qu'elle percute la fenêtre, du dos, dans un craquement terrible. L'espace d'une seconde, je m'attends à ce que le verre cède et la précipite dix-neuf étages plus bas. Mais il tient bon.

– Ow ! *Msunu* ! jure-t-elle.

Je tente de la rassurer.

– Du calme. Personne ne te fera de mal.

– Vous vous foutez de moi ? C'est ce que vous venez de faire. Allez vous faire mettre !

Elle essaie de me planter son talon sur le dessus du pied, mais j'esquive. M. Sécurité est à genoux, une main en coupe sur les yeux, l'autre tâtonnant à la recherche de sa radio pour appeler la cavalerie. Marabout et Maltais regardent, amusés.

– Vous me donnez un coup de main ?

– Oh non. Vous devez mériter votre salaire, dit Marabout.

Son Oiseau rejette la tête en arrière et se livre à une série de déglutitions répugnantes, évoquant un rire.

Song se débat et frétille comme si elle souffrait d'une crise de grand mal. Lorsqu'elle envoie la tête en arrière pour me casser le nez, je l'attrape par les cheveux, lui maintiens le crâne droit et la fais avancer. Et c'est ainsi qu'on descend dix-neuf étages, au rythme des jurons et des ruades de Song. M. Sécurité titube derrière nous, une main sur le mur pour se guider. Je demande à Song à voix basse pour que Marabout et Maltais n'entendent pas :

– Pourquoi t'es-tu enfuie ?

– Va te faire foutre.

– C'est à cause de quelque chose qu'Odi aurait fait ?

– Merde, qu'est-ce qu'Odi n'a *pas* fait ?

– J'essaie de t'aider, petite merdeuse.

– En me ramenant ? Merci beaucoup.

– Qu'est-ce que tu faisais là ? Tu jouais au petit couple marié avec ton copain le videur ?

– Ce n'est pas mon copain, et je n'étais pas chez lui. Ro vit trois étages en dessous. J'étais dans *mon* appart. Je l'ai payé. Avec mon argent. Celui que j'ai gagné, ajoute-t-elle pour faire bonne mesure.

Je tente une approche différente.

– Mme Luthuli est morte d'inquiétude.

Ça lui cloue le bec, mais pas pour longtemps.

– Je suis désolée, fait-elle semblant de murmurer. Ils vont me tuer, vous savez ?

– Ça se comprend. Moi-même, je trouve l'idée attrayante, en ce moment même.

– Demandez-leur ce qu'il est arrivé à Jabu.

– Qui est Jabu ?

– Demandez-leur. Demandez-leur où est Jabu. Jaaaaabu-laaaaani Nkutha !

Elle hurle le nom, qui résonne dans toute la cage d'escalier, puis roule des yeux en me regardant :

– Demandez-leur !

Lorsque nous arrivons au rez-de-chaussée, une voiture de police est garée dans la rue, entourée d'un petit groupe de vigiles de High Point qui nous considèrent avec des mines réprobatrices. Leur commandant, un homme d'âge mûr aux traits ravagés par le soleil et des cicatrices d'acné, verse du lait sur le visage de M. Sécurité pour neutraliser le gaz.

Marabout embarque Songweza dans la Mercedes garée de l'autre côté de la rue, et verrouille les portières. Maltais va parler aux flics et facilite les choses grâce à la lettre officielle de Havre, la Lettre qui Explique Tout. Lorsqu'il la leur tend, je distingue la liasse de billets bleus de 100 rands qui l'accompagne.

– Alors, qui est ce Jabu ? je demande à Marabout d'un air innocent.

– Jabu ? Un sale gosse qu'elle a rencontré en désintox. Il lui a volé son argent, lui a brisé le cœur et s'est enfui.

– Disparu, comme ça ?

– Peut-être qu'il est retourné chez ses parents. Qu'est-ce que j'en sais ? Je ne lui ai pas collé un mouchard.

– Est-elle toujours…

– Déséquilibre hormonal. Maniaco-dépressive. Ou je ne sais quoi. Elle est censée suivre un traitement.

– Comment l'avez-vous retrouvée ?

– Elle a appelé l'un de ses amis. L'ami nous a appelés. Ne vous inquiétez pas, vous serez quand même payée, du moment que vous restez discrète.

Elle me jauge du regard.

– Je détesterais voir toute l'affaire étalée sur un blog.

L'Oiseau refait son horrible numéro de déglutition/rire. Je ne comprends pas de quoi elle parle.

– Quand aurai-je mon argent ?

– Eh bien, nous voilà pressées ! Nous vous l'apporterons dans les jours qui viennent. J'imagine que du liquide vous conviendra ?

– Je viendrai le chercher demain. Et j'aimerais voir comment va Songweza.

– Votre sollicitude est touchante, dit-elle avec indifférence.

Je consulte ses objets perdus. Ils sont étrangement nets. Peut-être que ça vient d'elle, du fait qu'elle est tout près de moi. Les gants et le livre sont encore accrochés à elle, parmi ses autres objets perdus, mais le pistolet brille par son absence.

– Je vois que vous avez retrouvé votre flingue, je dis.

– Quoi ?

Elle tourne brusquement la tête vers moi. Son Oiseau claque du bec à mon intention.

– Un Vektor ?

– Ah, oui. L'un de mes « objets perdus » ? Je l'ai retrouvé, merci.

– Est-il enregistré ? dis-je en lançant un regard aux flics.

– Si vous saviez ce que j'ai traversé, vous comprendriez que j'ai besoin d'assurer ma protection.

– Justement, je repensais à votre histoire de sardines en boîte.

– Oui ?

– Vous n'avez pas l'air d'être du genre sardine en boîte. Vous ressemblez plus à un requin. Etiez-vous *vraiment* dans cę conteneur, Amira ? Ou de l'autre côté de la paroi, en train de négocier son passage ? Un autre genre « d'acquisition » ?

– Et *moi*, je pense que vous êtes une idiote farcie d'idées stupides.

Elle dresse un long doigt dans ma direction et retourne à la voiture. Je regarde la Merco démarrer et repartir vers la banlieue.

Je suis sortie du filet à requins.

25

Je suis accueillie par les sifflets et les cris de singe de D'Nice et de ses crétins de copains, qui sont vautrés sur le perron d'Elysium, déjà saouls.

– Hey, Zee Zee Topless ! m'interpelle D'Nice. Fais-moi la cow-girl, chérie !

Il remue le bassin en faisant semblant de faire tourner un lasso au-dessus de sa tête.

– Trouve-toi un boulot, D'Nice. La bière te pourrit la cervelle.

– Oh, j'en ai un. Tu as devant toi le nouvel Elias. Je commence mardi.

A l'étage, je trouve une feuille imprimée collée à ma porte, qui explique le comportement de D'Nice et la remarque sarcastique de Marabout. C'est un extrait du blog de *Mach*, une avant-première d'un article à venir (la totalité de l'histoire dans notre numéro de mai !) intitulé : « Bon pour la Zoo ? »

Il y a des photos.

Certaines sont vieilles de cinq ans. Prises sur le vif. Il avait juré les avoir effacées.

D'autres datent de l'avant-veille. Un baiser contre le mur d'un bâtiment pourri. Les gens qui dansent au Biko Bar. Moi, l'air distraite, à l'arrière d'une voiture, les lumières de la ville laissant des coulures derrière la vitre. Je ne me souviens pas que Dave l'ait prise, celle-là.

Le pire, ce n'est pas les photos nues, mais le texte.

L'article est un mélange de vérités et d'inventions. Gio décrit toutes les manières dont on baisait. Y compris la cow-girl. Ça, au moins, c'est basé sur une expérience passée, mais il invente le reste. La manière dont Paresseux frissonne et miaule lorsque je jouis, parce qu'on est « liés ». La manière dont tout cela l'intimide. Il appelle ça un « plan à trois pseudo zoophile. » Voire un gang-bang, parce que l'ombre du meurtre, de mon péché, est comme un troisième larron dans le lit.

Sa maman lui a toujours dit d'éviter les vilaines filles, mais, écrit-il sur un ton de confession touchante, il m'aimait, autrefois.

– Suceur de bites d'enculé de fils de pute !

Je flanque un coup de pied dans la porte, y laisse un vilain creux et de la peinture abîmée. Mme Khan sort la tête du 608, inquiète.

– Tout va bien, trésor ?

– Super, je grogne, avant de filer vers l'appartement de Benoît, un étage au-dessus.

Il doit être rentré, à cette heure-ci. J'espère qu'il ne l'a pas encore vu, mais D'Nice n'aura pas manqué de faire des copies pour les lui coller sous le nez.

Benoît est assis par terre, au milieu de la pièce, et range une maigre collection de fringues, devant le canapé jaune nicotine que lui et Emmanuel ont trimballé depuis Parktown, où quelqu'un l'avait abandonné sur le trottoir.

Le petit Rwandais me voit en premier. Il est occupé à rafistoler de vieux cartons récupérés à la supérette. Il y a là tout ce que Benoît possède au monde. Je pourrais me glisser dans l'un de ces cartons et attendre son retour.

– Benoît, dit Emmanuel sur le ton de l'avertissement, un ton qui m'apprend que tout a changé.

Benoît lève les yeux et me regarde, debout sur le pas de la porte. Il retourne à son travail sans commentaire, mais il a l'air aussi abattu qu'un tapis qu'on a trop piétiné. La Mangouste me lance un sale coup d'œil ; notre moment de complicité à la fenêtre est oublié.

– Ce n'est pas vrai, dis-je.

Et j'ajoute, exaspérée :

– Emmanuel, tu veux bien te barrer ?

– Euh…

Emmanuel cherche l'approbation de Benoît du regard, mais elle ne vient pas. Celui-ci continue de plier et de rouler ses tee-shirts. Emmanuel a toujours eu un peu peur de moi. Il pose le rouleau de scotch et s'esquive. En passant à côté de moi, il lâche :

– Désolé.

Et me serre le bras, comme à un enterrement.

Une fois qu'il a fini de plier le dernier tee-shirt, Benoît les range tous, soigneusement roulés, dans l'un de ces foutus sacs à damier. Je m'agenouille à côté de lui.

– S'il te plaît, laisse tomber ce truc. Je peux te prêter un sac à dos.

Il m'ignore.

– Merci pour le téléphone. Et le renseignement. J'ai trouvé la fille. Je n'aurais pas pu, sans toi. Je touche l'argent demain. Je peux payer des faux papiers, un billet d'avion…

– Je ne veux pas de ton argent, dit-il en ressortant les tee-shirts roulés et en reprenant l'opération.

– Oh merde. Ecoute, Giovanni et moi on a eu une liaison, il y a des années. Il a inventé le reste. Tu vois bien que c'est des conneries. Ces obscénités sur Paresseux qui jouit en même temps que…

– Oh, ça ? dit Benoît. *Ça,* je m'en fous, Zinzi.

– Où vas-tu ?

– A l'église méthodiste centrale. Juste quelques jours, puis je pars.

– Et tu vas te battre pour dormir sur un coin de sol en ciment, au bord d'une cage d'escalier ? Allons. Si quelqu'un vient déjà reprendre l'appart, tu peux rester chez moi. Je n'essaierai même pas de coucher avec toi.

– Je ne pense pas que ce soit une bonne idée.

– Je n'arrive pas à croire que tu laisses les ragots de cette ordure se mettre entre nous. Il y a deux heures, on était les meilleurs amis du monde, et maintenant ? Et tout ça pour de l'histoire ancienne !

Paresseux me murmure des sons apaisants dans l'oreille. Il déteste quand je crie.

– Ce n'est pas à cause de lui.

Benoît pose son sac sur le canapé et se relève pour me faire face.

– C'est à cause de *toi*, Zinzi. J'ai utilisé ton ordinateur. Je devais envoyer un e-mail à Michelle, l'assistante sociale, explique-t-il quand je le fixe, interdite.

– Oh.

Je me pose lourdement sur le canapé, à côté du sac.

– J'ai trouvé tes e-mails d'arnaque. Je ne les ai pas cherchés. Mais tu avais des réponses dans ta boîte de réception. Des tas de réponses.

– Et alors ? Si tu connaissais les circonstances...

– Connais-tu *leurs* circonstances, à ces gens que tu voles ?

– J'écris des formats, Benoît, c'est tout. Tu crois que c'est facile, pour moi, de vivre avec les trois sous que je touche pour avoir récupéré un jeu de clés ici, un passeport là ? J'ai des dettes à payer.

Je suis consciente que ma défense sonne comme celle d'un môme.

– On a tous des dettes à payer !

Il élève la voix, pour la première fois, et désigne la porte ouverte.

– Nous tous, ici.

– Les miennes sont financières, en plus d'être morales.

– Je ne savais pas que tu étais si égoïste.

– Je suis une accro ! Ça va avec le statut. Je suis désolée de ne pas être aussi parfaite que ta foutue femme. Et j'espère pour toi qu'elle sera aussi parfaite que dans tes souvenirs. Qu'elle n'aura pas un animal à elle. Cinq ans, c'est long, Benoît. Es-tu sûr qu'elle voudra encore de toi ?

– J'ai eu un message d'elle.

– Et j'ai une boîte d'envoi pleine de messages promettant des richesses extraordinaires. Tu es sûr que tu n'es pas un autre *moegoe,* qui va tout risquer pour un rêve impossible ?

– Je ne suis sûr de rien. Je dois y aller et voir ce que ça donne, voir si ça peut marcher.

– Très bien. Comme tu veux. Vis ta vie. Mais qu'est-ce que ça peut te foutre que ces crétins y laissent du pognon ?

Il s'assied à côté de moi. Le canapé grince tristement.

– C'est parce que j'ai connu un gamin comme Felipe, autrefois. Celui qui s'est fait tirer dans le dos, selon la lettre d'Eloria.

– Je ne savais pas. Comment j'aurais pu savoir ? Je ne l'ai pas fait exprès, Benoît. Je n'ai pas fait ça pour te blesser.

– Et tes messages ne sont pas faits pour blesser les gens ? Tu ne te soucies de personne, Zinzi.

– Bien sûr que si, pourquoi tu crois que j'ai accepté ce boulot de personnes disparues à la con ? Et jusque-là, c'est encore plus louche que toutes les arnaques dans lesquelles j'ai trempé. J'ai fait ça pour pouvoir m'en sortir, justement. Tu ne prends pas ça un peu *trop* personnellement, des fois ?

– C'est moi qui ai tiré sur Felipe.

– Quoi ?

– On dormait dans une église. Les enfants et nous, les jeunes plus âgés, qui veillions sur eux. J'avais dix-neuf ans. On était censés être à l'abri. Mais ils nous ont pris quand même. *L'Armée de Résistance du Seigneur**. Même avant que la situation ne dégénère, elle faisait des incursions au-delà de la frontière, depuis l'Ouganda. Ou alors, c'était un groupe détaché. Ils ont cassé les fenêtres. Ils ont défoncé à coups de crosse le crâne de ceux qui étaient trop petits pour marcher et de ceux qui ont résisté. Dans la forêt, ils ont tout fait pour nous rendre fous. Drogues. Viols. Jeux meurtriers. Il ne s'appelait pas Felipe, mais c'était mon ami. Et je l'ai tué parce que c'est la seule option qu'ils m'ont laissée.

– Mon Dieu.

Il a un faible sourire.

– *Nzambe aza na zamba te.* Dieu n'est pas dans la forêt. Peut-être qu'Il est trop occupé à veiller sur les équipes sportives ou à s'inquiéter des ados qui couchent avant le mariage. Ça doit Lui prendre pas mal de temps.

– Je ne savais pas.

– C'était ta politique. Pas de questions. Ce n'est pas grave, Zinzi, je ne te l'aurais pas dit de toute façon. Je ne l'ai pas dit à ma femme quand nous nous sommes mariés. Il y a des camps pour les enfants soldats, où on vous apprend à redevenir humain.

Sa bouche tressaille, plus par pitié que pour sourire.

– C'est là que tu as eu la Mangouste ?

– C'était en 1995. Avant les *mashavi.* Mais elle m'attendait. Elle m'a attendu onze ans. Nous étions en route pour les funérailles du père de Celvie. Nous savions que c'était dangereux, mais c'était son père, après tout. On aurait dû laisser les enfants à la maison. Les FDLR nous ont attaqués. J'ai riposté. J'en ai tué deux. C'est pour ça qu'ils m'ont brûlé.

– Les FDLR ? dis-je, encore sous le choc.

Comme si dénouer l'acronyme pouvait donner un sens à tout ça.

– Les *Forces Démocratiques de Libération du Rwanda**. Je croyais en avoir fini avec les combats. C'était comme une nouvelle vie, Zinzi, et ça a duré plusieurs années. J'ai rencontré Celvie. On a eu des enfants. Je suis allé à l'université. Mais la guerre au Congo, c'est comme un fauve. On ne peut pas lui échapper.

Il passe la paume de sa main sur les cicatrices de sa gorge.

– Et maintenant ?

– Et maintenant, j'espère que je vais pouvoir éviter la guerre. Et cette fois, je dirai tout à ma femme. Mais tu comprends pourquoi je ne veux pas de ton argent.

Dans ma poitrine, la fleur vénéneuse s'ouvre dans une explosion de pollen brûlant. J'imagine que M. et Mme Barber vont ressentir quelque chose dans ce goût quand ils se rendront compte que les bons sont des faux.

La mort de l'espoir.

DEUXIÈME PARTIE

26

La lumière jaune glisse sur mon oreiller comme un couteau. Du moins, ce serait la comparaison la plus flatteuse. En fait, ça s'apparente plus à une taupe qui se fraierait un chemin dans mon cerveau en passant par mon globe oculaire droit. Il y a un mec dans mon lit ; enfin, je pense que c'est un mec. Il est dur de deviner le sexe de quelqu'un en fonction de l'arrière de son crâne. Mais j'ai des soupçons, basés sur les boucles blondes et des bribes de souvenirs de la nuit passée, que mon cerveau commence à défragmenter.

Un homme bâti comme un tank, en smoking rouge et noir, à côté de la cordelette de velours ; parce que je n'ai pas osé aller chez Mak pour me défoncer.

– Ro n'est pas là, ce soir ?

– Vous voulez que je lui laisse un message ?

– Je peux vous laisser mon numéro de téléphone ?

– Chérie, tu peux absolument me laisser ton numéro de téléphone.

– Barre-toi.

Je pousse et tire la chose à bouclettes hors de mon lit en la prenant par la cheville, et la fais choir.

– C'est du spécial, dit le Dealer à Gueule d'Ange.

Il trace un nouveau rail, granuleux comme des cristaux de sel, sur le tableau de bord de sa voiture. Techniquement, il n'est pas censé consommer avec ses clients, mais je peux être très persuasive.

Ça brûle, comme du speed coupé à la mort-aux-rats. Il dit que c'est la magie qui opère. Paresseux couine, malheureux. Puis, l'intérieur de ma tête s'illumine comme la vitrine de Noël d'un magasin et mon cœur bondit dans ma poitrine et le monde s'enfonce dans un ralenti gracieux.

– Qu'est-ce que c'est que ces conneries ?

Le Dealer à Gueule d'Ange tire la couverture autour de ses jambes.

Une fille tournoie avec un python albinos sous l'une des arches surélevées, le fait passer entre ses jambes en remuant les hanches. C'est peut-être la drogue, ou son shavi *à elle, mais un désir tangible semble parcourir la foule qui se presse sur la piste de danse.*

Une capote usagée est encore accrochée à sa queue ramollie.

– La spécialité de la maison, dit le Dealer à Gueule d'Ange dans la salle de bains, en formant une autre ligne. Importée tout spécialement.

– Odious Maximus.

Je glousse et il me souffle de me taire, mais je ne sais pas si c'est parce qu'il a peur de se faire choper ou si c'est parce que je ne dois pas mentionner le nom d'Odi.

– C'était merveilleux. Tu as été fantastique. Maintenant, casse-toi de ma maison.

Une chanteuse malienne est sur la scène et susurre dans le micro. Elle aussi a été spécialement importée. Ou peut-être « acquise ».

– Ce n'est pas vraiment une maison, répond le Dealer à Gueule d'Ange en remontant son treillis sur sa capote froissée. N'est-ce pas, chérie ?

Je laisse en pourboire mes 1 000 derniers rands au barman/étudiant en biologie marine.
– Offre-toi un oceanarium, trésor.

– Essaie de ne pas te faire agresser et tuer en rentrant, je riposte.
Il claque la porte derrière lui. Malgré la capote, je songe à filer à la pharmacie pour la pilule du lendemain. Et peut-être une injection antirétrovirale. Paresseux ne me parle pas. Il refuse de descendre de son perchoir, dans le buffet, et lorsque je tente de l'en tirer, il me frappe et m'égratigne la joue. Je ne l'ai pas volé.
Je défais le lit, regroupe les draps et les balance par la fenêtre. Ils se prennent dans les branches des arbres et y restent pendus comme des cadavres. Des fantômes apathiques. Ou mon drapeau blanc personnel.
Je crois que je suis déjà venue ici. Au fond du gouffre.

27

C'était inévitable. CETTE cave d'église minable, avec son panneau minable : NOUVEL ESPOIR. Les minables, hommes et femmes, avec leurs animaux minables, qui chantent la misérable litanie de leur minable vie, la mienne comprise. Il paraît que tout est relatif. Qu'on peut distinguer différents degrés d'horreur, afin de remettre dans leur contexte ses propres souffrances. Mais en fait, c'est simplement, douloureusement monotone. Il n'y a pas tant de manières que ça de foutre sa vie en l'air. Nous couvrons la plupart d'entre elles au cours des vingt premières minutes.

Même lorsque les gosses de riches de Havre nous rejoignent, à mi-course, les seules différences se situent dans de petits détails. Mais je me sens plus saine d'esprit en y allant. J'ai aussi songé à Phoenix, Nouveau Départ et même Narconymes, mais j'avais déjà les contacts pour le programme de Nouvel Espoir. Ici, le principe est le même que chez Havre, mais il y a moins de pommettes parfaites par tête de pipe et j'imagine que la nourriture n'est pas aussi bonne.

Le repas consiste en sandwichs de la veille, scellés par des étiquettes qui désignent leur provenance : DON DU TRAITEUR KITSCH KITCHEN – CERTIFIÉ BIO. J'aurais aimé avoir de vrais couverts plutôt que du plastique, mais les clients de cet excellent établissement (en douze étapes) sont un peu plus frustes que ceux qui fréquentent Havre.

Une mignonne fille noire, venue avec les gosses de riches, se glisse à côté de moi et salue Paresseux :

– Coucou, pain de sucre, il me semblait bien te reconnaître.

Paresseux tend les bras pour être pris ; elle l'étreint.

– Naisenya, c'est ça ? dis-je en reconnaissant la bavarde de Havre. Vous pouvez le garder si vous voulez. Il ne m'aime pas beaucoup, en ce moment.

– C'est pour ça que vous êtes ici ?

– Je pourrais vous poser la même question.

– Excursion. C'est moi la conductrice.

Elle tend le menton vers les gosses de riches, qui ont actuellement un sale aperçu de ce que signifie toucher le fond du gouffre.

– Nous venons tous les dimanches.

– J'imagine que ça fait de moi une passagère. Le bon vieux trajet dans la porte tambour.

– Il n'y a pas de libre arbitre, acquiesce-t-elle avant de mordre dans son sandwich au pastrami à peine éventé.

Elle en propose une bouchée à Paresseux.

– Il ne mange que des feuilles.

– Désolée, je n'en ai pas sur moi. Je t'aurais gardé quelques racines, si j'avais su, mon mignon.

– Songweza est déjà venue ici, avec vous ?

– Oh oui. C'était presque une habituée. Qui l'aurait cru, hein ? Une fille aussi précieuse qu'elle. Mais je crois qu'elle aime bien un peu de déchéance, de temps en temps.

– J'ai eu la même impression.

– C'est là qu'elle a rencontré son poète.

– Serait-ce Jabu, à tout hasard ?

– Je vois que vous êtes au courant de la tragique romance de Song et Jabu.

– Il l'a larguée par SMS ?

— Dur, hein ? Ces deux-là sont tombés de haut. La princesse de la pop et l'aspirant romancier qui faisait la queue à la soupe populaire avec sa femme de ménage de mère. Il écrivait des poèmes pour elle lorsqu'il arrêtait le mandrax assez longtemps pour trouver ses mots. Elle promettait d'en faire des chansons. Et puis, pouf. Il n'est jamais revenu.

— Ça doit être assez fréquent. Ce n'est pas une vraie cure de désintox. Personne ne vérifie si vous êtes là.

— Sûr, il y en a qui arrivent, et d'autres qui partent. Mais c'était abrupt, même venant d'un junkie. Comment connaissez-vous Song, au fait ?

— Disons que j'étais dans le monde de la musique. Pas très longtemps.

Je glisse les emballages de Kitsch Kitchen et les couverts en plastique dans leur boîte et me lève pour partir.

— Je vous reverrai ? demande Naisenya avec espoir.

Je crois qu'elle s'est entichée de Paresseux.

— Si vous revenez, dis-je en jetant la boîte dans la poubelle commune. Le travail, tout ça.

Ça fait bizarre d'appeler Song et de l'entendre répondre, quand bien même il lui faut douze sonneries pour décrocher. Je ressens une pointe de culpabilité, parce que je l'ai négligée.

— 'lô ?

Sa voix me parvient en flottant, comme si elle répondait depuis l'Atlantide ; une voix rêveuse, noyée, si éloignée de son personnage de diva insolente que je pense un instant m'être trompée de numéro. Ce qui est impossible, puisqu'il est préenregistré.

— Song ?

— Oui ?

— C'est Zinzi. La fille au Paresseux.

— Oh. Ah, oui. Vous n'avez pas été très gentille avec moi.

Un soupçon d'acidité remonte des profondeurs.

— Tout va bien ? Pour toi, je veux dire ?

– Je vais bien. Arno est dégoûté que je sois revenue. Oui, je parle de toi, *doos.* Mais j'ai causé avec Odi, et il dit qu'une fois qu'on aura sorti l'album et fini la tournée, on pourra reparler d'un split et aller chacun son chemin. Il dit que c'est un bon tremplin. Pour nous deux.

– C'est plutôt bien, non ? Tu vas faire dans l'indépendant ?

– Odi dit que les célébrités sont de petits dieux. Il faut donner aux gens ce qu'ils veulent pour qu'ils nous vénèrent convenablement.

– Et Jabu ?

– Jabulani, Jabulani, il peut aller se faire cuire un *breyani.* Je viens de la trouver, celle-là. Odi dit qu'il me trompait. Il a essayé de se taper Carmen. Vous le croyez, ça ? Il dit qu'il a eu une petite discussion avec ce naze, et que c'est pour ça qu'il est parti. Il dit qu'il n'a pas fait ça pour me faire du mal. Odi, je veux dire. Il veille sur mes intérêts de près. De pet.

Elle glousse.

– Tu as repris ton traitement ?

– C'est pas les mêmes pilules qu'avant.

– Tu connais leur nom ?

– Misty-pisty-truc-bidule.

– Tu as un crayon ?

– Pourquoi ?

– Je veux que tu prennes mon numéro, et que tu m'appelles si quelque chose t'inquiète, ou si tu as des problèmes.

– Pour que vous me tiriez les cheveux, encore ?

– Pour que j'essaie de t'aider.

– OK, il s'est affiché sur mon téléphone.

– J'aimerais que tu le notes.

– Et moi j'aimerais que vous alliez vous faire cuire un *breyani.*

Elle hurle de rire et glousse de nouveau.

– Ta gueule, Arno.

– Je peux parler à ton frère ? Ou à Des ?

– Des est parti. Des était génial, mais il est parti. Tenez, je vous passe face de *doos.*

– Arno ?

Un bruit de téléphone qui change de main.

– Je vous l'avais dit, non ? geint Arno.

– Elle prend un traitement plutôt lourd. Où est Des ? Mme Luthuli est là ?

– Non, ils sont partis il y a un ou deux jours. La vallée des Mille Collines. Pour un enterrement. Le cousin de Des s'est pendu, dit-il platement. Il avait vingt-deux ans. C'est sûrement le sida.

– Et S'bu ?

– Il écrit des chansons dans sa chambre.

– Tu peux me rendre un service, Arno ? Peux-tu me donner le nom du médicament de Song ?

– Euh, sûr, raccrochez pas, je monte.

Song crie, au loin :

– Eh ! Eh, gratte-couilles, c'est mon téléphone !

– Elle a complètement craqué, gémit Arno dans le téléphone. Elle est encore pire qu'avant. Et S'bu est dans le coaltar. Il prend des médocs, lui aussi.

– Prends un stylo et note mon nouveau numéro. Je veux que tu m'appelles s'il se passe quelque chose de bizarre.

– Bizarre comment ?

– Bizarre, c'est tout. Tu m'appelles en premier, OK ? Pas Odi. Puis tu préviens les flics.

– Vous me foutez la trouille, là.

– En l'absence de Mme Luthuli, je me fais du souci pour vous, c'est tout. Ecoute, je vous téléphonerai tous les jours pour voir si tout va bien. Et je vais parler à une assistante sociale, OK ?

– OK.

– Tu as trouvé le nom des pilules ?

– Euh, attendez. Mi-da-zo-lam. Qu'est-ce que c'est ?

– Un instant, je vérifie.

Je fais une rapide recherche sur mon ordi portable.

— Bon, ça va, c'est juste un somnifère.

Et pas un léger.

— Essaie de la persuader de se coucher et de dormir vraiment. Et préviens-moi s'il arrive quelque chose de bizarre. N'importe quoi.

— Que Song soit une tarée, ça compte ?

— Juste si elle est *particulièrement* tarée.

La maison s'est encore détériorée depuis ma dernière visite. Elle paraît plus sombre, plus sale, et l'odeur de vieux et d'eau stagnante a empiré. Carmen a l'air frêle, blafarde, dans son bikini 60's à volants vert citron. Lorsqu'elle apporte un plateau de son thé répugnant, je remarque que ses ongles sont sales, comme si elle avait travaillé dans le potager toute la matinée. Son Lapin est mollement étalé sous sa chaise longue.

Mais le vrai choc me vient de Huron. Il a l'air particulièrement odieux dans son tee-shirt délavé Oppikoppi '99, qui remonte sur sa panse velue. Une vieille cicatrice grimpe le long de ce qui serait sa hanche si son estomac ne prenait pas toute la place. Ou plutôt, toute une série de cicatrices, légèrement courbes, comme celles que laissent des agrafes chirurgicales. Ou une morsure. Ses joues ont dégonflé pour se changer en babines molles et, plus révélateur que tout, un goutte-à-goutte est installé sur un pied roulant à côté de sa chaise en fer forgé. Au-dessus de lui, la tumeur noire des tentacules tronqués est plus épaisse et plus gluante que jamais.

— Je ne comprends pas pourquoi vous avez éprouvé le besoin de me revoir, lance-t-il avec agressivité depuis l'abri de ses immenses lunettes noires.

— En fait, je voulais voir Songweza. Voir si elle allait bien.

— Après avoir foiré le boulot ? Pour vous assurer que vous alliez quand même toucher le gros lot ? C'est bien aimable de votre part de vous faire du mouron.

— C'est bien aimable de votre part de m'avoir payée pour faire un travail que vous auriez pu faire tout seul.

– Que dire pour ma défense ? J'engage des gens doués. Ils sont arrivés les premiers. Ne vous inquiétez pas, vous aurez quand même votre argent.

– C'est très généreux. J'imagine qu'il servira plus à me faire fermer ma gueule qu'à récompenser mes efforts.

– Prenez-le comme vous voulez, dit-il en avalant bruyamment son thé.

Je me penche par-dessus la table.

– Je vous proposerais bien de discuter en privé, mais je crois que Carmen aimerait m'entendre.

– Carmen est une grande fille.

– Voilà ce que je pense. Vous avez couché avec Song. Et avec Carmen, et avec tout ce que vous aviez sous la main. Song s'est enfuie, peut-être dans l'intention de vous faire chanter, de tout déballer à la presse, ce qui aurait été particulièrement juteux, ajouté à la came que vous faites circuler dans votre club. C'est juste une intuition, mais j'imagine que Marabout et Maltais facilitent tout ça. Ce n'est qu'une sorte d'acquisition, n'est-ce pas ? Et vous les faites voyager dans le monde entier. Pour passer de la drogue, aussi ? Parce que j'ai pu goûter au matos de Counter Rev, et c'est de la bonne, croyez-moi. N'est-ce pas ça qui vous a foutu dans la merde, avec Bass station ?

Huron ouvre la bouche pour riposter mais je le fais taire en levant le doigt.

– Je n'ai pas fini. Le copain de désintox de Song, Jabu, essayait probablement de l'aider, c'est peut-être même lui qui a instigué tout le tintouin, mais vous lui avez fait peur et, de désespoir, elle s'est tournée vers Ronaldo, le videur. Vous l'avez fait salement tabasser. J'imagine que Marabout et Maltais sont retournés le voir pour un deuxième round, et que cette fois ils ont réussi à lui tirer les vers du nez concernant Song. Peut-être même qu'ils l'ont tué. Mais, bon, que signifie un videur marocain dans le grand ordre des choses ? Et je suppose que vous ferez pareil à tous ceux qui se mettront en travers de votre chemin.

Il y a une longue pause.

– Excusez-moi, dit Carmen d'une voix étranglée.

Ses joues sont rose pâle. Elle ramasse son Lapinou et retourne dans la maison en cliquetant.

– Vous lui avez fait peur, dit Huron sans avoir l'air particulièrement outré.

– Il y a de quoi.

– Cette idée à vous, dit-il en se pinçant la lèvre inférieure. Comment l'appellerons-nous ? La Théorie Polanski-Soprano ? C'est original. Pas très brillant. Pas très vrai. Mais original. Vous ne craignez pas que je vous mette un contrat sur la tête ?

– Croyez-moi, je n'ai plus rien à perdre.

– Et la suite, alors ? Vous allez voir la police ?

– Avec quelles preuves ? Une Théorie Polanski-Soprano inaboutie ? Non, je veux seulement vous dire que s'il arrive quoi que ce soit à Songweza Radebe – je devrais dire, s'il arrive *encore* quoi que ce soit – j'irai voir les flics. L'inspectrice Lindiwe Tshabalala est une vieille amie. Elle m'écoutera.

Par « vieille amie », j'entends qu'elle m'a interrogée, une fois, mais j'imagine que je peux prendre quelques libertés avec la vérité.

– Ce sont des accusations graves. Il faudra peut-être que j'en parle à mon avocat.

– Faites ce que vous avez à faire.

– Avez-vous une adresse à laquelle je puisse faire parvenir votre ordonnance restrictive ?

– Vos gens savent où me trouver. Mais tant que Songweza reste en bonne santé, je ne vous embêterai pas le moins du monde, monsieur Huron.

– Peut-être que j'ai pris une police d'assurance spéciale contre vous.

– Comme celle que vous avez souscrite pour chacun des jumeaux, pour un million et demi ?

– Vous avez fait des recherches, fillette.

– A présent, j'aimerais avoir mon argent, s'il vous plaît.

28

Je donne le cash à Vuyo dans le vestibule du Michelangelo. C'est, parmi les hôtels encore vaguement accessibles, le plus classe que j'aie pu trouver. Je me suis habillée en conséquence, robe sans manches, lunettes noires et mallette en fausse peau de serpent rouge, achetée pour l'occasion à la maroquinerie de Sandton City, ainsi qu'un nouveau téléphone. Je peux me le permettre. Certains moments de votre vie méritent une mise en scène soignée. En particulier le baiser d'adieu.

Je m'assieds à côté de Vuyo sur l'un des canapés, sous le bling-bling somptueux du vestibule, et ouvre la mallette posée sur mes genoux dans un clic, sans me soucier de qui peut nous voir. Je me sens invincible.

– Tout est là, plus le prix des derniers extras. Tu veux compter ?

– Je te fais confiance, dit Vuyo en fermant calmement la serviette. Nous répétons une scène, pour un film, lance-t-il à un homme gras, en tee-shirt Le Cap, qui nous regarde, les yeux écarquillés.

– Tu ne devrais pas, dis-je.

– Puis-je dire que cela m'attriste ?

– Tu pourrais. Ça ne changera rien.

– Je suis triste. On faisait du bon travail, ensemble.

– *Je* travaillais. Toi, tu tendais les embuscades.

– Ah, mais je savais que tu serais à la hauteur. Tu as la tête dure, Zinzi December. Parfois, il faut te pousser un peu.

Il n'a pas encore pris la mallette.

– J'espère que ce n'est pas un coup monté. Les flics ne vont pas débarquer ?

– J'y ai songé, j'avoue. Mais j'ai déjà assez à faire pour me sortir de la fosse à merde qu'est ma vie en ce moment.

Il se penche vers moi :

– Ce fric, je te le rends, multiplié par deux. 500 000 rands de plus par an, à partir de maintenant. Viens travailler avec nous. Tu es un atout pour le syndicat.

– Il y a plus de chances que Paresseux se voie pousser des ailes et lance sa propre compagnie aérienne. Ce n'est pas que je n'apprécie pas l'offre, mais j'essaie de devenir clean.

– Zinzi… Qu'est-ce que tu vas faire ? Continuer à déterrer des babioles pour des piécettes ?

– Quelque chose de mieux. Ou de pire. Ça dépend de ce que tu penses des médias. J'espère que ce sera mieux.

– Eh bien, si jamais tu as besoin d'un dentiste…

– J'ai l'adresse mail de Mme Pillay.

Il se lève pour me serrer la main et, juste comme ça, je retrouve ma liberté.

Ou pas tout à fait.

Il y a 3 986 e-mails non lus dans ma boîte de réception. Je rédige une réponse commune.

Ceci est une arnaque.

Personne ne vous donnera des millions de dollars pour rien.

Gardez vos économies.

Dépensez-les en crème glacée.

Sortez dîner.

Emmenez votre famille en week-end.

Payez vos crédits.

Partez à l'aventure.

Claquez tout en leçons de parapente, en bibine, en putes ou au poker.

Mais, s'il vous plaît, ne me les envoyez pas, ni à personne d'impliqué dans cette sale petite fiction.

Et, la prochaine fois, essayez d'être un peu moins cons.

Ça ne va pas plaire à Vuyo. Mais pas suffisamment pour qu'il me fasse tuer. Pas tant qu'il n'a pas encore d'animal. Et, de toute façon, il y en aura d'autres. Les *moegoes* sont plus faciles à trouver que la salmonelle dans la cuisine d'un fast-food.

J'ajoute une dernière ligne, même si ce n'est qu'une mesquine vengeance, bien moindre que ce qu'il mérite, même si elle m'implique, ou du moins mon pseudonyme anonyme, Kahlo999.

Vous avez des questions ? Contactez Giovanni Conte gio@machmagazine.co.za

Il faut du temps pour envoyer 3 986 e-mails. Je regarde la barre de statut les égrener. J'y puise une grande satisfaction. Satisfaction légèrement gâchée quand l'une des adresses me renvoie la balle. Il faut être peu au fait du monde moderne pour se laisser avoir par une arnaque à la nigériane, mais les gens sont en général suffisamment vifs pour ne pas se tromper en donnant leur adresse de retour.

Service de messagerie de l'hôte smtpauth01.mweb.co.za

J'ai le regret de vous informer que le message attaché ci-dessous n'a pas pu être acheminé à un ou plusieurs destinataires.

Si vous avez besoin d'aide, contactez l'administrateur. Dans ce cas, veuillez inclure ce rapport d'erreur. Vous pouvez effacer le texte du message retourné attaché.

Le serveur de messagerie <personne> : Hôte ou nom de domaine non trouvé. Erreur du service de noms pour le nom=inventedzoocity.com type=A : hôte non trouvé

Rapport-MTA : dns ; smtpauth01.mweb.co.za
X-Postfix-Queue-ID : D4AF5A024B
X-Postfix-Sender : rfc822 ; Kahlo999@gmail.com
Date-arrivée : Dim, 27 mars 2011 21 h 51 min 59 s + 0200 (SAST)

Destinataire-final : rfc822 ; <pas de nom>
Destinataire-original : rfc822 ; ghost24976@limbowold.za
Action : échec
Statut : 5.4.4
Code-diagnostic : X-Postfix ; Hôte ou nom de domaine non trouvé. Erreur de service de noms pour le nom=<pas de nom> type=A : hôte non trouvé

De : Khalo999
Date : Dim, 27 mars 2011 21 h 51 min 59 s + 0200
A : <pas de nom>
Sujet : RE :

Ceci est une arnaque.
Personne ne vous donnera comme ça des millions de dollars. Gardez vos économies.
Dépensez-les en crème glacée.
Sortez dîner.
Emmenez votre famille en week-end.
Payez vos crédits.
Partez à l'aventure.

Claquez tout en leçons de parapente, en bibine, en putes ou au poker.

Mais, s'il vous plaît, ne me les envoyez pas, ni à personne d'impliqué dans cette sale petite fiction.

Et, la prochaine fois, essayez d'être un peu moins cons.

Vous avez des questions ? Contactez Giovanni Conte
gio@machmagazine.co.za

= = = = = = = = =
De : <pas de nom> (pas d'expéditeur/de destinataire)
Date : Dim, 27 mars 2011 21 h 51 min 59 s + 0200
A : <pas de nom>
Sujet : <pas de sujet>

J'ai dansé jusqu'à ce que mes pieds se brisent. Jusqu'à ce que mes chaussures soient rouges de sang. J'ai toujours voulu être une fille de conte de fées.

C'est trop étrange, trop poétique pour être du spam. J'ouvre le document Word et l'ajoute à ma collection.

Ça m'agace, comme un poil pubien coincé entre les dents. Ou un fantôme qui hanterait ma machine.

Remarquez, ce n'est pas comme si j'avais autre chose à faire de ma vie, à l'heure actuelle. Je descends mon ordinateur portable et lui fais parcourir quatre blocs, jusqu'au cybercafé Nice Times, afin d'imprimer les messages. Le gars au comptoir me glisse les tirages dans une enveloppe en papier brun. Du coup, ce n'est que lorsque je suis rentrée et que je les ai étalés par terre que Paresseux a flippé.

Il somnolait sur mon dos, jusque-là, mais une fois les pages disposées sur le linoléum, il se met à siffler et me tire les bras pour m'éloigner.

– C'est quoi, ton problème ? C'est ça ?

Je ramasse une feuille, il rentre la tête dans les épaules et me l'arrache de la main d'un coup de patte. Puis, il descend maladroitement de mon dos et va se réfugier dans un coin, derrière le lit, le poil hérissé ; comme si les pages étaient possédées. Peut-être que Vuyo avait raison et que c'est de la mauvaise *muti*, un sort de piratage jeté par un syndicat rival. Peut-être que c'est la cause de tout, de cette ombre sur ma vie. Je fouille dans mon sac à la recherche de la bouteille de *muti* que le *sangoma* m'a donnée. Ça ne peut pas faire de mal, non ?

Paresseux ne semble pas convaincu que c'est une bonne idée. Je m'agenouille au milieu de l'appartement et brûle de l'*imphepho* dans un encensoir. La fumée monte droit. J'ai froissé les tirages des e-mails dans un grand pot vide.

– A moins que tu n'aies une meilleure idée ?

Il ouvre la bouche.

– Une meilleure idée qui ne me fasse pas retourner à Mai Mai, j'ajoute rapidement.

Sa mâchoire se referme brutalement et il éternue deux fois, fort.

– Tu vois ? C'est un signe.

Résigné, Paresseux tend son long bras maigre, sur lequel je prélève une perle de sang au moyen d'une broche vintage que je garde dans ma boîte à bijoux. J'essuie la goutte sur le message le plus récent.

Je verse une dose généreuse de paraffine sur les papiers froissés dans le pot, ajoute une giclée de *muti* purificatrice du *sangoma*, tirée de sa bouteille de sirop pour la toux, et j'en prends une lampée pour me porter chance. Puis j'embrase la feuille striée de sang et la lâche dans le pot. Séance spirite flambée !

Une flamme de près d'un mètre monte brutalement du vase et me grille les sourcils. De surprise, je recule précipitamment et mon pied heurte le récipient. La paraffine enflammée se répand par terre. Paresseux pousse un cri alarmé et file vers son perchoir avec une rapidité étonnante.

Il grimpe à son poteau, tend le bras et agrippe l'une des boucles de corde qui pendent du plafond. Puis, il se balance vers la porte d'entrée, ce qui me paraît être l'option la plus sensée. Si j'étais sensée, j'en ferais autant. Au lieu de cela, j'attrape la première chose qui me tombe sous la main, en l'occurrence ma veste en cuir jaune, et j'essaie d'étouffer le sinistre.

Le feu résiste vaillamment, mais je réussis finalement à tuer les flammes et ma veste dans la foulée. Il meurt à contrecœur, presque avec rancœur. Une fumée noire, grasse, nauséabonde se déverse du pot et monte du sol. Toussant et haletant, je m'efforce d'ouvrir la fenêtre. Et, soudain, ça me frappe.

Des dunes de sable jaunâtre, poudreux. Elles enflent et retombent comme les vagues de l'océan. On pourrait s'y noyer. Des monticules jaillissent des vagues, vomissent des termites sur le sable et sont de nouveau avalés. Les vagues continuent de rouler.

Un roi décapité. Il tient sa tête sur ses genoux. La tête roule des yeux et sourit, les dents tachées de sang, sous sa couronne. Prends-moi, prends-moi, prends-moi dans ta toile d'araignée. Il porte un tee-shirt délavé Oppikoppi.

Des oiseaux tournent dans le ciel, une vraie volière, de toutes sortes, des grues, des pigeons, des faucons, des vautours, des souïmangas, des moineaux.

Un flash d'un vieux film. Le Soleil Vert, c'est de la chair humaine.

Une clôture de fil barbelé. Un panneau jaune vif. Propriété privée. Les intrus seront mutilés.

Un faux ongle, d'un demi-pouce de long, rouge rubis, décoré d'étoiles peintes, gisant dans le caniveau. Une galaxie privée parmi les détritus. Des lettres presque effacées ont été tracées au feutre sur le trottoir. Kotch. Kozy. Kotze.

Un chariot de supermarché plein de fourchettes en plastique. Il prend feu. Les fourchettes se tordent et fondent.

Une averse de plumes. La base de certaines est encore ornée de petits morceaux de chair. Elle se transforme en averse de grenouilles.

Sors ! Sors-toi de là. Sors-toi…

J'ouvre les yeux et trouve Paresseux en train de me secouer par les épaules en gémissant.

– Tout va bien, tout va bien. Je vais bien.

Je m'assieds prudemment et frotte l'arrière de ma tête, là où j'ai l'impression qu'elle a heurté le sol, peut-être de manière répétée. Mes talons me font mal, comme si j'avais rué, en proie à une crise. J'ai de la chance de ne pas m'être mordu la langue.

Ou cassé un ongle.

29

– David Laslow, répond la voix traînante au bout du fil.

– Dave le photographe ? Ici, Zinzi December. Nous nous sommes rencontrés au Biko.

– Je me demandais si tu allais appeler, dit-il sur un ton résigné. Tu veux m'en faire *kaker,* je comprends. C'était juste un job. Gio m'a payé. Il ne m'a pas dit ce que ça impliquait.

– Laisse tomber, ce n'est pas pour ça que je t'appelle. Je veux faire un article, un vrai. Et je veux que tu prennes les photos.

– Holà, tu n'as pas choisi la bonne semaine. J'ai le jugement de Mbuli, le portrait du Premier ministre, la conférence de presse des Springboks, l'ouverture d'une nouvelle clinique... et je ne compte pas ce qui peut encore tomber pendant la journée.

– *Ça* vient de tomber. En plus, tu m'es redevable.

– Je croyais que tu n'appelais pas pour ça.

– En effet. Mais ça ne veut pas dire que tu ne me dois rien. Allez, je te tuyauterai sur les histoires des zoos. Ce n'est pas ce que tu voulais ? Un laissez-passer pour Zoo City. Tu veux de la came, du sexe, des affaires de mœurs, des combats de chiens ? Je peux te montrer tout ça. Mais il faut que tu fasses quelque chose pour moi.

– Tu ne laisses jamais tomber, hein ?
– Non.

Dave attend à côté du magasin One-Stop lorsque je me gare dans la station-service sous Ponte. C'était jadis un immeuble d'appartements huppés réputés pour leur design tout en courbes. Après un passage par l'état de squat virtuel, avec gangsters, drogués, putes, détritus et suicidés qui s'entassent dans le puits central, il est redevenu un bloc classieux. J'imagine qu'il repassera bientôt par la proverbiale porte tambour.

– Monte.

J'ouvre le loquet de sa portière. Je n'ai pas encore fait réparer la vitre.

– Avec ma voiture, on a moins de risques de se faire braquer.

Il me lance un regard plein de doutes.

– Où allons-nous ?

– Tu as trouvé les coupures que je t'ai demandées, sur le clodo assassiné ?

– Ouaip.

Il pioche dans sa poche et en sort une fine liasse de photocopies.

– Le pauvre bougre n'a pas eu beaucoup de place dans les médias. Voilà le *Star*.

The Star, 23 mars 2011

Un sans-abri brûlé vif

[Ellis Park] Le corps grièvement brûlé de Patrick Serfontein, cinquante-trois ans, a été retrouvé sous un pont à Troyeville, mardi, selon la police de Gauteng. Le capitaine Louis du Plessis a annoncé que le sans-abri avait été passé à tabac avant que ses agresseurs ne lui mettent le feu. L'homme a été identifié grâce à ses papiers, trouvés sur le lieu du crime.

La police a ouvert une enquête pour homicide et a lancé un appel à témoins. – SAPA.

— Et voilà mon papier.

Il me tend le cliché grotesque d'un visage d'homme à la peau noircie, fondue, les lèvres retroussées sur les dents, comme s'il revenait de vacances à Pompéi.

The Daily Truth, 24 mars 2011
FAITS DIVERS
L'Œil sur le Crime avec Mandlakazi Mabuso

Sans-abri frit

Je vous le dis sans détour. Quelques déchets humains ont brûlé un pauvre *ou* sans-abri mardi. Patrick Serfontein vivait sous un pont de Troyeville, dans une boîte en carton, jusqu'à ce qu'il soit tabassé et *necklacé* par un ou plusieurs *tsotsis* encore non identifiés et toujours libres puisque personne n'a rien vu.

Le visage du pauvre *ou* sans-abri était si gravement brûlé que les flics n'ont pu l'identifier que grâce à ce qu'ils espèrent être ses papiers, retrouvés parmi d'autres *goeters* personnels dans un vieux caddie, près du corps. Les SPAS ont refusé de se prononcer sur le motif de ce violent meurtre. Est-ce le premier signe de l'apparition d'un nouveau tueur en série du calibre de Moses Sithole ?

Autre atrocité datant d'hier : le corps d'un enfant de neuf ans, disparu à Ventersdrop, a été retrouvé noyé dans un bassin agricole. Au moins, ses parents vont pouvoir faire leur deuil. Le nombre de gens qui disparaissent *sommer* dans cette ville sans jamais être retrouvés est tout simplement tragique, *mense*.

Le reste de la page a été arraché. Je dresse un sourcil.

— Du journalisme de qualité.

Dave hausse les épaules.

– Je prends les photos, c'est tout.

– Ça ne parle pas d'animal.

– Les marginaux n'ont pas tous des animaux. Pourquoi tout ça ?

– Patrick Serfontein est une intuition. Disons que sa mort correspond à un e-mail. A-t-on une photo de lui vivant ?

– Juste son ID. Mandla m'en a donné une photocopie pour toi. Elle dit que si nous trouvons quelque chose de bon, ça doit passer par elle. Tu pourras avoir la mention « informations supplémentaires… »

– Je ne sais pas si « bon » est le terme approprié, dis-je sombrement.

– Où allons-nous ?

– Photographier un corps qui correspond à un autre e-mail.

L'ongle en plastique rubis que j'ai retrouvé dans Kotze Street est sur le tableau de bord. Le fil qui en émane est noirci, fluet, mais encore décelable, pour peu que ma vision de dunes jaunes soit un indice de l'endroit par lequel commencer.

– Un tueur t'envoie des e-mails ? Tu le connais personnellement ? Il se vante ? C'est ce qu'ils font, non ? Les tueurs en série ?

– Je ne sais pas qui est le tueur. Je crois que ce sont ses victimes qui m'envoient des messages.

– Mais… elles sont mortes.

– Précisément.

– OK, comme tu veux.

Dave s'affaisse dans son siège et commence à jouer avec son appareil.

On part vers le sud, où se dressent les dernières déchetteries minières : des terrils couleur de soufre, érodés par les ravages du temps et du recyclage, cernés de broussailles et d'eucalyptus. D'horribles vallées ont été creusées à la pelleteuse et emportées tonne par tonne pour déloger les dernières bribes d'or que les compagnies minières ont ratées lors des premières excavations. Il est sans doute logique qu'*eGoli*, la ville de l'or, s'autodévore.

J'oblique sur une route de terre bordée d'arbres échevelés et roule encore sur précisément 3,8 kilomètres. J'ai mesuré la distance en repartant. Lorsque nous descendons, un petit vent sournois soulève de la poussière jaune et fait murmurer les branches de manière inquiétante. Je tire une épaisse couverture du coffre et la jette par-dessus la clôture barbelée. Cette fois, je suis préparée, mais la première expédition a laissé des traces sur mon jean. Ce n'est qu'une fois rentrée que j'ai remarqué les déchirures et le sang séché sur mes jambes.

– C'est une effraction, dit Dave tandis que je fais passer Paresseux par-dessus la clôture.

– Ne t'inquiète pas, je suis déjà venue. La deuxième fois, ça n'est plus une effraction.

Je tiens l'ongle rubis dans le creux de ma main, avec précaution. Le fil est plus épais, à présent. Nous sommes proches.

Nous grimpons le flanc du terril ; à chaque pas, le sable fin avale nos pieds jusqu'à la cheville. Loin de l'abri des arbres, le vent est encore plus capricieux. Des tourbillons de poussière nous cinglent et tournoient autour de nous, criblant notre peau de grains de sable. Je passe ma capuche par-dessus Paresseux, mais ce n'est qu'une maigre protection. Il plonge la tête derrière mon cou et ferme les yeux.

– Merde, fait Dave. Je n'ai pas de quoi protéger mon objectif.

– Là.

J'espérais que, la deuxième fois, ça serait moins désagréable. Mais le même mélange de peur et de nausée envahit le fond de ma gorge. Dave lève son appareil par réflexe, puis le baisse sans avoir pris de photo.

– Comment as-tu trouvé *ça* ?

– C'est *ça* qui m'a trouvé, en quelque sorte.

Le garçon/fille au Moineau est étalé sur le sable, ses yeux vides tournés vers le ciel, les poings sur les hanches. Il y a de la poussière dans le moindre creux, le moindre repli de son corps, dans la paume entrouverte de ses mains, sous ses paupières inférieures, comme des larmes prêtes à tomber ; incrustée dans les balafres sanglantes de ses bras, de ses jambes, de son ventre et de sa tête. Ses ongles sont brisés, comme s'il/elle avait essayé de se défendre. Acrylique. Rouge rubis, avec des paillettes. Ils devaient être assortis à ses chaussures.

Dave ouvre la bouche et la referme. Il n'y a rien à dire. Il se réfugie derrière son objectif. Les blessures font dans les huit centimètres de long et s'ouvrent comme des bouches écarlates. Taillader quelqu'un à mort est un travail fatiguant ; demandez aux Hutus. Celui qui a fait ça a dû faire preuve d'un certain enthousiasme.

– Tu remarques l'absence de quelque chose ? dis-je alors qu'il s'interrompt pour changer de carte mémoire.

– Je... Non. Je ne sais pas. Il y a quelque chose qui manque ? Attends. Il n'y a pas tant de sang que ça. Ce qui signifie qu'elle a été tuée ailleurs.

– Et son animal n'est pas là.

– Comment sais-tu qu'elle avait un animal ?

– Elle travaillait dans ma rue. C'était un Moineau.

– Un Moineau ? C'est minuscule. Facile à rater.

– Crois-moi, il n'est pas là.

Je le sais, parce que j'ai fait tout le tour de la dune, à la recherche d'un petit oiseau brun, aux pattes d'allumettes recroquevillées sous le jabot. Mais aussi parce que je le sens.

– Il est perdu.

Lorsque les flics arrivent, seulement une heure et demie après que je les ai prévenus, ils sont de mauvaise humeur. A cause de la poussière, du vent, du trans mort qui regarde le ciel comme s'il comptait les nuages. A cause de la paperasse. Des preuves. Du fait que je sois impliquée.

Ils m'envoient dans la salle d'interrogatoire, pour une autre session de deux heures avec l'inspectrice Tshabalala. Cette fois, elle va droit au but.

– Comment as-tu su où trouver le corps ?

– C'est dans mon dossier. Mon *shavi*...

– Ton *shavi* te permet de retrouver des objets perdus.

– J'ai *retrouvé* le corps.

– Comment ? insiste-t-elle.
– J'ai suivi une connexion.
– Comment as-tu connu la victime ?
– Je ne la connaissais pas. Je l'avais vue dans la rue. C'est… c'était une *lekgosha*. Une prostituée. Mais je ne pense pas que ce soit un client qui lui ait fait ça.
– Tu ne *penses* pas ? Es-tu impliquée dans le meurtre ?
– Non.
– Où étais-tu le matin du 22 mars ?
– On change de sujet, là ?
– A toi de me le dire. Où étais-tu ?
– Comme je vous l'ai dit, au moment où Mme Luditsky a été poignardée, j'étais chez moi, appartement 611, Elysium Heights, Zoo City, Hillbrow. Code postal 2038. Avec mon petit ami, Benoît Bocanga, qui a fait, je crois, une déposition qui en atteste.
– Benoît Bocanga. Nous avons vérifié ses papiers.
– Qui sont tout à fait légaux.
– Mais son statut de réfugié doit faire l'objet d'une demande de renouvellement.
– Si vous voulez faire chanter quelqu'un, faites-*moi* chanter. En cherchant bien, je suis sûre que vous trouverez quelque chose.
– En effet.
Elle change d'angle d'attaque :
– Mademoiselle December, vous et votre *shavi* magique avez été impliqués de manière périphérique dans deux affaires d'homicide, cette semaine. Comment l'expliquez-vous ?
– Par une poisse phénoménale, inspectrice.
– Possédez-vous des couteaux ?
– J'ai une cuisine. Elle est minuscule, sale, mais elle est munie de couverts.
– Pouvons-nous fouiller votre domicile ?
– Il vous faudra un mandat.
– Ça peut se trouver.
– Un avocat aussi, inspectrice.

30

Un ancien drogué doit être drôlement motivé pour se lever à 10 heures du matin. Ou, si j'en crois leur visage, il s'agit peut-être de gens qui ne savent plus dormir. Sans Midazolam, s'entend.

J'aide à distribuer des verres en plastique contenant un horrible mélange de café et de chicorée aux clients matinaux de la réunion de Nouvel Espoir, et j'en profite pour leur montrer la photocopie des papiers du clochard brûlé.

Le problème est qu'ils ne parlent que de Slinger et du fait que ce dernier n'est pas un vrai dur, au bout du compte. Ils font circuler un exemplaire de *The Daily Truth.*

– *Fo sho,* la Hyène du négro était bidon, commente un mec très grand, très agité, dont le crâne est criblé de plaques dégarnies révélatrices.

Il tient une drôle de casquette de base-ball à l'envers, dans laquelle est pelotonné un Hérisson.

– Depuis le début ? s'étonne une rouquine efflanquée aux sourcils peints. Et personne ne l'a remarqué ? Vous autres, vous n'arrivez pas à savoir si un animal est réel ou bidon ?

– « Vous autres » ? « Réel ou bidon » ?

– *Ag,* mec, tu vois ce que je veux dire.

– C'est pas comme les gays. On n'a pas de zoodar magique pour détecter les autres zoos.

– Dommage. Ce type faisait beaucoup pour le respect des zoos.

– Ce type faisait beaucoup pour se faire de la pub, oui. Il jouait le Gros Dur Zoo pour faire du bruit.

– Je peux voir ? je demande en désignant le journal.

Le mec au Hérisson me l'envoie et recommence sa conférence.

– Un type comme ça sait comment manipuler les médias et faire râler les parents. Jetez un œil aux ventes de ses albums. Pareil pour Britney Spears. Et Eminem, et ce vampire taré avec les yeux bizarres ? Ils cherchent juste à choquer.

Deux photographies, côte à côte, dominent la première page, sous le titre NUMÉRO DE CIRQUE. La première montre Slinger, armé d'un Uzi, prenant une pose de gangster à côté de sa Hyène à collier diamanté et d'une véritable masse de pouffiasses en micro-bikinis dorés, équipées de fusils d'assaut. Elle jure avec la deuxième, qui représente un homme aux abois, en survêtement vert sombre, veste sur le visage, fuyant les paparazzis en direction d'un 4 × 4 dont la portière ouverte révèle une femme qui détourne la tête.

Je feuillette le canard, dépasse les nichons de la page 3 et l'histoire sur la famille si durement touchée par la récession qu'elle en est réduite à chasser des chats, jusqu'à ce que je trouve l'article de Dave sur le meurtre du Moineau. Dave m'avait promis qu'il ferait la première page, mais les déconvenues de Slinger l'ont relégué dans un entrefilet étroit en page 6, parmi les faits divers ordinaires.

The Daily Truth, 29 mars 2011
FAITS DIVERS
L'Œil sur le Crime avec Mandlakazi Mabuso

Hachage haineux

Le corps d'un jeune *boy-nooi oulike* a été trouvé hier après-midi dans le sud profond de notre cité. Après avoir reçu un tuyau croustillant, notre photographe a été le premier à voir le cadavre tailladé. La victime, qui serait un transsexuel tapineur, avait déjà subi des altérations magiques et chirurgicales avant que le tueur fou ne se livre à sa propre opération, en le/la découpant en petits morceaux à l'aide d'une *panga*. Etait-ce un crime haineux ? Un client exprimant son insatisfaction avec trop de véhémence ? La police de Gauteng s'est refusée à tout commentaire.

J'aurais bien quelques commentaires, mais rien qui concerne un crime homophobe. Je ne crois pas que ce soit ça, du tout, mais jusque-là je n'ai pas encore reçu de mystérieux e-mail de l'au-delà pour me prouver qu'il en est autrement.

Je reste jusqu'à la réunion, mais personne ne reconnaît Patrick Serfontein, y compris les animateurs. Je ne m'attendais pas vraiment au contraire. Après tout, manger les restes de Kitsch Kitchen n'est pas tout à fait la même chose que « manger les choses d'un avion », mais c'est de là que m'est venue l'idée. Ainsi que de la vision *muti* d'un caddie enflammé plein de fourchettes en plastique.

Je passe la matinée au téléphone avec des compagnies aériennes, en prétendant écrire un article pour *Better Business Magazine* au sujet de la solidarité. Il s'avère que deux compagnies seulement offrent leurs restes aux nécessiteux. Comme le délégué à la Responsabilité civique de FlyRite Corporate me le signale :

– Nous vivons dans une société procédurière. Je comprends que d'autres compagnies craignent d'être poursuivies pour des cas d'intoxication alimentaire, mais nous sommes sûrs de la qualité de notre nourriture. Même quand elle a quelques jours. Si c'est assez bon pour nos passagers, c'est assez bon pour ceux qui sont dans le besoin ! ajoute-t-il joyeusement.

Deux coups de fil plus tard, j'ai une liste des organismes sociaux ravitaillés par FlyRite et Blue Crane Air. En raison de l'âge de Patrick, j'élimine l'établissement pour délinquants juvéniles Se Lancer et le programme Vuka ! pour écoles défavorisées, ce qui me laisse la soupe populaire de l'église de Saint

James, dans le township d'Alexandra, et le foyer Carol Walters, situé juste à côté de Louis Botha, à un jet de pierre (si le lanceur est un athlète olympique) de Troyeville. Ce n'est peut-être qu'une intuition, mais je commence par là.

Le foyer est une maison victorienne gracieusement décrépite, avec des corniches, des frises en fer forgé et de la peinture bleue qui tombe des murs par plaques, comme si elle pelait après un coup de soleil. L'intérieur est désert, résolument propre, mais tous les bidons de Handy Andy et de Windolene du monde n'arriveront pas à effacer l'atmosphère de désespoir qui pèse sur le bâtiment comme un nuage de gaz moutarde. Un homme armé d'une serpillière m'aiguille vers le bureau du directeur.

Renier Snyman a la trentaine passée de peu ; il est assez jeune pour penser qu'il peut encore faire la différence, et assez vieux pour commencer à accuser le poids de ses efforts. Il est amical, mais se montre prudent lorsque je lui annonce que je suis journaliste et que j'enquête sur un meurtre.

– Je ne peux pas vous promettre que je vais vous aider. Nous ne gardons aucune trace des gens qui passent par ici.

– Pourriez-vous regarder cette photo ?

Je déplie ma photocopie et la pousse devant lui, sur le bureau.

– Hmm. Je dois avouer que ça ne me dit rien. Mais c'est peut-être parce que ces papiers datent de 1994. Personne ne ressemble à sa photo d'identité, de toute façon, et surtout pas quelqu'un qui a passé quelques années à la dure. On pourrait interroger certains de nos plus anciens pensionnaires. Ils ne sont pas là, en ce moment. On leur laisse quartier libre entre 10 et 17 heures, mais beaucoup d'entre eux traînent dans le coin. Allons faire un tour.

Nous nous dirigeons vers Joubert Park, où les dealers sont déjà présents, en force, et où les salariés des bureaux proches prennent une pause déjeuner précoce au soleil. Renier se dirige droit vers les toilettes publiques, près desquelles un groupe de sans-abri fait tourner de la piquette dans un *papsak* argenté. Ils nous regardent avec méfiance ; une femme noueuse attrape le bras du vieillard à côté d'elle et se serre contre lui, comme pour se protéger.

– Qu'est-ce qui se passe, cap'taine ? lance le vieux comme nous nous approchons. Quelque chose a disparu ? Le *dief* est revenu ?

Ses rides sont si profondes qu'on pourrait y faire du canyoning.

– Rien de tel, Hannes. Cette jeune dame voudrait vous parler, à toi et à Annemarie, d'un homme qui est peut-être passé chez nous.

Je leur tends la photocopie, qu'ils font circuler avec autant de sérieux que le *papsak*.

– *Nee,* mec. Je connais pas cet *okie,* fait Hannes en secouant la tête.

– Vous en êtes sûr ? Il a sans doute changé de tête.

Surtout après avoir été pratiquement incinéré vivant, mais je ne compte pas leur montrer ces clichés-là.

– Il s'appelait Patrick Serfontein.

– *Sê weer ?* demande la vieille dame accrochée à son bras.

– Patrick Serfontein. Il avait cinquante-trois ans. Il venait de Kroonstad.

– Non, m'dame, répète Hannes en secouant de nouveau la tête.

Soudain, la vieille femme lui assène une tape sur l'épaule.

– *Jong ! Dis* Paddy ! *Jy onthou* !

Elle attrape la photocopie d'une main rendue tremblante par la boisson ou Parkinson.

– *Ja, okie* avec une barbe, *nè. En Dinges wat daar woon.*

Elle fait mine de se gratter le menton, comme si elle avait des puces.

– Vous vous souvenez, m'sieur Snyman. Avec le *Miervreter, mos.*

– Il avait *vraiment* un animal ? je demande.

– Je me souviens, fait Snyman en branlant à son tour du chef. Ce foutu Oryctérope collait sa langue partout, en particulier dans le sucre. Ça rendait le cuisinier dingue.

– Et il lui donnait à manger des bébés cafards, vous vous souvenez, m'sieur Snyman ?

Elle écarte son pouce et son index de cinq centimètres.

– Ça, c'est pas un bébé cafard, intervient un homme morose à l'accent allemand, qui s'appuie sur un chariot chargé des vestiges d'un matelas une place.

– Dans le coin, si ! beugle la vieille femme en se frappant la cuisse, et même Snyman et l'Allemand maussade éclatent de rire.

– Quand l'avez-vous vu pour la dernière fois ? je demande.

– Ça devait être il y a quelques semaines, réfléchit Snyman. Peut-être un mois. Il bougeait pas mal, si je me souviens bien.

– Il était son propre maître, fait Hannes d'un air approbateur. Le foyer n'est pas fait pour tout le monde. Certains aiment avoir leur liberté. Ils arrivent pas à supporter les règles que leur imposent les autres.

Il adresse un hochement de tête d'avertissement à la vieille pie pendue à son bras.

– *Jy !* Me fais pas marrer ! rétorque-t-elle.

Snyman reprend :

– Beaucoup de nos pensionnaires vont et viennent. Ils vivent dans la rue jusqu'à ce qu'il fasse trop froid – c'est en hiver qu'on a le plus de monde – ou que quelque chose arrive. Une bagarre, un passage à tabac, un accident. La vie est moche, dehors.

– Y a-t-il quelqu'un d'autre que vous n'avez pas vu depuis longtemps ? Quelqu'un avec un animal ?

Ils échangent des regards et secouent la tête.

– Comment est-ce qu'on pourrait savoir ? demanda l'Allemand.

C'est là-dessus que compte le tueur.

31

Mandlakazi n'est pas seulement grosse, elle est énorme. Ses bourrelets de graisse ont leurs propres bourrelets de graisse. Elle dévore un sac de samoussas végétariens, une main sur le volant, l'autre accomplissant des allers-retours incessants, comme à l'usine, du sac à sa bouche. Elle nous fait traverser Cresta pour rencontrer le Témoin. Paresseux la trouve immédiatement très sympathique, mais c'est peut-être seulement à cause des samoussas au beurre de cacahuète qu'elle lui offre.

Le Témoin a appelé ce matin, pendant que je téléphonais aux compagnies aériennes charitables, et a annoncé avoir tout vu. Dave m'a ensuite appelée pour me mettre au parfum, et j'ai insisté pour venir.

— Dave m'a dit que vous avez traîné avec les Inuits, dit Mandlakazi à travers une bouchée de samoussa.

Je mets quelques secondes à comprendre qu'elle parle d'iJusi.

— Ouais. J'écrivais un article sur eux.

— Au passé ? Dommage, *koeks*. Dave vous a dit que j'étais la rédactrice, au passé aussi, de la colonne ragots du *Sunday Times* ?

— Il l'a mentionné.

– Et il a mentionné pourquoi j'avais été virée ? Je suis devenue tellement importante que je remplissais les pages à moi toute seule, rugit-elle en riant. Non, je plaisante. J'en ai eu marre. Ce truc, c'est comme le cancer. Toutes ces conneries sur les célébrités, ça vous bouffe vivante si vous les laissez faire.

– Mais pas les faits divers ?

– Comme je le vois, couvrir les people, c'est comme mourir d'une opération du nez qui vous file la gangrène. Ou d'un cancer du cul. C'est stupide, comme mort. Je préfère une bonne balle dans la tête, ou un coup de couteau. Au moins, ça *vaut* quelque chose. Alors, qu'est-ce que vous pensez de ce foutoir ? Vous croyez que c'est une vendetta anti-animal menée à coups de *panga* ?

– Des meurtres *muti.*

– Ah ! Si seulement ! Que Slinger et son cabot bidon aillent se faire mettre, on va occuper la première page pendant une semaine. Comment vous le sentez ?

– Deux meurtres en une semaine. Deux animalés. Deux corps retrouvés sans trace de leur animal à proximité.

– Et vous savez que ces deux meurtres sont liés parce que… ? Je veux dire, d'un côté, on a un sans-abri *necklacé.* D'un autre, un très vilain cas de taillade. Ça m'a pas l'air d'être le même MO et, croyez-moi chérie, je m'y connais en tueurs en série.

– J'ai reçu un e-mail.

– Du tueur ?

– Des victimes. Le fantôme dans la machine. Un type particulier d'objet perdu.

– Et c'est votre dada, pas vrai ? Le truc avec les objets perdus ?

– C'est mon dada, oui.

– Et comment vous savez que ce n'est pas juste l'œuvre de psychopathes qui veulent s'amuser ?

Elle s'essuie les doigts sur son jean.

– J'ai rencontré des gamins camés derrière Mai Mai, avec un Porc-épic. Ils lui avaient coupé la patte et l'avaient vendue pour de la *muti*. Ils m'ont proposé de faire la même chose avec Paresseux. Quelqu'un est preneur.

Remarquez, quelqu'un est toujours preneur pour quoi que ce soit, dans cette ville. Sexe. Drogue. Magie. Avec les bons contacts, on peut même avoir des prix de gros.

– De la *muti* de zoo ? fait Dave en poussant un sifflement admiratif. Ça doit coûter cher.

– Tuer des gosses pour de la *muti* coûte cher, corrigé-je.

Ça n'arrive pas souvent, mais chaque année, une poignée de cas sont rapportés par la presse : des ados prépubères assassinés pour leurs pièces détachées. Lèvres, organes génitaux, doigts, mains, pieds. Plus ils hurlent, plus la *muti* est puissante. Les morgues ont aussi leurs petits trafics illégaux. Une main enterrée sous le palier de votre magasin attire plus de clients. Manger le pénis d'un gamin guérit de l'impuissance.

– La disparition d'un gosse ne passe pas inaperçue. Celle d'un zoo, en particulier d'un zoo sans-abri ou d'une tapineuse, des zoos qui ne manqueront à personne, on ne la remarque même pas. Je ne sais pas si ça coûte vraiment cher.

– C'est risqué, en tout cas, commente Dave.

– Mais ça en vaut sûrement la peine, coupe Mandlakazi. Les gens sont prêts à payer une fortune pour une corne de rhino ou une *perlemoen*, et ça sans ajouter un *mashavi* dans l'équation. Ces animaux sont déjà une grosse embrouille magique. Mélangez avec de la *muti*, et qui sait ce qu'il peut se passer ? Pas moi. Mais ça ferait un sacré article, je vous le dis.

Nous rencontrons le Témoin dans un grand café, au rez-de-chaussée du centre commercial. Elle est assise au fond, misérablement pelotonnée dans une cabine. Minuscule, à peine quinze ans, et ses épaules voûtées racontent une vie passée à se faire discrète.

– Roberta ? demande Mandlakazi en tendant la main.

La fille a un petit hochement de tête si rapide qu'on pourrait le rater en clignant simplement des yeux. Elle ne serre pas la main offerte. Elle me montre du doigt et dit :

– Juste elle.

– Mignonne, c'est moi la journaliste, c'est à moi que tu veux parler. Je peux leur dire de partir si tu veux que ça reste entre nous.

Elle secoue la tête.

– Juste elle.

– La solidarité des zoos, hein ? D'accord. On vous attend à une table, dehors.

Elle me tend son dictaphone, de mauvaise humeur.

– Le bouton rouge, à droite.

– C'est comme faire de la bicyclette.

Je ressors quarante minutes plus tard et m'assieds à la table de Mandla et Dave.

– Bon, pour commencer, elle ne veut pas parler à la police. Pas tout de suite. Peut-être que vous pourrez la convaincre du contraire. Ensuite, elle a la trouille. A tel point qu'elle ne veut pas rentrer chez elle. L'un de vous doit l'héberger pour une ou deux nuits.

– Pourquoi pas toi ? demande Mandlakazi.

– Parce que je vis dans le même quartier qu'elle. Là où le meurtre a eu lieu. La victime était son amie ; c'était une prostituée, comme elle.

– Elle peut dormir chez moi. Pour cette nuit, en tout cas. On fera un plan demain. Le journal peut aussi la loger dans un hôtel si ça débouche sur quelque chose. Qu'a-t-elle dit sur le meurtre ?

Mandlakazi est tellement impatiente qu'elle en bafouille presque.

– Tu devrais l'écouter. J'ai marqué les moments les plus importants.

Je lui tends une serviette annotée à l'aide d'un stylo-bille emprunté à un serveur.

– Ah, notre jeune reporter intrépide…
– Ça mérite plus que la mention « informations supplémentaires », non ?
– Ça dépend de ce qu'il y a sur la cassette.
Je lance le dictaphone à 05 min 43 s. Ils doivent se pencher pour entendre la voix de Roberta, à peine un murmure, pardessus le grognement de la machine à expressos et les bruits de vaisselle.

ZINZI DECEMBER : OK, j'aimerais qu'on revienne un peu en arrière. Qu'est-ce que tu veux dire, au juste, par « comme un fantôme » ?
ROBERTA VAN TONDER : Je vous l'ai dit ! Comme s'il n'y avait personne. A un moment, elle se penche sur sa chaussure, à cause de ce talon qui l'a gênée toute la nuit, et puis : *Pah ! Pah ! Pah ! Pah !*

A ce moment, Roberta a esquissé plusieurs coups de couteau dans le vide, le visage froissé sans qu'elle s'en rende compte.

RVT : [suite] Il y a du sang partout sur elle. Sa tête, ses bras, et elle retombe contre le mur, avec du sang qui gicle de partout. *Pshhhh !* Mais *Pah ! Pah ! Pah !* D'autres coupures. Du sang ! Et elle tombe, en se tenant la tête et en hurlant, mais c'est *Pah ! Pah ! Pah !*
ZD : Comment a réagi son Moineau ?
RVT : Il vole dans tous les sens, comme s'il était devenu fou. *Shoooooo shooooo.* Il vole ici, là.
ZD : Comme s'il pouvait voir le fantôme ?
RVT : Comme s'il pouvait voir le fantôme.
ZD : Comme s'il attaquait le fantôme ?
RVT : Je sais pas. Je sais pas.
ZD : Et tu n'as pas vu ce qu'il s'est passé, après ?
RVT : Non, je me suis enfuie. J'ai couru et couru et couru, jusqu'à ce que je croie que mon cœur aller exploser.

ZD : Désolée, mais je dois m'assurer que j'ai bien compris : tu n'as rien vu ni personne. Pas d'ombre. Rien de visible du tout ?

RVT : Non, non, rien. Ah, peut-être du gris. Comme une ombre. Comme un démon. Un démon invisible !

– Oh, ça vaut de l'or, chérie. De l'or, dit Mandlakazi.

Nous passons les heures qui suivent à retranscrire la bande et à esquisser une ébauche d'article.

32

Je rentre bien après 11 heures, fatiguée et en rogne d'avoir dû me garer à deux blocs d'Elysium Heights à cause des travaux. Peut-être qu'ils vont finir par régler le problème d'eau ? Roberta est en sécurité chez Mandlakazi. L'article est un petit papier solide, même si j'ai dû verser dans l'hystérie pour faire plaisir aux lecteurs de *The Daily Truth*. Quand on n'est nulle part, le moindre pas en avant est un progrès, même le statut de journaliste pour tabloïd. Peut-être qu'après tout ça, j'écrirai cet article sur le tourisme de désintox, finalement. Mais pour un canard décent, pas pour *Mach*.

A cause de la fatigue, je ne me rends pas compte que les charmes de ma serrure ont été rompus. Je fais passer Paresseux de mes épaules au poteau qui se dresse à côté de la porte et j'allume. Vuyo est assis au bord de mon lit avec une arme. Il la tient mollement, les jambes écartées, si bien qu'elle pendouille entre ses cuisses comme un pénis. Il a l'air résigné.

Mon téléphone choisit ce moment précis pour faire retentir le rythme *mbaqanga* sautillant de *Fever*, d'iJusi. Nous sursautons tous les deux et le pistolet frémit dans ses mains.

– Tu veux répondre ? propose Vuyo.

Mais l'offre est bidon.

— Nan, je rappellerai plus tard, dis-je aussi nonchalamment que possible.

J'ai programmé cette sonnerie en cas d'appels de certains numéros. Arno, Song, S'bu.

— Tu veux du thé ? La journée a été longue, et j'en ai bien besoin.

Je bavarde, ce qui me permet d'évacuer une partie de l'adrénaline qui vient de me frapper avec autant de force qu'un champion de taekwondo. Ça me permet aussi de chercher une arme en faisant semblant de prendre des tasses.

— Tu le prends comment ? Je l'aime noir et fort. Et ce n'est pas une invitation, au fait.

Il me faut tout mon courage pour lui tourner le dos. Au micro-son du froissement de son jean, je devine que son genou tressaute. C'est la première fois que je le vois sans costume, et c'est ça qui m'effraye plus que tout.

J'ouvre le tiroir à vaisselle et tombe sur une bizarrerie bien pire qu'un e-mail envoyé par un mort ou un mec avec un flingue sur mon lit. Un gros couteau, à la lame garnie de dents vicieuses, dont deux sont brisées. Il est rouillé. Il ne m'appartient pas. Pas plus que la figurine de porcelaine représentant un chaton, la patte levée, également tachée de rouille. Or, ce n'est pas de la rouille, pas du tout. Perversement, la phrase qui me traverse la tête est « *I can has l'arme du crime ?* ». J'éclate de rire, mi-hoquet, mi-sanglot.

— C'est à toi ? dis-je à Vuyo.

Je lui montre le couteau en le tenant par la pointe, comme un cafard mort.

— Ne m'oblige pas à te descendre, dit-il avec lassitude.

— Tu vas me tuer pour un e-mail ?

— Certains ont fait pire, et pour moins que ça. Non, fillette, je vais te tuer parce que tu m'as fait passer pour un con. Pose le couteau.

Il pointe le pistolet vers ma tête. J'obéis.

— Tu es sûr que tu ne veux pas du thé ? dis-je d'une voix étouffée.

Ma mère croyait aux vertus du thé. Et puis, ma marmite en métal est lourde, solide. Moins attendue qu'un couteau. Je prends le risque de me retourner vers le comptoir et tends la main vers cette bonne vieille marmite. Mais, à ce moment, il traverse la pièce, me retourne, m'attrape par la gorge et me plaque contre le comptoir.

– Non, je ne veux pas de ton putain de thé, siffle-t-il en m'aspergeant de postillons tout en me collant son pistolet sur la joue. Je veux mon blé.

Je tire la marmite, mais il me donne un coup de genou entre les jambes. Tout devient blanc. Un objet métallique tombe sur le linoléum.

Il me lâche et je m'affale contre le comptoir en essayant de me rappeler comment faire pour respirer. Il me regarde avec flegme et glisse son flingue à l'arrière de son jean, pour mieux me tabasser.

– Je ne… J'ai donné… je réussis à dire.

Il me flanque un revers. Ses jointures m'ouvrent la joue.

– Tu m'as fait passer pour un con. Lève-toi. J'ai dit : *lève-toi !*

Il me relève brutalement.

– Je t'ai donné l'argent !

J'ai du sang dans la bouche.

– Tu croyais que je ne le remarquerais pas ? Tu as oublié à qui tu avais affaire ?

– Remarquer quoi ? Attends…

Sans me lâcher le bras, il me donne un coup de poing dans l'estomac. Je me plie en deux, mais il ne me laisse pas m'effondrer.

– Remarquer quoi ? Que c'étaient des faux ! Le moindre putain de billet !

– Ce n'est pas moi. C'est un piège, Vuyo. On m'a piégée.

– J'en ai marre de t'entendre, dit-il en envoyant la main vers son feu.

Mais il n'a pas le temps de le tirer car Paresseux lui tombe dessus depuis le plafond, et Vuyo disparaît sous une boule de fourrure en furie. Le pistolet glisse bruyamment sur le sol, sous le lit. Je fais mine d'aller le récupérer, puis j'ai une meilleure idée et change de direction.

Soudain, Paresseux hurle. Je me fige, instantané d'une fille se penchant pour ramasser une marmite. Je referme la main sur la poignée et me tourne lentement, très lentement, pour voir que Vuyo a tordu la patte de Paresseux derrière son dos, selon un angle affreux, et le bloque au sol de son genou. Il a de grosses balafres sur le visage et le cou. De petites dents d'herbivore ont arraché un morceau de chair à sa joue.

– Tu peux lui casser le bras, mais je te fends ton putain de crâne avant que tu n'aies fait quoi que ce soit d'autre, dis-je.

Vuyo réfléchit une seconde à la situation. Paresseux pleurniche et gémit en essayant de soulager la pression sur son membre. Notre lien n'est qu'à sens unique : je ne ressens pas sa douleur, mais je n'ai qu'à voir son museau froissé pour comprendre qu'il en chie.

– Un partout, grimace Vuyo.

Du sang coule du bout de son nez. La marmite est lourde. Ça serait si facile de l'abattre sur sa tête. Et si compliqué, après.

– Ou alors, dis-je, les dents serrées. On reprend la partie sauvegardée.

– Quoi ?

– On recommence là où on en était ?

– Impossible.

– Qui le sait ? Que l'argent est faux ?

– Moi.

– Qui d'autre ?

– Personne d'autre. Pour l'instant.

Mais il commence à sourire. Un sourire fin, appréciateur.

– Deux cent mille, je propose.

– Quatre cent cinquante.

– Tu es fou.

– Tu serais quelqu'un d'autre, tu serais déjà morte, fillette.

— Mais je suis un atout.

— Tu es un atout, acquiesce-t-il en s'ôtant du dos de Paresseux.

Celui-ci pousse un petit cri de soulagement et commence à ramper dans ma direction. Je le recueille d'un bras, sans baisser la main qui tient la marmite.

— Sors.

— Mon flingue.

Je ricane.

— Ajoute-le à ma putain de note.

Je suis un atout, d'accord. Et tout autant une *moegoe* que les *moegoes* que j'ai ferrés pour Vuyo. S'il avait vraiment voulu me punir, il n'avait qu'à descendre Paresseux. Il lui suffisait de le balancer par la fenêtre, ce qui lui faisait économiser une balle, en plus. Ainsi, il ne risquait pas d'attirer le Contre-courant sur lui et de se retrouver avec un animal. A présent, il m'a ramenée là où il voulait me voir, avec une dette triplée.

Il y a de l'agitation, dehors. Des portes qui claquent. Des bruits de pas. Un gamin file devant ma porte en criant :

— *lPoyisa ! iPoyisa !*

C'est le système d'alarme officieux de l'immeuble.

— Tu as appelé les flics ? demande Vuyo, incrédule.

Ses yeux glissent vers le lit, vers le flingue qui se trouve dessous. Il hésite.

— Pas moi. La personne qui a laissé ce couteau dans mon tiroir. La même qui m'a refilé une mallette de faux billets.

— Quand tu te fais des ennemis, tu ne lésines pas, dit-il avec admiration.

— Tu voudras certainement partir avant qu'ils n'arrivent.

Il se touche rapidement le front de la main.

— Je te recontacte, dit-il.

Puis, il se fond dans le chaos de gens qui se déversent dans le couloir comme des cafards : putes, dealers et *skollies* qui tentent de s'esquiver.

J'attrape un torchon, y glisse le couteau et la figurine de porcelaine, et mets le tout (la fameuse assurance d'Odi contre moi) dans mon sac à main. Mais ils ont tué Mme Luditsky avant même que je ne sois impliquée, ce qui signifie dire qu'ils veulent me faire tomber pour autre chose. Qu'est-ce qui peut être pire que poignarder une vieille dame chez elle ?

Je mets Paresseux autour de ma taille, comme un ventre de femme enceinte, et passe l'un des vieux tee-shirts de Benoît par-dessus ma robe pour camoufler la protubérance. Le tee-shirt a l'odeur de Benoît, de la sueur masculine et de la Zambuk.

Je file dans la cohue. Il y a beaucoup de bruit, mais la voix qui crie : « Là ! Elle est là ! » avec tant d'autorité indignée ne peut appartenir qu'à D'Nice. Je ne regarde pas autour de moi. Je continue d'avancer et, au dernier moment, me glisse dans l'entrée calcinée du 615.

Le temps que les flics arrivent dans la cuisine, avec sa plomberie arrachée et son évier défoncé, je suis déjà passée par le trou de la deuxième pièce pour gagner l'appartement d'en dessous, le 526. Mais au lieu d'emprunter la cage d'escalier principale, je prends la passerelle, entre par la fenêtre du 507 d'Aurum's Place, descends l'escalier de secours et me laisse tomber d'un demi-étage dans la rue. La reine du raccourci. En passant, je laisse nonchalamment tomber le couteau et la figurine de porcelaine dans le réseau de drainage.

Les lumières des flics parcourent la façade de l'immeuble. Je compte quatre voitures devant l'entrée, ce qui implique sûrement qu'il y en a deux autres derrière. La police ne prend pas de risques lorsqu'elle s'aventure à Hillbrow. Les flics sont équipés jusqu'aux molaires de fusils à pompe et protégés jusqu'au trognon de gilets pare-balles et de casques antiémeutes. Ça change, de les voir prendre un meurtre au sérieux de temps à autre, même si c'est parce que la victime est une petite vieille dame non zoo et la suspecte une fratricide à Paresseux.

Il y a déjà un van d'ETV. Je l'utilise comme couvert, et passe derrière la camionnette en adoptant la démarche mi-hippopotame, mi-canard d'une femme enceinte. Hélas, une intrépide reporter me voit et la caméra pivote brusquement pour me fixer de son œil de verre, juste avant qu'elle ne repère quelque chose d'encore plus juteux en termes de Côté Humain de l'Affaire : Mme Khan et ses enfants, pleurant et hurlant tandis qu'un flic massif les escorte hors de l'immeuble, une poignée de faux passeports confisqués dans la main. Je m'esquive, dépasse les travaux et m'engage dans l'allée où est garée ma voiture.

La Capri ne dépasse pas les 140, ce qui n'est pas forcément une mauvaise chose vu que je zigzague entre les voies comme Ayrton Senna sous amphétamines, écoutant encore et encore le message, comme une torture. Parce que le téléphone d'Arno sonne dans le vide.

– *Allô ? Allô ? dit Arno d'une voix sifflante. Vous êtes là ? Oh, mec, Zinzi, Ils sont là. Pour de vrai. Pire que des zombies. On dirait des putains de fantômes. Répondez, s'il vous plaît. Je vous en prie.*

La respiration d'Arno est rapide et lourde, comme celle d'un pervers téléphonique en proie à une crise d'asthme. Elle s'aggrave encore. Puis, résonne le bruit d'une porte qu'on enfonce.

– *Merde !*

Il hurle. Des grattements étouffés, accompagnés du tambourinement de talons d'un corps qu'on tire par terre.

Et le téléphone s'arrête.

Le poste de contrôle, à l'entrée de Mayfields, est désert. Des sirènes hurlent, au-dehors, et des bouffées de fumée noire montent dans un ciel orange pâle peu naturel. Je me glisse sous la barrière, et tombe sur une nouvelle mauvaise surprise. Il y a une affichette avec une photo de moi, floue, prise par la webcam la dernière fois que je suis venue.

Quelqu'un s'est donné la peine de surligner les passages importants :

EFFRACTION !
Surveillance : à tous les résidents !
Gardez l'œil sur cette femme !
Zinzi December est une meurtrière récidiviste,
considérée comme dangereuse.
Elle conduit une Ford Capri orange
et est accompagnée d'un Paresseux.
Si vous voyez cette femme,
appelez la sécurité et la police sur-le-champ !

J'arrache l'affichette et la froisse, appuie sur la commande de la barrière et entre en voiture dans un chaos de sirènes. Une ambulance est à moitié garée sur un parterre de gazon ; la route est bloquée par des engins de pompiers et des voitures de flics. Je me gare derrière l'ambulance et passe un sweat à capuche ample sur mes épaules et la tête de Paresseux. La feinte de la femme enceinte est trop restrictive.

– Baisse la tête, dis-je à Paresseux, mon bossu personnel, avant de me mettre à courir.

Le H4-303 est une bataille déjà perdue. Les pompiers feraient tout aussi bien de pisser dessus. Ce n'est plus qu'une carapace noircie de bâtiment. Des flammes orange vif cinglent l'air depuis les fenêtres du deuxième. La chambre de S'bu. La chaleur est aussi dense qu'un mur et oblige les badauds à rester à bonne distance, sur les pelouses. Ceux-ci portent divers vêtements de nuit.

– Presse ! je crie en me frayant un chemin vers le premier rang.

Un corps repose sous une couverture ignifugée. Un ado charnu. Un bras dépasse du tissu. Sa manche est ornée de singes-robots roses. Mon cœur remonte si violemment dans ma bouche que je manque d'en vomir.

– Où sont les autres gamins ? je demande au vigile complètement sonné qui est censé tenir les voyeurs à distance.

Il ne paraît pas m'entendre ; il est hypnotisé par le spectacle. Un pompier sort un corps noirci des décombres, affalé dans ses bras comme un épouvantail. Maigrichon, taille fillette. Avec des santiags violettes qui se consument encore.

– Il y en a un autre ! crie quelqu'un depuis l'intérieur de la maison.

– Barrez-vous d'ici ! me hurle l'un des pompiers, ce qui tire le vigile de sa transe.

Alors que je lève la main en signe d'excuse, j'aperçois quelqu'un dans la foule. Une ombre. La foule en question est un fatras d'objets perdus, mais quelque chose se déplace à travers les fils. Comme un fantôme. Ou un démon invisible.

– Allons, m'dame, vous n'avez pas le droit d'être là, dit le planton en me tirant. C'est quoi votre problème ? Reculez !

– Désolé, je marmonne en le laissant me ramener vers la foule, qui s'écarte inconsciemment autour du démon, s'ouvre comme une mer magique pour le laisser gagner le parking.

Je le poursuis, pousse les gens hors de mon chemin et essaie de capturer des impressions. Si ce n'est que, comme devant chez Mme Luditsky le matin du meurtre, ce ne sont pas que des impressions. Les images me viennent en haute résolution, nettes. Une baguette de batterie cassée, gravée du nom d'un groupe ; un shorty féminin rehaussé de dentelle rouge ; une montre Casio en plastique orange ; un porte-clés attaché à la tête d'une poupée Bratz. Et un livre en lambeaux dont la couverture représente un arbre.

– Je sais que tu es là, Amira !

Mais elle continue de s'estomper, comme une photo en train de se développer, repassée en sens inverse. Ce n'est pas tant qu'elle joue sur la lumière que sur l'esprit des gens autour d'elle, afin de se rendre insignifiante, de leur faire détourner le regard, penser à autre chose. Il n'y a rien à voir. Hormis ce livre abîmé. Je m'y accroche aussi fort que possible, mais la foule me résiste.

– Oh, allons !

– Qu'est-ce qu'il vous arrive ?

Quelqu'un m'attrape le coude. C'est le serveur hautain du club-house.

– Je vous connais !

J'avance vers lui, lui tord le bras et, dans la foulée, le frappe du plat de la main en pleine gorge. Il me lâche avec un cri étranglé. Une autre accusation d'agression ne fera pas grande différence sur mon casier, ce soir. De toute façon, ils vont sûrement se déchaîner. Je me retourne et fonce vers ma voiture, poursuivie par des cris.

Je démarre dans un hurlement de pneus. La Capri brise la barrière comme un cœur adolescent.

33

Dans la voiture, la tension est aussi dense qu'une étoile qui s'effondre sur elle-même. Benoît ne dit rien et regarde les lampadaires qui filent le long de la voiture. Je l'ai récupéré devant l'église méthodiste centrale. Il n'a pas discuté, n'a pas posé de questions, n'a pas essayé de me convaincre de me rendre. C'est même lui qui a suggéré de profiter de son uniforme pour entrer, au cas où une autre affiche dénonçant une « dangereuse criminelle » soit placardée près de la barrière de sécurité du quartier.

Un reflet joue sur le laiton de son badge comme une accusation muette. Le silence de Benoît est lourd de ce qu'il ne dit pas : à savoir que j'ai tout mis en péril. Son statut de réfugié, la chance qu'a sa famille de pouvoir refaire sa vie ici. La Mangouste s'exprime à sa place. Ses petits yeux me fixent depuis le giron de Benoît. Ces yeux me disent : « Tu n'es qu'une sale junkie traîtresse et inutile. »

Je m'arrête à quelques blocs, hors de vue. Le silence n'est pas naturel. Les oiseaux ne se réveilleront que dans une heure ou peu s'en faut. En attendant, la cité des rêves rêve.

– Donne-moi dix minutes, fait Benoît.

Je lui tends le sac de poulet frit Lagos. Il descend de la voiture et se dirige vers le poste de contrôle en grignotant un aileron. C'est plus un déguisement qu'un pot-de-vin. Qui soupçonnerait un homme qui mâche du poulet, en particulier s'il porte un uniforme et un badge Sentinel ?

Des phares passent sur lui et repartent sans ralentir. Il n'est pas rare de croiser des piétons à 3 heures du matin. On dirait que deux espèces habitent Johannesburg : les voitures et les piétons.

Le changement d'équipe officiel de 4 heures est dans quarante-deux minutes, mais persuader quelqu'un de quitter son poste plus tôt que d'ordinaire n'a rien d'impossible. Ça prend un peu plus longtemps que prévu. Non pas que le vigile soit consciencieux, mais il a envie de bavarder un peu et de partager ce poulet graisseux avant de rentrer chez lui. Il me faut mobiliser toute ma volonté pour ne pas descendre. Enfin, l'homme quitte Benoît et commence à remonter la rue, à l'opposé de moi, vers l'artère principale. S'il pense pouvoir trouver un taxi à cette heure-ci, il croit aux miracles. Nous avons vingt minutes avant que le véritable vigile chargé de le relever arrive et comprenne qu'il y a quelque chose de louche.

La Mangouste descend la rue vers la voiture. J'ouvre la portière et elle s'y engouffre d'un bond en poussant des couinements urgents.

– Oui, je sais, je l'ai vu partir.

Je passe la première, me dirige vers la guérite pour récupérer Benoît, et lâche un juron lorsque je vois la caméra. Trop tard, de toute façon.

Le portail de Huron s'avère moins problématique. Benoît a été parfaitement formé dans l'art de s'introduire dans une maison sécurisée ; ici, il suffit de faire sortir la barrière de son rail grâce à un démonte-pneu.

Je gare la voiture à quelques blocs, afin de tromper les renforts lorsqu'ils détecteront que tout n'est pas comme il se doit, et nous nous faufilons dans le jardin, en restant à l'abri des arbres. La maison est illuminée, comme pour une fête. Paresseux me presse le bras de ses griffes.

Nous suivons le bruit jusqu'au garage, dépassons la Daimler garée sur le côté. Les doubles portes sont grandes ouvertes. La lumière se déverse dans l'allée, éclaboussant James, penché sur le coffre de la Mercedes, qui est tapissé d'un épais plastique.

Benoît me fait signe de rester en arrière. Il se glisse derrière James et, lorsque ce dernier commence à se retourner, il rabat le coffre sur lui. James crie. Benoît frappe à nouveau, puis se baisse pour prendre les jambes de James, les fait passer dans la malle, et la referme. Des cris et des coups résonnent aussitôt.

– Prends les clés, me dit Benoît.

Je ne connaissais pas cet aspect de lui. Je cours vers l'avant de la voiture et tire la clé hors du contact. Mes mains tremblent tandis que je l'enfonce dans la serrure du coffre pour le condamner. Les coups redoublent. Je recule et manque de m'empêtrer dans une rallonge électrique. Elle mène jusqu'à une scie chirurgicale, du genre qu'on utilise pour une amputation, posée à côté du véhicule, avec trois scies à main de tailles différentes, une hache, une paire de tenailles ; le tout proprement disposé, prêt à l'emploi. Il y a un congélateur Kist au fond du garage, ouvert.

– Qui est vraiment cet Odi Huron ? me demande Benoît.

La Mangouste est immobile, une patte levée, et hume l'air, les moustaches tremblantes.

– Je n'en suis pas sûre.

Je me sens mal. Je pense au pistolet de Vuyo, sous mon lit.

– Il ne va pas manquer d'air ? je demande en jetant un regard à la Mercedes.

– Qu'est-ce que ça peut te faire ? dit Benoît en tirant sa matraque de son étui. La maison ?

– S'ils sont encore en vie, dis-je en me secouant. On devrait faire le tour.

Nous longeons le flanc de la bâtisse, à travers les broussailles. L'odeur d'hier, aujourd'hui, demain est douce, écœurante. Mon cœur bat un tempo frénétique de drum'n'bass.

Mes mains sont à la fois insensibles et pleines de fourmis. La première chose qui se fait la malle, en cas de bagarre ou de fuite, c'est la coordination motrice. Au temps pour l'évolution.

Des voix nous parviennent depuis le patio mais, lorsque nous émergeons des fourrés, il n'y a que Carmen, allongée dans le noir sur une chaise longue, en lunettes de soleil, devant la piscine. La fontaine glougloute, l'eau coule de la vasque des ondines. Une lumière aquatique pâle transperce la couche de feuilles mortes qui flotte à la surface, souligne les moindres reliefs, fait danser des reflets sur le carrelage.

Carmen parle à un poste de radio ; sa main balaie distraitement l'air autour d'elle ; elle dirige mollement un orchestre.

– C'est pas comme si on servait de la glace dans les cinémas, dit-elle, le visage caché par ses lunettes.

Sa robe de satin jaune soleil est éclaboussée de sang, comme si elle avait été maladroitement chinée à la branche. Sous sa chaise, il y a un truc qui frémit, enveloppé dans une serviette.

Sur la table à côté d'elle repose un verre de martini vide et un couteau à cran d'arrêt.

– Chatons et moufles et dents, dents, dents, chantonne-t-elle.

Elle nous aperçoit, se redresse sur les coudes et lance joyeusement :

– Oh ! Vous êtes là pour la collection ?

Elle ôte ses lunettes. Si les yeux sont les fenêtres de l'âme, celles-ci donnent droit sur Tchernobyl.

– Parce que la fourrure fait son grand retour, cette saison.

La porte vitrée donnant dans la maison s'ouvre et Maltais en émerge, chargé de deux verres de martini et suivi par son petit Chien. Celui-ci grogne et Maltais fait la grimace.

– Ah, dit-il. Je ne savais pas que vous seriez là. Sinon, j'en aurais préparé d'autres.

– Et la politique du « pas d'interférences » ? je demande.

A côté de moi, Benoît est tendu, les muscles prêts à entrer en action. Je pose la main sur son bras.

– Elle ne s'applique qu'aux victimes, fait Maltais.

Il pose son verre, s'assied près de Carmen et commence à lui caresser la jambe.

– C'est comme l'eau en bouteille : elle est meilleure quand la source est pure.

– Qu'est-ce qu'elle a ? demande Benoît.

Il arrive à peine à se maîtriser. Il serre sa matraque si fort que son bras en tremble.

– Elle s'est fait ça toute seule, *mkwerekwere*. Elle a pris une drogue dissociative très puissante.

– Midazolam ?

– Mélangé à un peu de kétamine et à la spécialité maison, afin de rester réveillée. On était en train de jouer. Montreleur, Carmen.

– Encore ? geint-elle.

– Encore, chérie, dit-il en lui caressant le flanc à travers sa robe. Je crois qu'il y a un manque, là.

Elle pousse un soupir morose, prend le couteau et se le plante dans le flanc. Elle le ressort de sa chair et examine soigneusement sa pointe ensanglantée ; rien ne trahit qu'elle a ressenti quoi que ce soit. Le sang commence à couler.

– Pas terrible, hein ? s'enquit Maltais.

– Bonsoir Pasadena, acquiesce Carmen.

– Et là ?

Il trace un rond sur la peau au-dessus de sa rotule.

– Assez, dit Benoît.

– Nous ne faisons que commencer. Avez-vous rencontré le Lapinou de Carmen ?

Il passe le bras sous la chaise longue et en ressort le Lapin tremblant, en le tenant par les oreilles. L'animal ferme les yeux de toutes ses forces, terrifié. Son museau remue frénétiquement.

– Nous pensions tous que Carmen allait devenir le nouveau Slinger, notre propre artiste animalée phénomène.

Encore meilleure que la danseuse érotique. Mais il s'est avéré que Slinger n'était pas vraiment Slinger, si vous voyez ce que je veux dire. C'est de votre faute, vous savez ? Odi et Carmen étaient très heureux, ensemble, jusqu'à ce que vous la mettiez en colère avec toutes ces fausses accusations. Comme si Odi avait voulu prendre le risque de souiller la petite Song. C'était déjà assez grave que ce crétin de Jabulani l'ait sautée.

– Où sont Song et S'bu ? demandé-je.

– Partis, partis, en bateau, en bateau, chante Carmen.

Maltais ignore la question.

– Vous avez aimé le cadeau que je vous ai laissé ? C'est un couteau très original, vous savez. Il laisse des blessures très originales.

– Vous alliez m'impliquer dans l'incendie de Mayfields, aussi ?

– Vous devriez avoir honte, rétorque-t-il en souriant. Trois adolescents sont morts dans cet incendie. Après que vous les avez poignardés à mort. Espèce de folle.

– Je n'en ai compté que deux, dis-je en contrôlant soigneusement le timbre de ma voix.

– Ne vous inquiétez pas, ils trouveront le dernier lorsqu'ils finiront par entrer. Carbonisé. Méconnaissable.

– Mais ce ne sont pas Song et S'bu, n'est-ce pas ?

– Ils aimeraient ! Une paire de malheureux gamins des rues qui correspondaient à peu près à leur description physique. Dommages collatéraux. On n'y peut rien. Nous les avons trouvés cet après-midi. Nous avons fait en sorte qu'ils se sentent exceptionnels pendant quelques heures. On les a laissés jouer à la Xbox, on leur a offert du McDo, on les a arrosés de pétrole. Le même qui se trouve dans le bidon à moitié vide, sous votre évier. Vous l'avez trouvé, aussi, ou seulement le couteau ?

– Personne ne croira cette histoire.

– Vraiment ? Une zoo junkie psychotique qui a tué son frère ? Qui était à ce point obsédée par les célébrités qu'elle a prétendu écrire pour un important magazine afin de se rapprocher des jumeaux ? Dont les empreintes digitales sont dans tout l'appartement de la pauvre Mme Luditsky ? Qui a rapporté un chaton en porcelaine en guise de trophée ? Vous vous moquez de moi ? Vous feriez bien de commencer à potasser quelques phrases-chocs. Les médias vont vous adorer.

Ma tête tourne. Je m'appuie sur la table en essayant de repousser la vague de nausée.

– D'ailleurs, qu'est-ce que vous faites ici ? fait Mark en remuant son martini avant d'en prendre une gorgée. Ne devriez-vous pas être en cavale ?

– Où sont-ils ? demande Benoît.

– Les vrais jumeaux ? Oh, ils sont en bas, chéri, ils se préparent. Ils ont peut-être déjà commencé.

Au mot « commencé », Carmen remet ses lunettes et enfonce le couteau au-dessus de son genou avec une réserve tranquille. Il reste planté là, tressaillant légèrement sous la pression des muscles lorsqu'elle se laisse aller contre le dossier pour boire une gorgée de martini.

Benoît ne le supporte plus. Il avance pour arracher le couteau, mais Maltais est plus rapide. Il le tire brutalement de la chair de Carmen qui, cette fois, frémit.

– Vous voulez jouer, aussi ? dit-il en tapotant la pointe du couteau contre sa joue. Mais je dois vous prévenir que c'est mon jeu préféré.

– Où, en bas ? Dans la maison ? je demande, parce qu'il y a des choses plus inquiétantes que l'état de Carmen et mon implication dans un quadruple homicide.

– Je devrais descendre, on a besoin de moi.

– Pour découper quelqu'un en morceaux ?

– Oh, poupée, je suis simplement la batterie magique qui rendra le rituel plus puissant. N'as-tu pas remarqué que ton *shavi* était plus fort lorsque j'étais dans les parages ?

– Le démon invisible.

– Travail d'équipe, acquiesce-t-il. Les dissimulations d'Amira sont tristement maladroites lorsque je ne suis pas là. Mais nous aimons partager la phase de découpe. Ah, nous perdons du temps. Il y a des enfants à sacrifier, des fuites à prendre. Allons, *mkwerekwere,* dit Maltais en brandissant le couteau. On dirait que tu n'en es pas à ton premier combat de chiens.

Mark se jette sur Benoît au moment où son Clébard bondit sur la Mangouste. Tout en glapissant hystériquement, il la retourne sur le dos, lui mord le ventre, le museau. Du sang gicle sur ses babines. La Mangouste se tortille et rue, les dents révélées par la douleur, mais elle ne fait aucun bruit.

Un autre couteau apparaît dans la main gauche de Mark, tiré d'un étui caché, et lorsque Benoît lui assène un coup de matraque en pleine poitrine, Mark réussit à lui ouvrir le visage, sa lame glissant sur sa mâchoire et sa joue.

– Carmen, je dis en la secouant, est-ce qu'il y a un flingue dans la maison ?

Elle secoue la tête violemment, comme en proie à une crise.

– Non-non-non-non-non.

Je la lâche. Elle remonte les genoux, serre son Lapin sur sa poitrine telle une peluche, prend une gorgée de son verre et me fusille du regard, comme si j'avais essayé de lui voler son animal.

Paresseux émet de petits couinements nerveux.

– Ça va, j'y travaille !

La Mangouste replie ses pattes arrière et frappe le Chien, puis se tord comme une *koeksister* pour se hisser sur son dos. Ils roulent, mais la Mangouste a l'avantage. Elle a l'habitude de tuer des serpents et, là, elle n'affronte jamais qu'un sale petit Cabot. Lequel est bloqué, pris à la gorge, et couine.

Le duel entre les deux hommes est plus équilibré. Benoît et Mark tournent l'un autour de l'autre. Benoît enfonce la matraque dans le sternum de Mark de tout son poids pour le maintenir à distance. Celui-ci recule en titubant, comme soufflé, mais c'est une ruse. Lorsque Benoît avance, Maltais plonge sous la matraque, le poignarde dans le flanc et bondit aussitôt hors de portée. Alors, j'abats l'une des chaises en fer forgé sur l'arrière de son crâne.

Ça fait moins de dégâts que je ne l'avais espéré. Je voulais le mettre K-O, mais il se contente de chanceler, lâche l'un de ses couteaux, se frotte l'arrière de la tête et se retourne vers moi, furieux.

– Petite connasse. Je vais m'occuper de toi.

Mais, lorsqu'il fait de nouveau face à Benoît, la matraque s'abat sur le côté de sa tête avec assez de force pour le faire tomber.

Carmen pousse un petit cri réjoui :

– Je le sens venir dans l'air. Ce soir, dit-elle sur le ton de l'évidence.

Mark tente de se relever, mais Benoît lui flanque un coup de gourdin derrière les genoux. Il s'effondre sur une chaise longue. Je m'élance, lui appuie le genou dans le dos et crie à l'attention de Benoît. Il sort des menottes en plastique, que Sentinel fournit à ses agents de préférence à des modèles en métal, et nous nous mettons à deux pour ligoter les poignets et les chevilles de Maltais, puis à attacher le tout à la lourde table de fer. Le Chien grogne et essaie de me mordre les doigts, mais Benoît le maîtrise en le clouant au sol de sa matraque pendant que je passe des menottes en plastique autour de son museau, et l'attache par le collier à l'une des chaises.

– L'eau, chante Carmen en désignant la fontaine. De l'eau, de l'eau, et pas une goutte à boire.

Une ombre grandit au fond du bassin, éclipsant les faibles rayons de l'éclairage. Quelque chose d'un blanc malsain, énorme, écailleux, jaillit, attrape Benoît dans ses mâchoires et retourne dans l'eau avant que ce dernier n'ait pu crier. Comme un putain de dinosaure. Je cligne encore des yeux, à cause du choc que m'a causé l'eau glaciale en m'éclaboussant ; Benoît a disparu, comme s'il n'avait jamais été là, et les vagues qui clapotent dans le bassin sont le seul signe que quelque chose s'est produit.

– « Pouf » fait le furet ! dit Carmen en applaudissant joyeusement.

34

Je ne réfléchis pas. Je plonge. L'eau est tellement froide que ça me coupe le souffle. J'entends la Mangouste hurler et m'imiter. Mais les Mangoustes, si elles savent nager, sont incapables de descendre sous l'eau. Je me débats au milieu d'une épaisse couche de feuilles mortes gluantes pendant que Paresseux me serre le cou, terrifié. J'espère qu'il sait retenir son souffle. Je m'enfonce dans l'obscurité pâle, illuminée par en dessous. Il y a un trou assez large pour laisser passer un camion au fond du bassin, là où l'eau est la plus profonde. Je m'y engage ; le tunnel descend dans le noir total, comme s'il conduisait vers le cœur du Contre-courant. La pression sur mes tympans, de douleur sourde, devient une véritable foreuse essayant d'atteindre mon cerveau. Puis, le passage remonte, comme le siphon d'un évier, pour déboucher sur une eau brutalement froide et noire. J'entends de la musique distordue par la flotte et un claquement. Les poumons brûlants, je frappe du talon pour gagner la surface et émerge dans l'atmosphère fraîche d'une caverne souterraine.

Il y a de la musique. Une ballade pop inoffensive et sucrée. L'une des chansons d'iJusi.

Baby c'est l'amour, l'amour

Le claquement est celui que fait le monstre en crevant la surface de l'eau pour se tordre dans l'air et retomber, avec Benoît qui pend mollement entre ses mâchoires. Ce n'est pas un dinosaure, mais un crocodile albinos de six mètres de long. Il tourne sur lui-même pour noyer sa proie.

Je commence à nager vers lui mais Paresseux me tire sur les bras pour me retenir. Il a raison. Je ne peux rien faire tant que le reptile n'en a pas fini avec ses roulades. Je fais du surplace dans le noir, j'essaie de maîtriser les battements de mon cœur et de comprendre ce qu'il se passe ; je m'efforce de ne pas me focaliser sur les ruades du monstre.

La caverne fait peut-être vingt mètres de large. La roche est naturelle, émaillée d'ajouts humains : les haut-parleurs qui balancent du iJusi, le tube au néon surplombant une volée de marches si raides qu'elles forment davantage une échelle qu'un escalier ; elles montent d'une dalle en ciment qui avance sur l'eau comme une jetée. L'odeur d'humidité et de pourriture est étouffante. De l'eau qui stagne depuis des mois.

Drive-by love

Huron, torse nu, le ventre pendant par-dessus son short, un holster passé sous le bras, est debout sur la jetée. Les jumeaux sont avec lui : nus, menottés l'un à l'autre et chancelants. Leur visage est impassible. Marabout pose du plastique transparent sur un vieux billot de boucher en bois.

A ses pieds, une cage assez grande pour contenir un chien de taille moyenne. Il y a quelque chose dedans et ce n'est pas un chien. Une sorte de mammifère à fourrure brune. Et un battement de plumes.

Ce n'est même pas le coup de foudre, juste un regard doux
Je ne peux pas te laisser filer, il faut que je tente le coup

Huron crie au Crocodile :

– J'espère que ce n'est pas Carmen !

Il éclate de rire, mais demande à Marabout :
– Va voir ce qu'il se passe.
– Je suis sûre que Mark a la situation bien en main, répond-elle.
– Alors où est-il, bordel ? Et qui c'est, *ça ?*
Il montre l'eau du doigt. Pendant un horrible moment, je crois que c'est moi qu'il désigne, mais c'est Benoît, dans la gueule du monstre.
– Qui que ça soit, il ne pose plus de problèmes, fait Marabout dans un haussement d'épaules.
– Dépêche-toi, putain de gecko hypertrophié ! hurle Huron. Il faut lancer le show !

Je t'ai vu à l'arrière d'un taxi qui passait tout près

Paresseux pousse de petits hoquets paniqués dans le creux de mon oreille.
– Tout va bien, mon pote, ils ne nous voient pas.
J'espère. Il pousse un petit sanglot

J'ai essayé de lever la main, de te captiver

Je me replie vers les ombres, près de la paroi, trouve un rocher auquel m'accrocher. Paresseux s'y hisse en frissonnant.
– On devrait commencer avec les animaux, dit Marabout. Il y a peut-être d'autres intrus.
– On n'a pas besoin de notre turboboy ?
– Les jumeaux suffiront. Le double effet...
– Ouais, d'accord, d'accord, c'est toi l'experte, chérie. Je ferai tout ce que tu veux, dit Huron. Que la fête commence.
– En effet.
Elle ouvre la cage pour en tirer une créature à longues oreilles, au long museau porcin. L'Oryctérope de Patrick Serfontein. Encore en vie. Elle ramasse une machette près du billot.

Tu ne m'as pas vu, ton regard m'a traversé,
Maintenant je me demande comment t'oublier

Les saccades du Crocodile diminuent en intensité. Il émerge de l'eau et secoue violemment la tête, comme pour tester la résistance du corps entre ses mâchoires. Le bras de Benoît bat grotesquement dans le vide. Lui ne bouge pas. Le Crocodile frappe l'eau de sa gueule et plonge, emportant sa proie avec lui.

Baby it's a drive-by, drive-by, drive-by love
Baby it's a drive-by, drive-by, drive-by love

Je prends une profonde inspiration et plonge à mon tour, m'ouvrant au fil de mon propre objet perdu. Les ténèbres couleur de thé m'avalent. La légère distorsion des paroles de la chanson, accompagnée d'un couinement aigu, me poursuit.

Drive-by, drive-by

Je m'accroche à la panique, à la claustrophobie et au vertige de la cécité pour suivre le fil ténu.

Une poussée du courant. Et quelque chose de gros qui se dirige vers moi dans le noir. Je ne vois rien mais je sens que sa gueule s'ouvre grande et je combats la terreur, l'envie de battre frénétiquement des pieds pour remonter. Alors que le monstre me dépasse, sa queue blafarde me frappe, assez fort pour me casser une côte.

Je dois être près. Tout près. Je parcours encore deux mètres, ou peut-être un kilomètre, et me cogne le poignet à de la roche. Je l'attrape et la palpe, comme une aveugle essayant d'identifier un visage. La paroi s'incurve en descendant. Je la suis et finis par saisir une main horriblement douce. La chair cède sous mes doigts. Je ne peux me retenir. Je pousse un hurlement et gaspille un peu de précieux oxygène.

Reprends-toi, bordel de merde. J'attrape de nouveau la main. Elle est molle et friable, comme du pain mouillé, mais je sens quelque chose de dur. De l'os ? Non. C'est une attelle. Deux doigts bandés ensemble. Ronaldo. Son visage entre dans mon champ de vision, bouffi, méconnaissable. Mais, cette fois, j'étais prête.

Je le dépasse et continue de descendre, tâtonnant à la recherche de Benoît, terrifiée par ce que je peux encore trouver dans le noir. Je passe la main sur une faille dans la roche, sur le corps qui y est coincé. Je continue de tâtonner, je remonte, j'essaie de trouver un moyen de l'identifier, de le dégager. Des bulles minuscules s'échappent des plis de sa chemise, comme de petits poissons me chatouillant les doigts. Je touche du plastique. Les brûlures de Benoît.

Son bras est coincé dans la fissure et je manque d'air. Des points noirs dansent devant mes yeux. Je pose les pieds sur la roche et tire son épaule. Elle roule de manière obscène sous sa peau ; son bras s'agite mollement dans l'eau. Je tire encore, plus fort, et cette fois il suit le mouvement. Seulement, Ro vient avec lui. Je bats des pieds, paniquée, lorsque la masse du videur dérive dans ma direction. Mon pied s'enfonce dans son estomac. Un torrent d'épaisses bulles jaillit d'entre ses lèvres, et sa tête part en arrière, dressée vers la surface, les bras en croix, comme un homme appelé par l'Ascension ; les gaz piégés dans son corps le font remonter.

Je frappe du pied pour le suivre, mais je suis pénalisée par ma côte fêlée et les quatre-vingt-quinze kilos de mon ex. Les points noirs deviennent des explosions de lumière. Mes poumons sont passés de la brûlure domestique au napalm. J'émerge enfin au milieu de la musique, hoquetant, au bord de l'asphyxie. Mais c'est loin d'être fini.

Baby tu me rends dingue, emmène-moi où tu voudras

La voix de Huron porte sur l'eau.

– Les enfants, voici mon ami, M. Croco. Dis bonjour, monsieur Croco. Il aimerait être votre ami, lui aussi. Votre meilleur ami. Parce que, très honnêtement, j'en ai plus que marre.

Mais baby ne me brise pas le cœur, ne joue pas avec moi.

Je tire Benoît vers le rocher. Paresseux essaie de m'aider en attrapant sa chemise avec ses dents. Je le hisse au sec, mais ses jambes sont encore dans l'eau et le courant fait onduler le tissu de son pantalon. Je m'extirpe du lac et m'accroupis à côté de lui en frissonnant. Je ne m'étais pas rendu compte à quel point l'eau était froide.

Benoît ne respire pas. Je renverse sa tête, lui serre le nez d'une main et colle ma bouche contre la sienne. Deux profondes expirations. Puis, je pose deux doigts sur l'artère de son cou.

Paresseux gémit en voyant le sang qui tache sa chemise

– Tais-toi, mon pote.

Pitié. Pitié. Je trouve une faible trace de pouls. Un alligator. Deux alligators. Trente pulsations par minute. C'est mauvais signe. Il ne respire toujours pas. Et il se vide de son sang.

Une chose à la fois, Zinzi. Je n'ai aucune idée de ce que je fais, là. S'il a un pouls, je dois quand même lui faire un massage cardiaque ? Merde.

On continuera de rouler, de voyager
De voyager à travers la nuit

Je lui renverse de nouveau la tête, colle ma bouche sur la sienne et gonfle sa poitrine avec mon propre souffle.

– Merde, respire. Bordel, respire.

Nous sommes une machine obscène, un soufflet humain siamois.

– Putain, Benoît, respire.

Tout va bien, reste à mes côtés
Tout va bien, tout va bien, chérie

– Je ne veux pas, dit soudain Songweza d'une voix de fillette, à l'autre bout de la caverne.

Je ne lève pas les yeux. Je ne peux pas me le permettre.

– On fait tous des choses qu'on ne veut pas faire, à un moment ou un autre, dit Huron. C'est comme un jeu.

– Comme *Blood Skies* ? demande S'bu d'une voix vague, lointaine, un simple écho de voix humaine.

– Je ne sais pas ce que c'est, coupe Huron.

– C'est un jeu vidéo.

– Oui, exactement comme un jeu vidéo, ronronne Huron.

– Coopératif ou non coopératif ?

– Définitivement non coopératif.

Baby it's a drive-by, drive-by, drive-by love

Je pose la paume des mains sur le sternum de Benoît, doigts entrelacés. Merde, un massage cardiaque ne peut pas faire de mal, non ? Ce n'est que quand j'appuie qu'un horrible craquement monte de sa poitrine, comme s'il avait des côtes cassées. On est deux.

– Comment tu vas expliquer *ça* à ta femme ? je siffle. Allez, petit salaud.

Paresseux me pose la patte sur les mains.

– D'accord, tu as raison, plus de massages.

Je prends une profonde inspiration. J'essaie de me calmer.

Baby it's a drive-by, drive-by, drive-by love

– Voilà un couteau pour toi, Song. Et un pour toi. Ne vous inquiétez pas, ils sont enchantés. Vous êtes prêts ? Le premier qui tue l'autre a gagné.

– Yaaaa ! glousse Song.

On continuera de rouler, de voyager, de voyager à travers la nuit

Le corps de Benoît tressaille contre le mien, ses dents cognent ma bouche tandis qu'il se convulse. Je me redresse lorsqu'il commence à hoqueter, crachant un mince filet d'eau et de vomi. Je le mets sur le côté. Il n'ouvre pas les yeux. Paresseux me regarde comme s'il attendait quelque chose de moi. Je ne sais pas si ça suffit. Ce n'est pas comme dans ces putains de films. Benoît crachote et bave, puis gargouille une profonde inspiration. Puis une autre, avec un gargouillis moindre. Il n'ouvre pas les yeux. Mais ça suffit. Il respire.

Reste à mes côtés
Tout va bien, tout va bien, chérie

Son bras pend, incongru, sur son flanc. S'il est cassé, la fracture n'est pas ouverte. Il est peut-être seulement déboîté. Les marques de dents qui décrivent une grande courbe, de sa clavicule à son aine, sur son côté droit, sont plus graves. J'espère que le monstre n'a pas touché d'organe vital. Je noue sa chemise sur son flanc du mieux que je le peux afin d'étancher le sang et pose Paresseux sur la plaie qui saigne le plus ; son appendice, son foie, sa rate ? Merde, pourquoi est-ce que j'ai séché les cours de biologie ?

– Appuie de tout ton poids, mon pote. Ne lâche pas. Je reviens dès que possible.

Benoît peut encore mourir d'une hémorragie. Se noyer dans l'eau qui reste dans ses poumons. Il a peut-être déjà subi des dommages cérébraux irréversibles. Il nous faut un hôpital. Il nous faut des machines, des docteurs. J'essaie de faire taire ma peur tout en me dirigeant vers la jetée.

Tout va bien, tout va bien, tout va bien

La musique s'étiole pour céder la place au silence. Puis, elle recommence.

Les gloussements de Song se transforment en cris indignés. Hélas, je peux maintenant voir ce qu'il se passe, et plus seulement l'entendre. La cage est ouverte. Il y a un monticule de fourrure molle, de viscères et de duvet brun sur le bloc de boucher. Le plastique est poisseux de sang. La tête de l'Oryctérope pend de la planche, les yeux aussi vitreux que ceux d'une peluche. Marabout tient un Crapaud sur le billot. Celui-ci coasse de toutes ses forces, désespéré, sa gorge mouchetée enflée comme une cloque. Marabout lève la machette et le décapite. Son sang jaillit en une giclée claire.

– Par ces morts, liez-les, dit-elle en essuyant le sang sur son visage du dos de la main.

Le Crocodile repose de l'autre côté de la plate-forme, la gueule ouverte. Song et S'bu se tournent autour. Ils ne sont plus attachés ensemble, et évitent le grand reptile, pendant que Huron et Marabout les regardent depuis le pied des marches. Ou plutôt, S'bu tourne autour de Song. Elle est immobile. Elle appuie la main sur la profonde balafre de son bras.

– Oh, qu'est-ce que c'est que cette merde, S'busiso ?

– Meurs, Cthul'mite ! crie-t-il en se jetant sur elle dans un mouvement de jeu vidéo.

Il lui taillade les mains, les bras tandis qu'elle essaie de se défendre. Elle lâche son couteau.

– Sérieux, *doos.* Arrête. Tu me fais mal.

Ce n'est même pas le coup de foudre, juste un regard doux

– S'bu ! je crie depuis l'eau, en contournant le corps bouffi de Ronaldo. C'est la drogue ! Arrête ! Pose le couteau !

Le Crocodile tourne la tête vers moi, fait mine de descendre la jetée pour gagner l'eau.

– Non, reste, ordonne Huron. C'est presque terminé.

Il se tourne vers Marabout :

– Il a la situation en main, hein ?
Puis, il tire son pistolet de son holster et le braque vers l'eau.
– Peu importe. Je vais m'en occuper personnellement.
Il vise. Je plonge.

Je ne peux pas te laisser filer, il faut que je tente le coup

Sous l'eau, les coups de feu résonnent comme des claquements de doigts. Il y en a trois, qui s'enchaînent rapidement. Je crois sentir les balles glisser dans le lac en laissant un sillage argenté. Quelque chose déchire ma cheville. De panique, je me tords et percute Ronaldo. Je tire le corps décomposé au-dessus de moi, comme un bouclier, alors qu'un quatrième coup de feu retentit dans la caverne. La balle est ralentie par l'eau, puis par le cadavre. Ralentie, mais pas arrêtée. Elle traverse la chair pourrie du videur et vient se loger dans ma clavicule.

Je hurle et avale la moitié du lac dans la foulée. Mais je reste sous la surface. Je compte. Je retiens mon souffle. 74 alligators. 92 alligators. 118 alligators. Jusqu'à ce que je n'en puisse plus. Lorsque je remonte, c'est cachée sous l'aisselle de Ronaldo. Je bats des pieds vers le rivage, poussant mon cadavre de Troie devant moi, essayant de me faire discrète.

Tu ne m'as pas vu, ton regard m'a traversé,

– Dépêche-toi, dit Huron en adressant un geste impatient à Marabout.

Elle lui lance un regard glacial puis se met en mouvement. Derrière elle, l'Oiseau bat des ailes. Elle attrape le poignet de S'bu, écarte brutalement le bras derrière lequel se protège Song et, sans lâcher le poignet de S'bu, plante le couteau dans la poitrine de sa sœur.

Maintenant je me demande comment t'oublier

Le couteau racle contre de l'os lorsque Marabout le retire. S'bu pousse un petit cri surpris, mais il saisit le principe. Marabout n'a même pas à guider son deuxième coup. Ni le troisième. Ni le quatrième. Les cris de Song font un contrepoint syncopé au refrain joyeux.

Baby it's a drive-by, drive-by, drive-by love

Songweza tombe en boule sur le ciment et essaie de se protéger. Marabout encourage S'bu à finir la tâche. Il continue de frapper ; la lame s'abat avec la vivacité d'un piranha tandis que Song crie, hurle et finit par se taire.

– Assez, intervient Huron.

S'bu regarde autour de lui, paumé. Marabout lui prend le couteau des mains et le transmet à Huron. Le gamin lui adresse un sourire, perplexe, puis remarque sa sœur. Il s'agenouille à côté d'elle et lui secoue l'épaule.

– Allez, arrête de faire l'andouille, dit-il. Arrête de faire le bébé.

Mais la pression de l'air a changé, et je comprends que Song est morte. Le Contre-courant arrive.

Un fin hurlement retentit, comme le vent qui se glisse dans les fissures d'un mur. Instinctivement, je me replie en barbotant vers le centre du lac.

– Mange, lance Huron à son Crocodile en tâtant le corps de Songweza du bout du pied. Mange !

Le Crocodile rampe vers elle et arrache à contrecœur un morceau de sa jambe. Il l'avale d'un coup de tête obscène et sa gorge blanche est parcourue par une bosse. S'bu gémit de terreur.

Je regarde ailleurs. Les ombres glissent des parois, se coagulent dans l'eau. Le hurlement atteint un nouveau degré, souligné par un cliquetis morne qui évoque des dents qui claquent. Huron semble soudainement mal à l'aise. Comme tous les zoos quand vient le Contre-courant. Même Marabout s'est réfugiée contre la roche peinte en blanc, près de l'entrée.

Huron utilise le couteau pour s'ouvrir la paume de la main gauche et la passe sur la masse animale qui repose sur le billot. Le hurlement s'amplifie. Marabout l'encourage, comme un curé lors d'un mariage. Huron répète les mots après elle, sans entrain. Ses mains tremblent.

– J'offre cet enfant à ma place. Qu'il ne soit pas animalé. Qu'il prenne le mien. Liés par la chair, liés par le sang.

Il se précipite sur le Crocodile et lui entaille la gueule alors même que ce dernier reprend une bouchée de Songweza. La bête secoue brutalement la tête et siffle sur Huron, mâchoires ouvertes.

– A toi, maintenant, crie Huron à S'bu. Dis : je prends cet animal.

– Je ne compr...

– Dis-le ! Bordel, dis-le !

– S'il vous plaît... sanglote S'bu.

– Tu entends ce bruit ? Tu sais ce que c'est ? hurle Odi. C'est le putain de Contre-courant, mon garçon. Maintenant, dis-le, ou il va t'avaler et t'emporter en enfer.

– Je prends cet... bafouille S'bu.

– Animal !

– Animal. Je prends cet animal.

Il cherche l'approbation d'Odi du regard. Ce dernier se tourne vers Marabout.

– Ça a marché ? lui crie-t-il. Ça a marché ou merde ?

Marabout secoue la tête. Elle ne sait pas.

– J'espère que ça a marché, bordel !

S'bu se balance d'avant en arrière, les yeux fixés sur sa sœur, les bras serrés autour des épaules. Sa poitrine est agitée de sanglots.

Les ténèbres frémissent et bouillonnent, comme une nappe de pétrole. Elles s'ouvrent pour glisser autour de S'bu. Il agite la main, faiblement, pour les repousser. Le Contre-courant se dresse comme une vague, ses vrilles se faufilent vers le gamin, comme pour goûter sa peau. Le souvenir me fait frissonner.

– Song ? chevrote S'bu.

Soudain, le Crocodile s'élance, le ventre frottant contre le ciment ; ses mâchoires claquent à l'adresse du Contre-courant, sa queue cingle l'épaisse noirceur. Les ténèbres se transforment en vapeur, instantanément, comme si elles n'étaient qu'un mirage. S'bu hurle lorsque le reptile fond sur lui ; mais le monstre veut seulement poser la tête contre la jambe du garçon, avec quelque chose qui ressemble à de l'affection. Horrifié, S'bu cherche à le repousser. Comme je l'avais fait avec Paresseux, jusqu'à ce que je me rende compte qu'il était la seule chose qui me séparait des ténèbres. Mais, bien entendu, Paresseux n'avait pas la gueule pleine du sang de ma sœur.

– Le jeu est pas censé finir comme ça, sanglote S'bu, abasourdi.

Il reste planté là, raide, pétrifié, tandis que le Crocodile lui caresse la jambe du bout du museau.

– Il est à toi, désormais, petit. Félicitations, dit Huron. Je te dirais volontiers de bien profiter de lui, mais tu ne vivras pas assez longtemps.

– Je... commence S'bu.

Amira avance, armée d'un pistolet rétro. Elle colle le canon du Vektor contre la tempe de S'bu et presse la détente. Il tombe à genoux et s'affale lentement, face contre terre. Ou plutôt, ce qu'il reste de sa face. Je détourne les yeux.

Drive-by, drive-by

Maintenant que le hurlement du Contre-courant s'est tu, la musique est redevenue audible.

– Bon, ça s'est bien passé. Coupe ce vacarme, tu veux ? dit Huron.

Amira actionne un interrupteur et la musique meurt, laissant la place à un silence lourd que n'interrompt que le clapotis des vaguelettes sur la roche et le bruit sourd que fait la gueule du Crocodile en heurtant doucement S'bu, comme pour le réveiller.

– Assez bien, acquiesce Amira en remisant le pistolet dans un étui caché parmi les lanières qui lui couvrent le torse.

– Bon courage pour faire sortir ce putain de truc.

– Ne vous inquiétez pas. Nous avons un plan. Vivant, ç'aurait été mieux, bien sûr, mais on fait avec ce qu'on a.

Elle lance un regard calculateur au Crocodile.

– Chut, plaisante Odi, il va t'entendre.

J'attends qu'ils soient arrivés en haut de l'échelle, et encore quelques minutes, 289 alligators. 294 alligators, afin d'être sûre qu'ils ne reviendront pas. Je me glisse hors de l'eau aussi silencieusement que possible pour ne pas perturber le Crocodile qui continue de pousser S'bu du bout de la gueule. J'ai vu des animaux vivre pendant des mois après la mort de leur humain, mais ils ne sont plus tout à fait les mêmes.

Je ne peux pas lever le bras à cause de la balle logée dans ma clavicule. Chaque pas enfonce des échardes de verre dans ma poitrine et fait éclater des soleils dans mon crâne. Mais je dois monter. Je dois trouver un téléphone. Je n'arriverai pas à sortir Benoît d'ici toute seule.

Je contourne le billot en évitant de regarder les restes d'animaux, mais le Crocodile me voit. Il vient rapidement interposer sa masse entre les escaliers et moi, plus vite que ne devrait pouvoir le faire un truc aussi gros. Il ouvre la gueule pour me signifier clairement son hostilité. Je lève une main – c'est tout ce que je peux faire – pour lui dire que je me rends.

– Ils veulent te tuer. Te découper en morceaux pour faire de la *muti*. Leurs outils sont prêts.

Il me regarde impassiblement, les yeux réduits à deux fentes dorées. Je poursuis :

– Un monstre comme toi ? Ça vaut probablement une fortune. Je peux t'aider. Je peux *essayer* de t'aider. Mais pour ça, je dois sortir.

Il tend brusquement la gueule vers moi. Je frémis, mais ce n'est pas une attaque. Il désigne les escaliers. Me fait signe de partir. Je le dépasse prudemment, en m'attendant à moitié à ce qu'il se jette sur moi, à ce que ces immenses mâchoires me broient, mais ça n'arrive pas, et je parviens à grimper aux barreaux, d'une main, la cage thoracique à l'agonie.

L'échelle débouche au fond d'un studio d'enregistrement. Une fausse cloison noire, tapissée de mousse isolante qui n'arrive pas à arrêter l'odeur, donne sur la table de mixage. La baie vitrée est ouverte sur le jardin. L'aube strie le ciel de jaunes et de roses pâles.

Je longe la colline en direction de la piscine, collée aux broussailles pour me faire aussi discrète que possible. Amira et Mark sont dans le patio. Mark frotte les traces rouges que les menottes en plastique ont laissées sur ses poignets. Amira caresse la tête du Lapinou, qui tremble violemment dans ses bras. Sous la table retournée, la Mangouste fait les cent pas en grognant, se jetant de temps à autre, furieusement, sur les volutes de fer forgé. Le téléphone d'Amira émet un bip. Elle le consulte rapidement.

– Le virement est en cours, dit-elle à Mark.

Huron sort de la maison après sa douche, vêtu d'un peignoir satiné. Au loin, des sirènes hurlent. Il s'arrête pour regarder Carmen, avachie sur sa chaise longue au milieu d'une flaque de sang.

– Vous avez fait du vilain avec la petite Carmencita, dit-il avec une très légère trace de regret.

– Elle ne vous faisait aucun bien, grogne Mark. Et, maintenant, on peut se servir d'elle comme appât.

Il pousse le transat sur ses roulettes, pour prouver ses dires, et approche Carmen de la piscine.

– Je passe mon tour, dit Huron. Il y a déjà eu beaucoup trop d'agitation par ici.

Les sirènes gagnent en volume. Sentinel a fini par se réveiller. Je m'accroupis parmi les buissons en me demandant comment je vais pouvoir tirer la Mangouste de là.

– On n'en a pas pour très longtemps, dit Amira alors que Mark renverse la chaise longue et fait glisser Carmen dans la piscine. Elle remonte aussitôt à la surface et flotte paresseusement. Son dos ressemble à un champignon pâle qui aurait poussé dans l'eau, ses cheveux blonds font une auréole autour de sa tête.

– Il ne devrait pas tarder à...

Le Crocodile était déjà là, caché sous les feuilles. Il hume le cadavre. Odi se penche pour voir le spectacle, malgré ce qu'il vient de dire. Et le Crocodile n'a qu'à tendre le cou pour refermer la gueule sur lui. La morsure est presque amicale. Puis, il serre les mâchoires. Ses crocs transpercent la panse de Huron. Celui-ci crie comme un cochon à l'abattoir dans une vidéo de PETA.

Les sirènes se font plus fortes. Des lumières apparaissent entre les arbres, en bas de l'allée. Huron cherche son arme à tâtons.

– Aidez-moi, connards ! hurle-t-il à Mark et Amira.

Mais ces derniers ne bougent pas d'un pouce.

Tout en continuant de jurer, Odi réussit à glisser le bras hors des mâchoires du Crocodile pour tirer son pistolet de son étui. Il colle le canon contre l'œil du monstre et tire. L'organe explose dans une averse de gélatine et la tête du Crocodile part en arrière sous l'impact. Odi hurle de plus belle lorsque les dents lui ouvrent le ventre. Un chapelet de viscères gris s'échappe de sa blessure. Le Crocodile rue, cognant sa proie contre le bord de la piscine. Odi se débat et parvient à faire passer le flingue dans sa main gauche. Il l'enfonce profondément dans la gueule du reptile. Il y a une détonation étouffée.

Le Crocodile s'affaisse. Ses mâchoires se relâchent. Huron essaie de se dégager, mais le poids du monstre les entraîne tous deux dans l'eau.

– Aidez-moi, nom de Dieu de merde, aidez-moi ! Amira !

Huron tend une main charnue.

– Qu'en dis-tu, ma douce ? Devrions-nous l'aider ? rêvasse Mark.

– Je crois que notre partenariat touche à son terme, répond Amira. Au revoir, Odi.

— Pitié, supplie-t-il.

Le Crocodile continue de glisser dans l'eau. Il a presque disparu sous la surface.

— Au moins, ne me laissez pas me noyer ! Accordez-moi au moins ça…

— Ç'a été un plaisir de travailler avec vous, dit Amira en avançant vers lui.

Elle tend le pied, le pose sur la poitrine de Huron et pousse. La mêlée d'homme et de crocodile finit de glisser dans le bassin.

Un cri étouffé monte de l'allée.

— Sécurité !

— Dommage pour le Crocodile, mais qu'y peut-on ? dit Marabout en regardant Odi suffoquer en coulant.

Les contours de sa silhouette commencent à s'effilocher, comme si la lumière se défaisait à son contact.

— Oh, ma douce, nous trouverons d'autres acquisitions, dit Maltais.

Il lui prend la main et tous deux disparaissent, juste comme ça. Il y a un très vague mouvement dans la lumière des torches alors que des bruits de pas pressés remontent vers nous.

Les vigiles me découvrent effondrée près de la piscine, la Mangouste hérissée à mes côtés, les yeux fixés sur les sombres remous de l'eau.

35

The Daily Truth, 30 mars 2011
FAITS DIVERS
L'Œil sur le Crime

Le jour où la musique s'est tue

On dit que le monde de la musique est plein de requins, mais on oublie trop souvent les crocodiles ! Le légendaire producteur, Odysseus « Odieux » Huron, s'est fait boulotter la nuit dernière par son animal caché, un Crocodile blanc moerse, après avoir assassiné les jumeaux du groupe ado phénomène iJusi lors d'un rituel muti ! Il s'avère que l'homme qui a révélé certains des plus grands talents musicaux de ce pays était aussi un *tsotsi* de première : il se livrait au trafic de drogues, assassinait des zoos sans-abri pour faire de la *muti*, en livrait d'autres à son Crocodile et ne cultivait les jeunes talents que pour mieux les faucher ! Pas moins de vingt cadavres ont été découverts dans un lac souterrain secret, y compris celui d'une femme sur laquelle la police s'est refusée à tout commentaire... Mes sources internes m'apprennent toutefois que l'enquête sur l'accident de voiture fatal de Lily Nobomvu a été rouverte ! Yoh ! Rendez-vous page 10 pour découvrir tous les détails verskriklile des témoignages !

La police a saisi tous les biens de Huron, mais j'entends dire qu'il manque sur son compte une moerse somme d'argent. Tout cela prouve en tout cas qu'on ne sait jamais qui est un zoo. Le rappeur Slinger n'en était pas un. Odi, si. Qui d'autre cache un animal dans son placard ?

Pendant ce temps, un mignonnet journaliste va devoir fournir pas mal d'explications. Il semblerait que l'un des cadres du magazine velu *Mach* ait envoyé des messages d'arnaque nigériane depuis son adresse professionnelle. Tsk, tsk, skat ; tu ne sais pas qu'il ne faut pas utiliser la bécane du boulot pour mater du porno ou escroquer les gens ?

36

Il est 4 h 30 du matin et la queue qui mène au poste-frontière de Beit Bridge fait déjà plus de mille voitures, et ça rien que du côté sud-africain. On ne compte même pas le torrent de réfugiés qui essaient d'entrer depuis le Zimbabwe. Des clôtures de fil de fer barbelé ceignent les broussailles poussiéreuses de la berge du fleuve, afin de retenir ceux qui se sont montrés assez stupides ou désespérés pour traverser à la nage ; après tout, il y a des crocodiles, dans ce fleuve.

Le chant des cigales croît avec la chaleur tandis que nous avançons, une voiture après l'autre, à travers les nuages de monoxyde de carbone. Devant moi, un véhicule, puis un autre, puis un bus qui ploie sous une masse de sacs, de caisses de volailles et de gens. Tant d'objets perdus s'y concentrent que leurs fils font comme un nuage de spaghettis.

Et même ici, le business de Zoo City continue. Peut-être que ce n'est pas typique de Hillbrow, après tout. Peut-être que c'est toute l'Afrique du Sud. Chacun fait ce qu'il doit faire, saisit les opportunités au vol. Les vendeurs passent et repassent le long de la file de voitures, proposant des boissons chaudes ou froides, des chips, des *skyfs* ou des paquets de

Remington Gold. Deux filles en shorts courts et talons aiguilles poussiéreux s'appuient à la fenêtre d'un 4 × 4 et flirtent avec le passager. Le poste-frontière est ouvert vingt-quatre heures sur vingt-quatre, et les gens ont besoin d'une chose ou d'une autre vingt-quatre heures sur vingt-quatre.

Paresseux est caché dans un sac en rotin plein de vêtements, percé d'un trou pour qu'il puisse respirer. Le sac en question est attaché sur le toit, parmi un tas d'autres bagages, pleins du genre de choses que les Zimbabwéens qui rentrent chez eux rapportent à leur famille. Des vêtements, des boîtes de conserve, des couvertures, de l'électroménager, du papier-toilette, des serviettes hygiéniques. Je jetterai tout ça de l'autre côté de la frontière. Ces objets sont ma couverture tant que je suis sur le sol sud-africain. Tant que je suis dans la juridiction de l'inspectrice Tshabalala. Sans parler de celle de Vuyo.

La Capri a été repeinte en noir. La vitre a été changée. Elle dispose de nouvelles plaques d'immatriculation, assorties à mon nouveau passeport zimbabwéen, au nom de Tatenda Murapata, vingt-neuf ans, nounou à plein temps qui rentre passer les vacances au pays. D'Nice m'a indiqué où les obtenir, afin de s'excuser d'avoir aiguillé les flics vers mon appartement. Mais seulement après que j'ai menacé de le dénoncer pour le meurtre de Mme Luditsky. Il n'a pas besoin de savoir que j'ai déjà remis le couteau à la police, après l'avoir récupéré dans le réseau de drainage, en même temps que le chaton en porcelaine. Il m'a même eu un bon prix pour mes faux billets. Ce n'est pas parce qu'ils sont bidon qu'ils n'ont pas de valeur, particulièrement lorsqu'on traite avec les douanes, qui n'y regardent pas de trop près.

Benoît est toujours à l'hôpital. Son état est critique, selon les docteurs. Ils parlent en jargon médical, mais d'après ce que j'en ai saisi, il a des côtes cassées, un poumon percé, et des nerfs endommagés dans le bras. Il lui faudra des mois de kinésithérapie. Il n'en retrouvera peut-être jamais le plein usage. Mais le pire, c'est la morsure. La magie. Les morsures d'animaux mettent un temps fou à guérir, et s'accompagnent d'effets secondaires étranges. Il se réveille parfois, en proie à la fièvre, puis retombe dans un état d'inconscience qui frôle le coma, mais avec une activité cérébrale plus erratique, comme s'il se battait encore contre les monstres dans sa tête. La Mangouste erre dans les couloirs, décharnée et pitoyable.

Il n'y a rien que je puisse faire.

Huit jours pour gagner Kigali si je ne lambine pas, et ne tombe pas dans des nids-de-poule ou sur des barrages dont je ne peux pas me sortir par un bon pot-de-vin.

Premier jour : Johannesburg – Harare

Deuxième jour : Harare – Lusaka

Troisième jour : Lusaka – Mbeya

Quatrième jour : Mbeya – Dar es-Saalam

Cinquième jour : Dar es – Nairobi

Sixième jour : Nairobi – Jinja

Septième jour : passage en Ouganda, sud

Huitième jour : Mbasa – Kigali

Ces noms sonnent comme de nouveaux mondes. Je n'ai jamais voyagé qu'en Europe. Vacances au ski avec mes parents, quand j'avais onze ans ; Thando s'était cassé la jambe, non pas en descendant une piste, mais en glissant sur un trottoir verglacé. A Londres, pendant un mois, pour travailler, lorsque j'avais dix-huit ans. Un mois au terme duquel j'avais envoyé au diable mon appartement merdique et mon job dans un bar pour revenir vers le confort de la maison parentale à Craighall, avec la piscine, le jardinier et la femme de ménage qui refaisait mon lit tous les jours. Avant que je ne rencontre Gio, avant que je ne tue mon frère, avant Paresseux.

J'ai un sac *amaShangaan* plein de faux billets. J'ai un paquet de photos. J'ai des e-mails imprimés d'un assistant social des Nations Unies. J'ai les noms des membres de la famille de Benoît, leur numéro d'identité, et les formulaires de demande d'asile en Afrique du Sud.

En revanche, je n'ai pas la permission de quitter le pays alors qu'une enquête pour homicides multiples/meurtres en série est ouverte.

Celvie. Armand. Ginelle. Célestin. Ça va faire bizarre. Ça va être la meilleure chose que j'aie faite de toute ma pauvre vie.

Et après ça ? Peut-être bien que je vais me perdre un peu.

Lexique

Ag voeitog ! : « Dommage ! » Souvent utilisé comme marque de sympathie.

AmaShangaan : Sac en plastique tressé.

Amathambo : Osselets divinatoires.

BA : « Bachelor of arts ». Diplôme universitaire, à peu près équivalent à une maîtrise.

Baba : Monsieur.

Bankie : Pochette de marijuana, appellée ainsi en raison de sa ressemblance avec les pochettes à espèces des banques.

BEE : « Black Economic Empowerment ». Programme lancé par le gouvernement sud-africain pour contrebalancer les effets néfastes qu'a eu l'apartheid sur les communautés désavantagées (Noirs, Chinois, Indiens, etc.). L'idée est d'offrir à chacun des chances égales en termes d'emploi, d'accès à la propriété, de formation, de développement. En l'état, ces réformes sont critiquées car elles peuvent n'être appliquées que de manière purement théorique ; on peut ainsi voir des entreprises exclusivement blanches recruter un seul Noir, souvent issu des classes supérieures, à un poste symbolique (et parfois fantoche) afin de jouer le rôle de « l'alibi ».

Black diamond : Terme péjoratif désignant un membre de la nouvelle élite économique noire. Il signifie « diamant noir », en raison de l'opulence ouvertement affichée de cette classe moyenne en plein essor.

Boep : Ventre, bide.

Boy-nooi : Garçon-fille.

Braaier : Verbe signifiant « cuire au barbecue ».

Breyani : Une sorte de curry.

Buchu : Plante africaine.

Cha ! ou *Tsha !* : Interjection signifiant l'agacement.

China : Pote, ami.

Chiskop : Type de coiffure dans lequel une partie ou la totalité du crâne est rasée.

CNA : Chaîne de magasins vendant des jeux vidéo, des livres, des appareils photo, des magazines, etc.

Dief : Voleur.

Dlozi/amadlozi : Esprit des ancêtres.

Doos : Crétin.

En Dinges wat daar woon : Un type qui vivait ici.

Engel : Ange.

Fo sho : Pour sûr.

Fokkof ! : Dégage !

Fourmis Rouges : Les Fourmis Rouges, ainsi nommées en raison de leur uniforme, sont des équipes de gros bras recrutées pour expulser de force les squatters et autres indésirables des quartiers destinés à être rénovés.

Gautrain : Train d'Afrique du Sud, qui doit son nom à la province de Gauteng.

Gijima ! : Casse-toi !

Goeter : Bidule, truc.

Hakk : Verbe signifiant « irriter », « ennuyer ».

Hamba ! : Barre-toi !

Hayibo : Interjection signifiant l'incrédulité ou l'agacement.

Hei wena : Eh, toi.

Heita : Bonjour.

Imoya emibi : Mauvais esprit.

Imphepho : Herbe africaine souvent utilisée comme encens.

IPoyisi : Police.

Ja : Oui.
Jong : Jeune.
Jozi, Joburg : Abréviation de Johannesburg.
Jussis : Jésus.
Jy onthou : Tu te souviens.
Jy ! : Toi !
Kak : Merde.
Kasi : Abréviation du terme « lokasie », qui désigne les townships.
Khehla : Homme d'âge mûr.
Koek : Gâteau/cake. Peut s'utiliser comme sobriquet affectueux.
Koeksister : Pâtisserie sud-africaine à la pâte de beignet tressée et enrobée de sirop.
Koppie : Petite colline du Veld africain.
Kwaito : Genre musical populaire en Afrique du Sud ; mélange de disco, de hip-hop, de R & B, de ragga et de rythmes de house music.
Lank : Adverbe ou adjectif. Désigne une grande quantité.
Larney : Terme péjoratif signifiant « riche » ou « snob ».
Lekgosha : Prostituée.
Lengolongola : Bouteille d'une contenance de 75 cl.
Lingala : Langue bantoue parlée en République démocratique du Congo.
Madoda : Les amis/les gars.
Makarapa : Casque de chantier souvent porté par les supporters de football.
Mal : Taré, dingue.
Maskanda (ou *maskandi*) : Musique folk zouloue.
Mbaqkanga : Genre musical issu de la tradition rurale zouloue.
Miervreter : Fourmilier.
Mkwerekwere : Terme péjoratif désignant un étranger à l'Afrique du Sud.
Moegoe : Gogo, naïf.
Moerse : Adverbe ou adjectif. Désigne une chose très grande ou une quantité très importante.
Mos : Interjection indiquant qu'on énonce une évidence.

Msunu : Salope.

Muti : Magie traditionnelle africaine. Désigne aussi les « remèdes » concoctés par ses praticiens.

Mxit : Tchat sur téléphone mobile.

Na ngayi : Mon amour.

Necklacing : Pratique punitive consistant à passer un pneu rempli d'essence autour du cou de la victime avant d'y mettre le feu.

Ngiyabonga : Merci.

Nyanga : Guérisseur.

Okie : Mec.

Oppikoppi : Festival musical sud-africain.

Ou : Mec, gars.

Oulike : Mignon.

Panga : Machette.

Pap : Bouillie de maïs.

Papsak : Sac étanche en aluminium, qui contient généralement du vin de mauvaise qualité.

Perlemoen : Huître abalone.

Plak : Désigne l'état d'esprit d'une personne passablement dérangée et/ou bizarre.

Sangoma : Sorcier/guérisseur.

Sawubona : Salutation.

Schmodelly : En argot du Cap, cet adjectif-valise s'applique à un lieu dans lequel on peut papoter (*schmooze*) avec des mannequins (*models*). En d'autres termes, un lieu branché et bien fréquenté. Peut aussi s'appliquer aux gens qui fréquentent ces lieux.

Sê weer ? : Répète ?

Seriaas : Sérieux.

Sgebenga : Gangster.

Sharps : Gangster ou personne louche bien habillée.

Shavi : Se référer au chapitre 19 pour une explication complète du terme.

Shweshwe : Un type précis de tissu en coton bleu, rouge ou marron.

Sisi : Sœur.

Siyagruva : « Let's groove ! », peut se traduire par « faisons la fête, éclatons-nous… »
Skat, Skattebol : Sobriquet affectueux : trésor, chéri.
Skedonk : Vieille voiture mal en point.
Skinders : Ragots.
Skollies : Voyou/membre d'un gang, généralement de couleur.
Skyf : Cigarette vendue à l'unité.
Snoep : Radin.
Sommer : Signifie « comme ça », « sans raison particulière ».
Spaza : Epicerie/bazar, généralement situé au domicile de la famille qui le tient.
Stompie : Mégot. Peut aussi désigner un ragot, une rumeur.
Thokoza : Salutation.
Thula ! : Silence !
Thwasa : Apprenti sangoma en cours d'initiation.
Tik : Méthamphétamine.
Titos : Tito Mboweni était ministre des finances d'Afrique du Sud ; son nom, dans l'argot des tsotis, désigne un billet de 100 rands.
Tsotsis : Gangster/criminel noir.
Umlungu : Blanc.
Umthakati : Sorcier.
Unjani : Comment ça va ?
Vaya : Pars !
Veld (ou *felt*) : Grande étendue de terrain à la campagne, au relief peu marqué, et destiné souvent à l'activité agricole ou pastorale.
Verskriklike : Terrible, horrible.
Vrot : Pourri.
Wat doen jy ? : Qu'est-ce que vous foutez ?
Yoh, mense ! : « *Yoh* » est une interjection signifiant l'incrédulité. « *Mense* » désigne les gens, « les gars ».
Zamalek : Bière forte.
Zambuk : Pommade non grasse, légèrement parfumée, aux multiples usages.
Zvidhoma : Familier de sorcière.

Remerciements

Rendre le fantastique crédible est une tâche difficile. Par chance, j'avais des complices.

Je souhaite remercier Johnson Sithole de JBS Security, mon guide dans Hillbrow et Berea (merci, tout particulièrement, d'avoir laissé ton arme à la maison), et le photographe Marc Shoul, qui me l'a recommandé.

Merci à Lindiwe Nkutha pour m'avoir emmenée au marché des guérisseurs de Mai Mai et de Faraday, et pour s'être fait refouler avec moi du Rand Club parce que nos tenues n'étaient pas appropriées. Je suis également reconnaissante envers la direction de High Point et sa jeune et dynamique équipe de sécurité, qui m'a fait faire un tour complet du bâtiment et a bel et bien attrapé un violeur.

The Jo'burg Book, l'excellente histoire de la culture populaire de la ville signée Nechama Brodie, est devenue ma bible, et Nechama m'a aussi fourni des recommandations personnelles, des cartes annotées, et a vérifié certains faits pour moi. Merci à mes bons amis Georgi Guedes et Ter Hollman d'avoir joué les hôtes.

Mes contacts/informateurs dans l'industrie du disque étaient Esther Moloi, Jason Curtis, Gabi le Roux, Shamiel Adams et le journaliste Evan Milton, qui ont insisté pour interviewer Odi Huron, ne serait-ce que pour un magazine fictif. Merci à vous tous, ainsi qu'à l'écrivain/voyageur Justin Fox, qui m'a aidée à organiser les voyages de Zinzi.

Merci, de même, à Charlie Human et à Sam Wilson, qui ont été embauchés pour rédiger du matériel additionnel, respectivement l'article psychanalytique sur le Contre-courant et les témoignages de prisonniers. Ces deux chapitres ajoutent de la profondeur à mon récit et m'ont offert des points de vue auxquels je n'aurais pas songé.

L'expertise du Dr Meg Jones et de Chris de Meyer, secouriste pour Cape Medical Response, m'a été précieuse pour traiter de certains états et blessures fictives.

Je suis infiniment reconnaissante envers Jamala Safari, qui a partagé l'histoire de son voyage depuis la République démocratique du Congo jusqu'à l'Afrique du Sud (laquelle deviendra bientôt, je l'espère, un roman[1]), et m'a aidée à démêler des acronymes et l'écheveau de conflits de ressources qui a causé la mort de 5,4 millions de personnes au Congo depuis 1998. James Bocanga, un autre émigré de RDC qui dirige sa propre société de sécurité dans mon quartier, m'a patiemment expliqué l'argot et le quotidien des ressortissants, et m'a fourni maintes traductions.

L'évêque Paul Verryn m'a invitée à visiter l'église méthodiste centrale ; à l'époque, plus de trois mille réfugiés y vivaient dans des conditions épouvantables, inhumaines, mais cela valait toujours mieux que de dormir dans la rue. Cette expérience marquante, source d'humilité, reste gravée en moi, même si je n'ai pas trouvé le moyen de la relater. L'église a servi d'abri durant les attaques xénophobes de 2008, et continue d'offrir son appui et son aide alors que beaucoup essaient d'ignorer la terrible situation des réfugiés en Afrique du Sud. Le sujet a provoqué de nombreuses controverses, en particulier récemment, mais les gens que

1. C'est aujourd'hui chose faite : Jamala Safari, *The Great Agony & Pure Laughter of the Gods*, Umuzi/Random House Struik, 2012.

j'ai rencontrés sont courageux et chaleureux, et font de leur mieux dans les pires conditions.

Le livre de Tim Butcher, *Blood River : A Journey to Africa's Broken Heart,* m'a offert un excellent point de vue sur la RDC, tandis que celui de Jane Bussman, *The Worst Date Ever : War Crimes, Hollywood Heart-Throbs and Other Abominations,* s'est avéré être un compte-rendu brillant, terrible et pourtant très amusant sur l'Armée de Résistance du Seigneur, et en particulier sur ses exactions en Ouganda.

Parmi les autres livres qui se sont révélés précieux, *Hot Type,* de Bongani Madondo ; le triste, amusant, merveilleux roman de Kgebetli Moele, *Room 207,* qui se déroule à Hillbrow ; la déchirante autobiographie d'une droguée de Melinda Ferguson, *Smacked* ; le terrible *Way of Staying* de Kevin Bloom et tout particulièrement le fascinant ouvrage de Penny Miller, hélas épuisé, *Myths and Legends of South Africa,* qui a bercé mon enfance de ses magnifiques histoires et de ses inquiétantes illustrations.

L'excellent site Internet de Matt Weems, warlordsofafghanistan.com, s'est avéré être une référence captivante et passionnante, à tel point que j'ai failli abandonner la rédaction de ce livre pour écrire sur le sujet.

Mes amis de Twitter ont volé à mon secours pour répondre à des questions sur des sujets aussi variés que le système de drainage des eaux de pluie, les meilleurs endroits pour se débarrasser d'un cadavre (ce n'est que *très légèrement* malsain, les gars). Remerciements spéciaux à @6000 et @ghostwriter pour leurs conseils médicaux, à @mattduplessis, @brodiegal, @gussilber et @louisgreenberg pour leurs informations générales sur Joburg. Et à tous ceux qui ont tweeté sur les différents modèles de pistolets ou l'art de faire sortir un portail de ses gonds.

Divers pratiquants de l'arnaque nigériane ont eu l'amabilité d'envoyer un échantillon de leur travail directement dans ma boîte de réception (je les encourage à me contacter pour demander un pourcentage des royalties, si ce n'est qu'il y aura sans doute quelques frais administratifs à régler), mais je dois surtout beaucoup aux gens du site 419eater.com et scamwarners.com, au service 419 de la police sud-africaine, ainsi qu'aux victimes que j'ai interviewées pour *Marie Claire* et *Cosmopolitan* ; tous m'ont apporté un point de vue privilégié sur ces arnaques et les syndicats qui les mettent en œuvre.

Merci à mes méticuleux et exigeants lecteurs : Sarah Lotz, Sam Wilson, Zukiswa Wanner, Lindiwe Nkutha, Verashni Pillay, Nechama Brodie, Charlie Human, Louis Greenberg et mon mari, Matthew Brown : vous avez tous contribué à faire de ce livre ce qu'il est.

Les illustrateurs de génie que sont John Picacio et Joey Hi-Fi ont créé les deux plus belles couvertures du monde pour les éditions internationale et sud-africaine de *Zoo City*, respectivement. Deux illustrations incroyables, chacune dans son style propre, que ces deux artistes ont pu glisser dans un emploi du temps déjà surchargé. Je leur en suis immensément reconnaissante. Toutes mes félicitations à Joey Hi-Fi, lauréat du prix Wojtek Siudmak du graphisme (Grand Prix de l'Imaginaire) pour son exceptionnelle couverture.

Je voudrais également remercier Frédérique Polet et toute l'équipe des Presses de la Cité, ainsi que Laurent Philibert-Caillat, mon minutieux traducteur, qui a compilé le lexique accompagnant ce roman.

Marc « Marco » Gascoigne et Lee Harris d'Angry Robot, ainsi que Pete van der Woude et Maggie Davey de Jacana se sont révélés être des gens exceptionnels avec lesquels travailler est un plaisir, de même que mon éditrice, Helen Moffett.

Enfin, merci à ma famille et à mes amis, en particulier à Matthew et à Keitu, pour avoir fait en sorte que tout cela en vaille la peine.

Composé par Nord Compo Multimédia
7, rue de Fives, 59650 Villeneuve-d'Ascq

Cet ouvrage a été imprimé en France par

à Saint-Amand-Montrond (Cher)
en avril 2013

N° d'impression : 124800
Dépôt légal : mai 2013